Amerikanskt slanglexikon

KRIS WINTHER

AMERIKANSKT SLANGLEXIKON

Tredje upplagan bearbetad och utökad
av Hans Lindquist och Ric Fisher

Bokförlaget Prisma Stockholm

© 1970, 1979 Kris Winther/Bokförlaget Prisma
Omslag av Michael Less
Första upplagan september 1970
Tredje bearbetade och utökade upplagan oktober 1979
I Prisma Magnum april 1984
ISBN 91-518-1722-5
Printed in Finland by Werner Söderström Oy 1984

Förord till första upplagan

Sedan urminnes tider har i alla kulturländer den breda massan av folket visat en tendens att vilja ersätta standardord eller litterära ord med andra, "självgjorda" ord. Sådana nyskapade ord kastar vanligtvis en ärans mantel över föraktliga saker eller förnedrar ärofulla begrepp.

Detta påstående framförs inte som något nytt eller speciellt originellt i samband med denna lilla bok. Det är nämligen ett citat från greken Tukydides (460–ca 400 f.Kr.), som var mycket förargad på den dåtida utbredda användningen av slangord i Grekland. Begreppet slang är tidlöst.

Ordet "slang" – som i det följande kommer att användas som synonym för alla folkliga uttryck som avviker från det godtagna litterära språket – är ett lånord från engelskan. Så sent som år 1824 var emellertid ordet så pass okänt i England att sir Walter Scott i sin roman *Redgauntlet* ansåg det nödvändigt att närmare förklara det. Inte heller förekom det i Phillips verk *New World of Words* (London 1707), som troligen var det första försöket till en slangordbok. Ordet "slang" återfinns i den apokryfiska skriften *Jonathan Wild's Advice to his Successor* (London 1758) – utgiven ungefär ett kvarts sekel efter den ökände hälarens död – och finns upptaget i Groses *Dictionary of the Vulgar Tongue* (London 1789). Det är svårt att utröna när uttrycket slog helt igenom i litterär engelska, men som exempel kan nämnas att i *Study of Words* (London 1851) begagnar sig teologen Trench av detta ord utan minsta skrupler.

Sedan sekelskiftet har strömmen av slangordböcker, varav många med amerikansk slang, ständigt ökat. Nutidens standardverk på detta område får anses vara Wentworth & Flexner, *Dictionary of American Slang*. Det innehåller utomordentligt belysande artiklar och rentav häpnadsväckande ordlistor av olika slag. Tyvärr har dessa strukits i pocketupplagan (New York 1968), som också är starkt nedbantad bl.a. genom strykning av alla "runda" ord.

År 1945 utkom i både Danmark och Sverige ordboken *USA Slang*, den första i sitt slag i Norden. Den danske skriftställaren Victor Skaarup och undertecknad "lekte ihop" den på rätt lösa boliner. I början av 1960-talet föreslog jag att vi på ett lexikografiskt mera korrekt sätt gemensamt skulle utarbeta en ny slangordbok. På grund av tidsbrist tvingades emellertid Victor Skaarup att överlåta till mig att ensam göra ett försök att genomföra arbetet med föreliggande bok om vardagsspråket i Amerika.

Slang är ett levande, ständigt skiftande språk. Dagligen ändras eller utvidgas betydelsen av något ord. Dagligen skapas nya ord och försvinner andra som har varit populära eller som har använts enbart av små grupper av människor. Dagligen återuppstår också gamla ord som i åratal varit passé eller bortglömda. Ord som har betraktats som slang kan nästan omärkligt glida in i vad som anses vara litterär engelska. Jämför man ovannämnda bok av Wentworth & Flexner med t.ex. *Random House Dictionary of the English Language* (New York 1967), kommer man att upptäcka att Random House accepterar som god engelska vissa ord som Wentworth & Flexner stämplar som slang. Detta är även fallet i den annars strikt hållna *American Heritage Dictionary of the English Language* (New York 1969).

Denna oavbrutna utveckling inom slangordförrådet är mycket intressant att följa. Enklast kan man konstatera skillnaderna genom att jämföra definitionerna i tidigare utkomna slangordböcker (samt vanliga ordböcker) med det bruk av slang som vanligen förekommer i massmedia, dvs. tidningar, film, TV och radio, samt i "moderna" författares alster.

I sitt dagliga tal använder amerikanen mycken slang. I många fall är han inte själv medveten om just vilka ord som är slang och vilka som inte är det. I detta sammanhang kan det vara ganska intressant att framhålla att när president J. F. Kennedy talade i TV eller radio framgick det klart vid vilka tillfällen han lämnade sitt skrivna manuskript för att extemporera. Då använde han slanguttryck i mycket stor utsträckning.

Några amerikanska tidningar försöker mycket omsorgsfullt att städa bort all slang ur sina spalter, men ändå dyker den upp ibland. Även i en så stilistiskt förnämlig publikation som *New York Times' Literary Supplement* smyger sig ett och annat slangord in – dock inte ofta. Andra är inte så noga. Speciellt tidningar med masspridning använder villigt slang om den uttrycker någonting på ett klarare, färgrikare eller roligare sätt. (Ca 70 % av orden i denna bok återfinns i klipp från veckotidskrifterna *Newsweek* och *Time*.) Eftersom dessa tidskrifter har en stor läsekrets ger de spridning åt ord och uttryck som annars troligen skulle ha använts endast inom en relativt begränsad krets. Naturligtvis spelar såväl TV som radio samma roll – kanske till och med större – eftersom de flesta program når ut till en vida större publik än någon tidning.

Genom att följa med i massmedia upptäcker man snart vilka ord som är i ropet. Slangorden återfinns inte enbart i citat från personer som har intervjuats utan lika gärna i kommentarer och artiklar. Här kan man också spåra vilka slangord som har adopterats från andra länder. I Amerika är det naturligtvis huvudsakligen engelsk slang som kryper in i vokabulären, men den kan även komma från andra länder. Man kan t.ex. hitta ett japanskt slangord, *demo* (japanerna har bara förkortat det engelska ordet *demonstration*), i kommentarer rörande studentoroligheter vid universiteten i USA. Mera lättförklarlig är kanske användningen av judiska slangord (och även vanliga ord) som under de senare åren har ökat avsevärt såväl i skrift som talspråk.

Det är självklart att om en känd och populär person använder ett slangord sprider det sig snabbare än annars. Då månraketen Apollo 12 gick in i sin bana mot månen rapporterade astronauten Charles ("Pete") Conrad: "Everything is *tickety-boo*". Detta ord är renodlad engelsk slang men kan numera anses vara godtagbar amerikansk slang. (Det är lustigt att ca fjorton dagar tidigare direktör Stamper från Boeingverken i en intervju i *Newsweek* hade använt ordet *ticky-boom*, vilket *kan* ha berott på att han inte riktigt kunde påminna sig ordet som han troligen hade hört under något samtal med en engelsman.)

Under sådana förhållanden kan slangord även få andra nyanser i betydelsen. Ordet *cliffhanger* betydde ursprungligen endast en dålig, billigt framställd film med uppkonstruerade, spännande situationer. Senare användes samma ord om alla spännande filmer och så småningom även om teaterpjäser och böcker av samma typ. Men då astronauten Glenn 1963 intervjuades om sin rymdfärd beskrev han tredje varvet kring jorden som en *real cliffhanger*. Omedelbart kom ordet att täcka alla spännande situationer. Bara några få månader senare kunde man i *Newsweek* finna adjektivet *cliffhanging* = nervkittlande.

Genom mångårig och upprepad användning mister slangord som regel sin udd. Det som ursprungligen varit fränt och vulgärt slipas så småningom av till sin betydelse och smyger sig omärkligt över i vardagsspråket – mycket ofta med en helt annan mening än det hade från början. Vid sekelskiftet hade man till exempel knappast vågat använda ordet *jazz* i blandat sällskap. På tjugotalet ansågs ord som *bull* och *crap* mycket oanständiga, men under sextiotalet har man hört båda uttrycken användas till och med från predikstolen.

Just därför att ord som ansågs vara vulgära i går kanske kan bli accepterade i morgon har beteckningen *vulg.* i denna bok använts med en viss försiktighet. Det kan dock ge en liten fingervisning om vilka slangord det är klokast att undvika i kretsar som är känsliga för "runda" ord.

I fråga om de ord som har försetts med beteckningen *hipp.* gäller att dessa ord, som har lanserats av hippies, i så snabb takt har upptagits av andra att denna klassificering knappast går att betrakta som annat än en ursprungsbeteckning – den har i vissa fall t.o.m. strukits så sent som vid korrekturläsningen.

I en bok av den här storleksordningen är det naturligtvis uteslutet att alla slangord kan tas med. Vid sållningen har hänsyn tagits till vilka ord i TV, radio, filmer, tidningar (dock ej facktidningar) och böcker – framförallt deckare – som kan tänkas vålla problem för en icke-amerikan. Slang som används uteslutande inom något speciellt fack (t.ex. jazzmusik) har ej medtagits utom i mycket begränsad omfattning.

Det medges villigt att vissa uttryck har tagits med enbart

därför att undertecknad tycker att de är roliga. Som ett exempel kan nämnas *making little ones out of big ones* = att avtjäna straffarbete. Även här i Norden har straffångar sysselsatts med att hugga stora stenar i småbitar. Det är ett uttryck som framtrollar en bild. Sådan slang är verkligen färgrik och uttrycksfull.

Försök har här gjorts att för varje amerikanskt slangord som har mer än en motsvarighet på svenska först ange den översättning som täcker den betydelse i vilken ordet oftast används. Emellertid är det inte säkert att den turordning ifråga om popularitet som är gällande i skrivande stund kommer att hålla sig ett år, en månad eller ens en vecka. Som ovan anförts kan ett uttryck hastigt komma i ropet och lika hastigt komma alldeles ur bruk. Dessutom kan samma ord plötsligt användas på ett nytt och alldeles oväntat sätt.

Av det föregående framgår att definitionerna – och deras turordning – i denna bok ovillkorligen måste avvika från dem man finner i ovannämnda *Wentworth & Flexner*. Därtill kommer att vi har begagnat oss av divergerande källor. I denna bok har endast medtagits sådana glosor som har varit gängse under de senaste tjugo åren. Av lättförklarliga orsaker har bortsållningen av ord också nödvändigtvis varit avsevärt mera hårdhänt.

Det skulle ha varit alldeles omöjligt för mig att utarbeta denna lilla ordbok om jag inte hade erhållit hjälp från många olika håll. Främst är jag lexikonredaktionen på Bokförlaget Prisma mycken tack skyldig, inte endast för deras klart visade intresse och förståelse utan speciellt för den omfattande och ovärderliga lexikografiska assistans som fru Eva Gomer givit mig.

För insamlandet av slangorden står jag i tacksamhetsskuld till många goda vänner, som har sänt mig tidningsurklipp, citat från moderna författares böcker, från film, TV och radio. I detta avseende har i synnerhet två damer i USA, Mrs. Nellie Hansen, Cedar Rapids Ia, och Mrs. K. C. Jones, St. Paul Minn., samt författaren Magnus K:son Lindberg, Uppsala, varit mig till stor hjälp. Oförlikneligt bistånd har också lämnats mig av dir. Hans Ekstedt, Sigtuna, som har offrat hundratals timmar på att få fram rätt nyans i översättningen av ett otal av de besvärligaste glosorna. För stor hjälp på samma område vill jag även tacka ingenjör Olov Olsson, Stockholm. Apotekare Gösta Larén, Sigtuna, har givit värdefull hjälp på det kemisk-tekniska området, eftersom den amerikanska farmakopén avsevärt skiljer sig från den svenska. Fröken Maj-Britt Häggberg, Stockholm, har varit vänlig att bistå mig vid formuleringen av detta förord.

Det har endast blivit en liten bok, men min förhoppning är att den ändå skall tjäna sitt syfte och fylla vissa anspråk på en ordbok i denna speciella genre. Jag är väl medveten om att boken på flera punkter är bristfällig och ofullständig, trots den utomordentliga hjälp som lämnats mig från många håll. Den är enbart avsedd som ett blygsamt tillägg till de ordböcker som redan finns över "standardengelska".

En tröst är att jag dock inte är ensam i denna situation. Englands förste store lexikograf, Samuel Johnson, skrev bl.a. i sin ordbok: *Ordböcker äro som klockor. Den sämste är bättre än ingen alls; av den bäste kan man ej fordra att den går alldeles exakt.*

Sigtuna i augusti 1970.

Kris Winther

Förord till tredje upplagan

Slang förändras snabbt – man kan bara inte ge ut en slangordbok i oförändrad upplaga efter tio år. Vi har här lagt till det viktigaste av det nya, t.ex. de vanligaste orden från det vildvuxna "kommunikationsradiosnacket" (CB lingo) som började bland långtradarchaufförer men nu är en fluga bland vanliga bilister, den politiska jargong som drogs fram i ljuset och blev populär under Watergateaffären, de nya poptermerna och mer av den soldatslang från Vietnam som nu blivit allmän i USA. Dessutom har vi kompletterat med äldre slangord som man fortfarande ständigt möter i romaner, tidningsartiklar och filmer samt i samtal med amerikaner. Allt som allt rör det sig om ca 1 500 nya ord eller nya betydelser till ord och fraser som redan fanns med.

Alla ordböcker avspeglar i viss mån sammanställarens personlighet, intressen och specialkunskaper. Detta gäller i särskilt hög grad slangordböcker. Därför är det inte lätt att, som vi nu gör, fortsätta en annans verk. Vi har dock försökt att arbeta i Kris Winthers anda, och är övertygade om att läsaren ska ha nytta och glädje av boken utan att störas av enstaka fall av inkonsekvens. Vi minns Emersons ord: *A foolish consistency is the hobgoblin of little minds, adored by little statesmen and philosophers and divines.*

Lund i juni 1979.

Hans Lindquist och Ric Fisher

Förkortningar

a adjektiv
adv adverb
am. amerikansk
astron. astronomi
atom. atomforskning

bildl. bildlig(t)
bokför. bokföring
bokförl. bokförlag
boxn. boxning
börs. börsmäklarterm

CB uttryck från *CB lingo*
   (*se detta uppslagsord*)

e.d. eller dylikt
eg. egentligen
el. eller
enl. enligt
ev. eventuell(t)

förk. förkortning

hand. handelsterm
hipp. hippieterm

ibl. ibland
i mots. t. i motsats till
interj interjektion

iron. ironiskt
i sht i synnerhet

jfr jämför
jidd. jiddisch
journ. journalism
järnv. järnvägsterm

koll. kollektiv
krim. kriminalväsen

läk. läkarterm

mil. militärterm

naut. sjöterm
neds. nedsättande
neger. negerspråk
ngn någon
ngt något

o. och
o.a. och andra
o.d. och dylikt
o.s. one self

p.g.a. på grund av
pl pluralis
polit. politik

poss. possessiv
pred predikativt
prep preposition
pron pronomen

radio. radioteknik
raggar. raggarterm
rekl. reklamterm
rymd. rymdteknik

s substantiv
s.b. somebody
s.d.o. se detta ord
sg singularis
sjö. sjöterm
sjömil. sjömilitär term
skol. skolväsen
skämts. skämtsamt

sport. sportterm
s.th. something

teat. teaterterm
TV. TV-term
typ. typografisk term

ung. ungefär
urspr. ursprungligen

v verb
V Vietnam
vanl. vanligen
vulg. vulgärt

äv. även

ö.h.t. över huvud taget

A

A 1 amfetamin **2** LSD (av *acid*)

Abe's cabe femdollarsedel (*Abe* Abraham; *cabe cabbage;* Abraham Lincoln är avbildad på sedeln)

Abie jude

A-bomb 1 exceptionellt snabb, upptrimmad raggarbil **2** cigarrett innehållande flera sorters narkotika, oftast hasch o. opium el. heroin

abort I *s* misslyckande av rymdraket el. rymdskepp, dock ej genom fientlig handling **II** *v* **1** spränga en redan avskjuten rymdraket **2** avbryta start av flygplan innan det lyfter från marken

ac-ac spärreld från luftvärn

Acapulco gold sorts marijuana av hög kvalitet

accommodation collar gripande av föregivna brottslingar för att tillfredsställa överordnad el. allmänheten

according to Hoyle i överensstämmelse med spelreglerna

ac-dc bisexuell (av förk. för växelström o. likström)

ace I *s* **1** endollarsedel **2** specialist, expert **3** betygsgraden stora A **4** kompis, schysst person **5** marijuanacigarrett **6 ace in the hole, ace up one's sleeve** hemligt kort, äss i ärmen; **he (she, it) is aces** han (hon, det) är toppen **II** *v* **1** klara av (ngt) mkt bra

2 ace in förstå

acey-deecy *se ac-dc*

acid LSD; **drop acid** njuta LSD

acid head narkoman som använder LSD

acidless trip sensitivitetsträning

acid rock psykedelisk musik

ack-ack spärreld från luftvärn

acoustic perfume 1 musak, bakgrundsmusik **2** ljudridå som täcker störande ljud

action 1 (spännande) aktivitet **2** plan, förslag **3** spel om pengar **4** samlag

actor-jockey teater- el. filmiscensättare som kör hårt med skådespelarna

actuals direktsända TV-program av dokumentär art

ad annons

A.D. knarkare

Adam and Eve on a raft 1 två ägg med bacon **2** två förlorade ägg på ett rostat bröd

Adamatical naken

ad hocery tendens att ta till provisoriska lösningar

ad-lib I *v* improvisera **II** *a* improviserad

adman, adsmith reklamman

adspeak reklamjargong

aerospace *koll.* alla de firmor som gör delar till rymdraketer el. rymdfarkoster

African dominoes tärningar

African golf tärningspel

Afro afrofrisyr

ag (*av agricultural college*) lantbruks- el. veterinärhögskola

ageism diskriminering p.g.a. ålder, särskilt av gamla

agfay homosexuell

aggie 1 *se ag* **2** studerande vid lantbruks- el. veterinärhögskola

agony pipe klarinett

A head 1 amfetaminmissbrukare **2** se *acid head*

air I *s* löst prat; **give s.b. the air** avskeda ngn; **go up in the air** *a)* glömma sin replik under pågående föreställning, *b)* bli tvärarg; **take the air** smita, sticka **II** *v* sända i radio el. TV

airchick flygvärdinna

airport art smaklösa suvenirer

airstrip landningsbana

Alger road (way) karriär genom idog arbetsamhet från den mest underordnade ställningen till toppen. (Den amerikanske författaren Horatio Alger skrev i slutet av 1800-talet en lång rad ungdomsböcker, alla med detta "inspirerande" tema.)

Alibi Ike person som alltid kan bortförklara sina misstag

Alice B Toklas marijuanakaka (efter recept i *The Alice B.*

Toklas Cook Book)
alky drinkare, alkis
All-American *a* om idrottsman som genom tidningsomröst-
ning utsetts till den bästa i USA på sin plats i laget
alley (gränd) **up one's alley** inom ramen för ens vetande el.
förmåga
all-fired 1 fullkomlig **2** förbannad
alligator 1 swingentusiast **2** *neger.* vit swingmusiker **3** *mil.*
amfibietank **4** *CB* person som bara snackar o. vägrar att lyssna
all in *pred* uttröttad
all-out komplett, grundlig
alone on a raft 1 bacon med ett ägg **2** ett förlorat ägg på
rostat bröd
alphabet soup nonsens, förvirrat tal
alphabet-soup 1 tilltrasslad **2** obegripligt el. oklart uttryckt
also-ran 1 person som har misslyckats med ngt **2** person som
aldrig har tur **3** mindre begåvad person
alto-brow mycket intelligent person
altogether (helt o. hållet) **in the altogether** spritt naken, i
bara mässingen
ambulance chaser 1 brännvinsadvokat, ohederlig advokat
2 läkare
American Roulette uttagning av värnpliktiga genom lottdrag-
ning
ammo 1 ammunition **2** pengar
amp elgitarr, gura
am-track *mil.* amfibietraktor
Amy-John (*förvanskning av Amazon*) homosexuell kvinna
anchor it tvärbromsa, tvärnita
anchor man 1 studerande med lägsta betyg i sin klass **2** mål-
vakt **3** nyckelman (i lag el. arbetsgrupp), "ankare"
And how! Det kan du lita på!
angel I *s* **1** bidragsgivare till politikers valkampanjfond **2** tea-
terfinansiär **3** homosexuell person **4** vit (oförklarlig) fläck på
radarskärm **II** *v* finansiera
angel dust bedövningsmedel för djur använt som knark (ger
hallucinationer)

angel factory teologisk fakultet vid högskola el. universitet

Angelino invånare i Los Angeles

angle dolt, verkligt skäl till en synbarligen oegennyttig handling

ankle släntra

ante I *s* **1** insats i pokerspel **2** belopp som satsas vid vadhållning **3** summa som investeras i företag **II** *v* (*äv.* **ante up**) ge ekonomiskt bidrag

ants (myror) **have ants in one's pants** *a*) vara nervös, vara sexuellt upphetsad, *b*) vara pratsjuk

antsy nervös, rastlös

A-OK I *a* **1** startklar, i bästa ordning **2** toppen, allra bäst, oöverträffbar **II** *interj* OK!

A one, A number one första klassens, jättebra, toppen

ape (apa) **go ape** *a*) *rymd.* avvika från fastställd kurs, *b*) löpa amok, *c*) entusiasmeras, upphetsas

ape hanger högt styre på cykel el. mc

Apple, the (Big) New York

apple-knocker 1 lantis **2** politruk

apple-pie välordnad, i bästa ordning

apple-polisher lismare

applesauce snack, pladder, skvaller

apron 1 plats framför hangar el. flygstationsbyggnad **2** bartender

aquanaut djuphavsdykare

argy-bargy ordstrid, ''knivkastning''

arm (arm) **put the arm on s.b.** *a*) hejda ngn, få ngn att stanna, i sht arrestera ngn, *b*) tvinga ngn att göra en till viljes, *c*) drämma till ngn

arm-twisting, arm-wrenching I *s* tvång, påtryckning **II** *a* aggressiv, utmanande, pockande

army banjo kortskaftad spade

army brat tjänstgörande arméofficers barn som har tillbringat hela sin barndom på militärt område

army form blank toalettpapper

army strawberries kokta katrinplommon

ashcan 1 kraftig sjunkbomb mot ubåtar **2** filmbit som kasserats (p.g.a. att den är oanvändbar el. har censurerats)

ashes (aska) **haul (one's) ashes** *a*) gå bort från ett ställe, *b*) *vulg.* ha samlag med en kvinna

ashram hippiekollektiv

ass I *s* **1** dum person **2** *vulg.* rumpa, arsle; **it's up his ass** han har blivit utnyttjad (lurad, offer för skojare); **Up your ass!** Fan heller!, Skitprat!

ass-hole 1 korkad person **2** kompis, nära vän

ass-hole buddy kompis, nära vän

ass-kisser, ass-sucker lismande, fjäskande person, rövslickare

aunt ålderstigen bög

auntie antirobot-robot

Aunt Jane 1 *börs.* amatörspekulant på börsen **2** kvinnlig Onkel Tom

Aunt Jemima se *Aunt Jane 2*

Aunt Tabby, Aunt Thomasina, Aunt Tom kvinna som sviker kvinnokampen

autopia drömsamhälle byggt på privatbilism

awash berusad

A.W.O.L. frånvarande (frånvaro) utan tillstånd, bondpermis

ax, axe 1 gitarr **2** musikinstrument ö.h.t. **3** kniv **4** (yxa) **ax to grind** *a*) monomant upprepad åsikt, tvisteämne, *b*) orsak till klagomål; **5** avsked, uppsägning, relegation; **get the ax** bli uppsagd (relegerad); **give s.b. the ax** avskeda (relegera) ngn

axle grease 1 pengar **2** smör

Aztec Two Step diarré

B

B (*av benzedrine,* i amerikansk farmakopé benämning på amfetamin) narkotikatabletter innehållande amfetamin

babbling brook 1 pratkvarn, pladdermaja **2** skvallertacka

babe se *baby 1–3*

Babbitt småskuren, lokalpatriotisk "medelsvensson"

Babbittry småborgerlig självbelåtenhet

baby 1 sexig ung flicka **2** älskling (oavsett kön) **3** person **4** specialintresse, specialuppgift

baby doll vacker flicka

baby-kisser politiker som bedriver personlig valagitation

baby shower kalas där nyfött barn visas upp o. föräldrarna tar emot lyckönskningar o. presenter

baby sit 1 sitta barnvakt **2** hjälpa o. stödja ngn under hans (första) tripp på LSD e.d. **3** hjälpa ngn med personliga problem

babysitter 1 barnvakt **2** *mil.* jagare som skyddar hangarfartyg

back I *s* (rygg) **have one's back up** vara arg o. kritiklysten; **be on s.b.'s back** irritera ngn, trakassera ngn **II** *v* **1** finansiera **2** satsa på

backbencher obetydlig deltagare i kongress, riksdag el. annat större sammanträde

back door *CB* sista fordonet i en kö el. lastbilskaravan

back-door man gift kvinnas älskare

back down 1 bryta ett löfte **2** överge tidigare tillkännagiven åsikt el. politisk inställning

back off 1 ta det lugnt **2** sakta ner

backpedal 1 snabbt dra sig baklänges (t.ex. i boxning) **2** minska på uppställda villkor el. fordringar **3** vackla i sina åsikter

backroom boys 1 grå eminenser **2** personer som gör det verkliga arbetet fastän andra får äran

backseat driver person som oombedd ger (vanligtvis onytti-ga) råd

backslapper överdrivet hjärtlig person

back-street *a* hemlig

back-up I *s* reserv, ersättare, ersättning **II** *a* reserv-

back-up man 1 gynnare, stödjare, mecenat **2** suppleant, ersättare, reserv

bad 1 mycket bra **2** tuff, hård

baddy bov i teaterpjäs, film o.d.

badger game 1 utpressning på basis av (sexuellt) komprometterande situation som framkallats av en lockfågel **2** utpressning ö.h.t.

badger man person som bedriver *badger game*

bad-mouth förtala

bad news 1 nota på restaurang (i sht på nattklubb) **2** otrevlig situation i allmänhet

bad nigger svart som vägrar att acceptera de vitas förtryck

bad scene 1 otrevlig situation **2** *CB* radiovåglängd med ont om plats

bad trip snedtändning

baffle-gab 1 facklig el. politisk terminologi som används i föredrag, valtal e.d. så att åhörarna inte fattar vad som sägs **2** tal innehållande långa och ovanliga ord som används för att täcka tunt innehåll

bag I *s* **1** sinnelag, läggning **2** stil, manér **3** yrkes-, hobby- el. intresseområde **4** *mil.* uniform **5** *hipp.* problem, huvudbry **6** *krim.* vinst från brott **7** mindre tilldragande kvinna, i sht äldre sådan **8** prostituerad el. kvinna betraktad uteslutande som sexualpartner **9** viss kvantitet narkotika **10 hold the bag**= *hold the sack* (se *sack*); **get (tie) a bag on** supa sig plakat; **in the bag** säker, avgjord **II** *v* **1** avskeda **2** arrestera

bagged 1 berusad, plakat **2** säkerställd **3** arresterad

baggies 1 badshorts **2** vida långbyxor, "gubbyxor"

bag job olagligt snokande efter spionbevis

bag-lady 1 lumpsamlerska **2** hemlös äldre kvinna i storstad som bär omkring alla sina ägodelar i papperskassar o.d.

bagman 1 inkasserare för ockrare el. andra ljusskygga indivi-

der **2** tjänsteman som ständigt bär och har ansvaret för en låst
väska innehållande hemliga koder rörande atomvapnens an-
vändning och till vilken endast USA:s president har nyckeln
3 knarklangare, dilare
bag school skolka från skolan
bag woman 1 se *bag lady* **2** se *bag man*
bail out 1 hjälpa en nödställd (oftast med pengar) **2** dra sig ur
ett företag som börjar gå med förlust **3** smita från arbete **4** göra
ett fallskärmshopp **5** sluta kila stadigt med
bail-out ploy *börs.* tillbakahållande av aktier (el. obligationer)
till dess de har stigit i värde. (I USA får en börsmäklare inte
själv spela på börsen.)
baked wind 1 struntprat **2** skryt
baker's dozen 13
ball I *s* **1** jätterolig tillställning **2** lätt uppdrag el. jobb; **have
oneself a ball** roa sig enormt; **carry the ball** göra grovjobbet,
ha den besvärligaste delen av ett uppdrag; **get on the ball**
vakna till, komma i gång, "komma med i svängen"; **hang on
to the ball** bevara initiativet **II** *v* knulla
ballad-belter 1 sångerska på restaurang, nattklubb e.d. med
högt publiksorl **2** undermålig sångare
ball and chain *skämts.* maka
ball breaker se *ball buster*
ball buster *vulg.* hårt jobb
balled up 1 förvirrad **2** "fastkörd" i ngt
ball game 1 händelsernas centrum **2** situation, läge, sak; **ball
game is over** spelet är slut
balls I *s* **1** testiklar, ballar **2** mod, fräckhet; **have s.b. by the
balls** ha makten över ngn (i sht på ett ohederligt sätt); **with
balls on** (*vulg. variant av with bells on*) festklädd o. på festhu-
mör **II** *interj* Struntprat!
ballsy modig, tuff, fräck
ball-up I *s* trassel, oreda, "härva" **II** *v* **1** förvirra **2** trassla till
bally I *s* **1** överdriven reklam **2** färgrikt reklamjippo **3** ståhej,
buller och bång **II** *v* uppreklamera genom överdrivet beröm
ballyhoo se *bally I*
balmy berusad, säll

baloney skryt, struntprat; **no matter how you slice it, it's still baloney** det ändrar inte på saken

bamboo curtain, the bamburidån (järnridån när det gäller Folkrepubliken Kina)

bamboozle svindla, lura

banana 1 skådespelare ö.h.t.; **second banana** skådespelare i biroll **2** skådespelare i tredje klassens teaterpjäs, i sht fars **3** Shawnee H-21 helikopter **4** attraktiv svart kvinna **5** asiat som lever som vit (gul utanpå, vit inuti)

banana boat kanot

banana head hippie som använder *mellow yellow*

bananas 1 tokig **2** upphetsad

Band-Aid I *s* se *G-string* **II** *a* provisorisk

bandwagon 1 riksomfattande, i sht politisk popularitet **2** propagandaarbete för populär politiker; **climb (get, hop, jump** etc.) **on the bandwagon** ansluta sig till populärt parti, rörelse e.d.

bang I *s* **1** narkotikados **2** njutbar spänning **3** *typ.* utropstecken **II** *v* knulla

bang-bang cowboyfilm, kriminalfilm

banger 1 gammalt bullrigt fordon **2** cylinder (i motor)

bangtail kapplöpningshäst

bang-up storartad, elegant, modern

bankable värd pengar (t.ex. som säkerhet för lån); äv. om person

bank on lita på

bankroll finansiera

bankroller finansiär, mecenat

barb 1 pik, gliring, kritik **2** barbiturat, nedåttjack

barber chair justerbar pilotstol i rymdfarkost el. överljudsplan

bare-assed naken

barf spy

bar-fly 1 barlejon **2** person som går krogrond för att "bomma" drinkar

bark up the wrong tree ha fått ngt om bakfoten

barn 1 *atom.* det utrymme som upptas av en atomkärna (1/1000 000^3 cm^3) **2** sommarteater i landsorten

barnstorm medverka i *barnstorming*
barnstormer 1 person som deltar i *barnstorming* **2** hoppjerka
barnstorming 1 teaterturné till småstäder med bara en föreställning på varje ort **2** teaterturné ö.h.t. **3** valturné i landsorten o. till mycket små städer
barrel (tunna) **over a barrel** maktlös, besegrad
barrelhouse 1 sjaskigt ölkafé **2** bordell **3** improviserad jazz
bars (barer) **hit the bars** gå krogrond
baseball Annie "baseballgroupie" (*se groupie*)
bash I *s* storslagen fest; rolig skiva **II** *v* drämma till
basket case hundraprocentig invalid
bat I *s* **1** gatflicka **2** supkalas **3** go to bat for s.b. hjälpa ngn, gå i elden för ngn, försvara ngn; **go to bat against s.b.** vittna mot ngn, tjalla på ngn; **get one's turn at bat** få en chans att visa vad man duger till **II** *v* (slå, hamra) **bat an eyelash** förvånas; **bat out s.th.** skapa el. skriva ngt snabbt; **bat the breeze** prata om likgiltiga saker
bath (bad) **take a bath** *börs.* lida stora förluster
bathtub basso man som sjunger för sitt eget nöje o. utan publik, badrumstenor
bathtub boater modellbåtsentusiast
bathtub gin hembränt, "dunder"
bats I *s* **1** bataljon av fotfolk **2** (fladdermöss) **have bats in one's belfry** vara prillig el. virrig **II** *a* fnoskig
batty tokig, prillig
bawl out skälla ut
bay window kalaskula
bazazz stor ståt, grandezza
bazoom kvinnobröst
B.B. brain fårskalle
B.C. preventivmedel (av *Birth Control*)
beach *atom.* den mängd atomkraft (3 milj. megaton) som åtgår för att alstra så stor radioaktivitet att halva jordens befolkning dödas. (Efter Nevil Shutes roman *On the Beach*.)
beach bum strandraggare
beach bunny badflicka, flicka i surfargäng
beamed at s.b. (*om TV- och radioprogram o.d.*) riktad mot

ngn, planerad för ngn (bestämd grupp)

bean I *s* **1** mynt, i sht endollarmynt **2** huvud **3** köksmalaj **4 know one's beans** *a)* vara skicklig på sitt område, *b)* vara vettig; **don't know beans about s.th.** inte veta det mest elementära om ngn speciell sak

bean brain dumskalle

beanery billigt men bra matställe

beanhead dumskalle

beanie liten, platt mössa; *äv.* baskermössa

Beantown Boston, Mass.

bear 1 besvärlig uppgift **2** polis

bear bait fortkörare

bear cave, bear den polisstation

beard 1 man med skägg **2** intellektuell person

bear in the air polishelikopter

bear report meddelande till andra bilister var poliskontroller är utplacerade

beast 1 *raggar.* upptrimmad bil **2** fjärrstyrd raket el. robot **3** svårstyrd snabb flygmaskin på experimentstadiet **4** *neger.* vit person

beat I *s* **1** journalistisk kupp **2** distrikt (oftast polisdistrikt) **3** viggare **4** existentialist **II** *v* undvika (ngt obehagligt) **III** *a* trött, missmodig·

beat about (around) the bush göra omsvep

beat around slå dank

beat it försvinna

beatnik existentialist

beat [one's] gums prata strunt

beat pad narkotikahål med dåliga marijuanacigarretter

beat someone's time besegra en rival (speciellt om en kvinnas gunst)

beat someone to the draw föregripa ngn i ngt, förekomma ngn

beat the meat runka

beat the meter 1 hitta en avgiftsfri parkeringsplats **2** klara sig undan upptäckt när man inte har stoppat i pengar i en parkeringsautomat

beaut person el. sak som är ovanligt vacker, bra el. exceptionell på annat sätt

beautiful people 1 the beautiful people det vackra folket, innefolket **2** hippies

beauty part fördel förknippad med annars outhärdligt arbete

beaver kussimurra, kvinnligt könsorgan

beaver shot närbild av *beaver*

beddie-by (nattinatt!) **send s.b. beddie-by** slå ngn medvetslös

bee (= *b, förk. av bite*) **put the bee on s.b.** *a*) vigga av ngn, *b*) begära ngt av ngn, *c*) irritera ngn

beef I *s* klagomål, klank **II** *v* klaga

beefcake (*jfr cheesecake*) **1** suggestiva, halvpornografiska foton av män **2** erotiskt tilldragande man

beef up öka antalet el. styrkan av

bee in one's bonnet fix idé

Beer City Milwaukee, Wisc.

beerbust ölparty

bee's knees toppen, oöverträffbar

beetle 1 Volkswagen **2** modern, frigjord, nästan pojkaktig flicka **3** kapplöpningshäst

beetle-back Volkswagen

beezer näsa

before Abe före 1/1 1863, då slaveriet avskaffades i USA (av Abraham (Abe) Lincoln)

Begats (oftast *the Begats*) Moseböckerna

be-in stor fredlig folksamling el. demonstration på allmän plats; oftast förknippad med hippies

be into s.b. for an amount of money 1 vara skyldig ngn ett visst belopp **2** ha lurat ngn på ett visst belopp

belch 1 klaga, klanka **2** tjalla

bell (klocka) **with bells on** festklädd o. på festhumör

bellhop pickolo

bell-ringer 1 dörrknackare **2** mindre betydelsefull politiker **3** upplysning som gör att ett ljus går upp för ngn

bells byxor som är vida nertill (av *bell-bottoms*)

belly-ache knota, klaga, bråka

belly-busting jättekul
belly button navel
belly grabber jättespännande tilldragelse el. upplevelse
belly laugh flabb, gapskratt
belly-wash I s dryck av dålig kvalité, "diskvatten" **II** a hjär-
teknipande, jolmig
bellywhop 1 plumsa i vattnet **2** drumla omkull, ramla
belt I s **1** knytnävsslag **2** nöje; **get a belt out of** ha nöje av
3 haschcigarrett **4** klunk sprit **5** (midja) **get s.th. under
one's belt** fullborda ngt, ha genomfört el. avslutat ett uppdrag
el. arbete **II** v **1** slå med knytnäve **2** svälja en enstaka klunk
3 dricka omåttligt
belter varietésångare, -erska
belt out [**a song, ballad** etc.] sjunga starkt, vråla fram (en
sång etc.)
bench I s idrottslags reservtrupp **II** v dra (ngn) ur spelet; för-
tidspensionera
bench warmer 1 reserv i idrottslag **2** deltagare i kongress,
riksdag e.d. som aldrig yttrar sig **3** panelhöna
bender 1 supkalas **2** överdrivet sysslande med ngt **3** stulen bil
bend over backwards lägga sig i selen, sätta till alla klutar
bends dykarsjuka
bend s.b.'s ear 1 övertyga ngn (om ngt) **2** tråka ut ngn med
struntprat
bennies 1 tabletter innehållande amfetamin **2** sniffningsme-
del ö.h.t. innehållande barbiturater el. amfetaminer **3** vissa sor-
ter amerikanskt lim innehållande aceton, butylacetat el. toluol
som används av sniffare
bent 1 arg, irriterad **2** påtänd **3** homosexuell
be-stringed a förknippad med villkor att man måste göra gen-
tjänster
Bethesda gold hasch som smygodlats i USA
bet one's bundle sätta allt på spel, ta enorma risker
better (bättre) **no better than she should be** lösaktig
bet with both hands slå vad om stora belopp
bevels falska tärningar
B-girl 1 flicka som håller till på barer **2** lätterövrad kvinna

big-ass *a* vräkig
Big Brother 1 samhället, myndigheterna, storebror **2** polisen
big C cancer
big dish radarantenn
big D 1 LSD **2** Dallas, Texas
Big Doctor Upstairs Gud
big drink 1 Mississippifloden **2** Atlanten **3** Stilla havet
big ear radarantenn
big enchilada ledare, boss
big eye 1 TV-kamera **2** TV-apparat i hemmet
biggie pamp; högdjur, höjdare
big H heroin
big head "kopparslagare"
big house statsfängelse
Big John polisen
big-league 1 professionell **2** storstilad
bigmouth 1 skrävlare **2** mångordig politiker **3** person som
tror sig vara allvetare **4** pratkvarn, skvallertant (av bägge kö-
nen)
big noise 1 storpamp **2** betydelsefullt utlåtande av statsman
el. annan inflytelserik person
Big Red One *mil.* amerikanska elitkåren, första infanteridivi-
sionen
big roller hasardspelare som spelar med höga insatser
big shot *s* storpamp
big-shot *a* **1** inflytelserik **2** förmögen **3** prålig
big stink högljutt, långdraget gräl
big-ticket items kapitalvaror
big time 1 högsta ställningen inom ett yrke **2** storfinansen
3 företag som ger ovanligt bra avkastning
big-time 1 lukrativ **2** betydande, förnäm
big top 1 cirkustält **2** bank
big tube TV-apparat
bigwig pamp
bike 1 cykel **2** mc, båge
bike boy skinnknutte
bike pack motorcykelgäng

biker skinnknutte
bilge I *s* värdelöst tal el. skrift **II** *v* **1** avskeda **2** relegera
bilk lura
bill 1 näsa **2** hundradollarsedel **3** (affisch) **fill the bill** passa
perfekt till ngt bestämt ändamål, duga
billing i kontrakt fastslagen typstorlek o. placering av skåde-
spelares namn på affischer, i annonser etc.; **sole star billing**
placering som enda namn över pjäsens titel; **100 % alone
above billing** placering som enda namn över titeln o. i lika
stora bokstäver som denna; **star billing** placering överst men
med andra namn mellan skådespelarens namn o. titeln; **equal
billing** placering överst men med annat namn i samma storlek
på samma rad; **co-star billing** placering över titeln men efter
(o. under) stjärnans namn; **boxed billing** placering under titeln
men som enda inramade namn; **"as"-line billing** placering
allra nederst men med namnet följt av rolltiteln.
bimbo 1 kille **2** rekryt **3** flicka **4** prostituerad el. lättsinnig
kvinna
bin sjaskig restaurang el. nattklubb
bind (band) **in a bind** i knipa, i dilemma
binge 1 supkalas **2** stort kalas ö.h.t. **3** överdrivet idkande av
ngt
bingo I *s mil. V* den minsta mängd bränsle som fordras för att
flyga tillbaka ett plan till basen **II** *interj* Perfekt!, På pricken!
bio kortfattad biografi
Bircher, Birchite 1 medlem av "John Birch Society", en
extremt konservativ, nästan nazistisk organisation **2** extremt
konservativ person
bird 1 kille **2** flicka, tjej **3** original, konstig kille **4** nedsättande,
hånfullt ljud som bildas med tungan mellan framtänderna
5 rymdfarkost **6** raket, robotvapen **7** flygplan **8** guldmynt med
präglad örn **9** långfinger som hålls uppsträckt, en gest som
betyder *Fuck you,* dvs. ung. dra åt helvete
Bird Cage de tre flygfälten Kennedy, la Guardia och Newark,
alla strax utanför New York City
bird dog 1 person som forskar efter el. söker upp ngt för
annans räkning **2** "förkläde" på hippa **3** jaktplan

bird-dog — blah, blah-blah, blah-blah-blah 30

bird-dog 1 snoka efter **2** krusa el. fjäska för överordnads fru
birder fågelskådare
bird farm *sjömil.* hangarutrymme på hangarfartyg
birds (fåglar) **for the birds** rena rappakaljan
birthday suit adamsdräkt, bara mässingen
bit nummer, trick
bitch I *s* **1** kvinna **2** hora **3** dam (i kortlek) **4** klagomål, kritik
5 svårt problem **6** påträngande o. irriterande bög **7** ngt mycket
trevligt **II** *v* klaga, kritisera
bitching *a* toppen, utmärkt
bitch s.th. up trassla till ngt
bitchy 1 grälsjuk **2** sexig
bite I *s* andel i företag el. i vinst; **put the bite on s.b.** *a*) vigga
pengar av ngn, *b*) öva utpressning mot ngn **II** *v* **1** vara lättlurad
2 låna pengar av **3 bite the bullet** hålla ut, stå ut; **bite it** dö
bitty pytteliten
black (svart) **in the black** *a*) med överskott i räkenskaperna,
med vinst (*jfr in the red*), *b*) utan penningbekymmer
blackboard jungle skoldistrikt med mycket besvärliga
elever
black lung pneumonoconiosis, lungsjukdom orsakad av mång-
årig inandning av koldamm
Black Maria 1 Svarta Maja, polispiket **2** likvagn
black money svarta pengar
black operator hemlig agent
blackout I *s* **1** medvetslöshet **2** censur **3** förbud mot visning
av TV-program inom ett visst område **II** *v* **1** bli medvetslös
2 censurera **3** förbjuda visning av TV-program inom ett visst
område
blacksheet sända genomslagskopia till
black shoe *sjömil.* anställd vid marinen (*jfr brown shoe*)
black-strap starkt kaffe
black-tie *a* smoking-
black velvet *vulg.* svart gatflicka
blade kniv, stilett
blah, blah-blah, blah-blah-blah I *s* snack, pladder **II** *a* fadd,
smaklös

blahs, the anfall av illamående el. leda
blank falsk narkotika, vitt pulver sålt som knark
blanket I *s* **1** pannkaka **2** cigarrettpapper **II** *v* täcka ett område med TV- el. radioprogram
blast I *s* **1** muntligt el. skriftligt angrepp **2** narkotikainjektion **3** vild hämningslös skiva **4** kick **5** fiasko **II** *v* (*i sportevenemang*) segra överlägset **2** kritisera el. angripa muntligen el. i skrift **3** ta en narkotikainjektion
blast-off I *s* **1** avskjutning av raket **2** hastig bortgång **3** upptakt **II** *v* **1** smita snabbt och oförmärkt **2** påbörja **III** *interj* Stick!
blat 1 tidning **2** skryt
bleachers 1 sittplatser vid baseballplan **2** sittplatser utan solskydd vid evenemang ö.h.t. **3 the bleachers** allmänheten, de breda lagren, hopen; *ibl.* proletariatet
bleed skaffa sig en stor summa pengar av (ngn), i sht genom utpressning; **bleed s.b. white** pressa ngn på pengar tills han inte har några kvar
bleeding heart översentimental el. överdrivet känslig person
bleep censurera ett ord i radio el. TV genom att ersätta det med en ton
blind starkt berusad, "plakat"
blind pig 1 nattklubb **2** lönnkrog
blind-pigger innehavare av lönnkrog
blink (nervös ryckning) **on the blink** *a*) trasig, *b*) krasslig, illamående, *c*) död
blinkers ögon
blintz *jidd.* pannkaka fylld med ost, sylt, stuvning etc.
blip I *s* **1** femcentsmynt **2** vit fläck på radarskärm **II** *a* utmärkt, prima
blip jockey person som sköter elektroniska instrument, i sht radar
blister 1 irriterande el. tråkig person **2** sexig kvinna **3** halvklotformig bubbla av plast över cockpit el. gevärsställning på flygplan
blisterhead polis på skoter el. mc
blitz *sport.* nedgöra, krossa
blitzed full

block huvud; **put the blocks to s.b.** *a*) ligga med ngn, *b*) lura ngn

blockbuster 1 stor, kraftig bomb **2** överraskande drag el. motdrag i diskussion el. underhandling **3** teaterpjäs som är en jättesuccé; **come on like blockbusters** sätta igång el. anlända med buller o. bång

block house hus där barn vilkas skolväg går genom farliga kvarter kan söka skydd

blond scholarship studerandes maka som har egen inkomst

blood *neger*. neger

blood box ambulans

blooie *se go blooie*

bloomer "groda", misstag

bloop 1 "groda", misstag **2** missljudet i en radiostörning

blooper 1 *mil. V* mekanisk handgranatskastare **2** *se bloop 1*

blot out döda, slå ihjäl

blotto medvetslöst berusad

blow I *s* **1** högljutt gräl **2** person som lägger ner stora summor på nöjen och sprit, opålitlig person **3** revolver **II** *v* **1** tjalla (på *on*) **2** sticka iväg, smita **3** försitta en chans till sportslig seger, framgång el. vinst **4** slösa med pengar **5** *vulg.* utöva cunnilingus el. fellatio **6** spränga kassaskåp **7** spela på gitarr **8** spela musikinstrument ö.h.t. **9** sjunga **10** röka el. inandas narkotika

blow a fuse (gasket) ilskna till, bli förgrymmad

blowhard 1 skrävlare **2** kverulerande talare

blow job 1 jetplan **2** kassaskåpssprängning **3** oralt samlag

blow off one's mouth (trap, yap) 1 prata för mycket **2** röja hemligheter, tala bredvid mun

blow one's lines *teat.* säga fel replik; glömma bort sin replik

blow one's mind *hipp.* **1** ha en överväldigande upplevelse **2** bli knarkberusad

blow one's top (cap, cork, stack, lid) bli uppretad, stormskälla, överösa med ovett

blowout stort garden party (*ibl.* annan stor fest)

blow s.b. away döda ngn

blow s.b.'s mind 1 driva ngn till vansinne, förvirra ngn **2** *hipp.* påverka ngn, omvända ngn så att han blir hippie

blow s.b. to s.th. 1 ge ngn ngt dyrt **2** bjuda ngn på ngt
blow the lid off s.b. or s.th. avslöja ngn el. ngt på ett
sensationellt sätt
blow the whistle 1 tjalla **2** sätta stopp (för ngt)
BLT dubbelsmörgås med bacon, sallad och tomat (*av bacon,
lettuce & tomato*)
blubber lipa
ᴸlubberhead 1 dumskalle **2** gnällmåns, kverulant
blubbery smäktande, jolmig, tårdrypande, hypersentimental
blue I *a* **1** liderlig, obscen, vulgär, pornografisk **2** berusad
3 melankolisk, nedstämd **II** *s* (blått) **out of the blue** alldeles
oväntat, överraskande
blue balls smärta i testiklarna efter sexuell upphetsning utan
utlösning
blue chip värdefull sak; högt ansedd person
blue-chip förstklassig, fin, värdefull
blue-collar worker industriarbetare (*jfr white-collar worker*)
bluegrass traditionell amerikansk countrymusik, särskilt från
södern
Blue Grass State Kentucky
blue heavens *se bennies 2*
blue helmets FN-trupper
blue law lag som förbjuder arbete, sportevenemang, bio, teater
etc. på söndagar
blue meanies *skol.* polis
blue movie porrfilm
blue nose rigorös sedlighetsivrare med "jag-är-bättre-än-du"-
inställning
blue-nosed pryd, sipp
blue-ribbon *se blue-chip*
blue talk användande av runda ord
blurb 1 baksidestext på bokomslag **2** lovprisande reklam
BMOC viktig, populär person på ett universitet (*av Big Man On
Campus*)
BO, B.O. 1 (förk. av *body odor*) svettlukt **2** (förk. av *box
office*) kassa i nöjesetablissemang **3** skådespelares el. varietéar-
tists förmåga att dra publik

board across the board — boner

board (anslagstavla) **across the board** *a*) hästkapplöpningsvad med insats på första, andra o. tredje placering, *b*) lika för alla inom en viss grupp
Boardwalk, the Atlantic City, N.J.
boat race ojust kapplöpning (i sht hästkapplöpning) där vinnaren har bestämts före starten
bobble 1 klavertramp **2** person som klantar sig, klantskalle
bodacious 1 djärv, fräck **2** bra, toppen (*av bold + audacious*)
body snatcher 1 begravningsentreprenör **2** kidnappare **3** läkare
body surf surfa utan surfingbräda
boff I *s* **1** underhållning som är publiksuccé **2** replik som framkallar skrattsalvor **II** *v* **1** drämma till **2** kräkas **3** *vulg.* ha samlag
boffo (*om artist el. underhållning*) populär
bogart 1 röka onödigt länge på en marijuanacigarrett innan man skickar den vidare **2** uppträda tufft
bogey *mil.* oidentifierat (el. obekant) flygplan
bogue *a* sugen på knark
bohunk 1 ungrare **2** immigrant från Centraleuropa **3** klumpig el. dum person
boiler bil av äldre modell
boilermaker en sup + ett glas öl
boilerplate modell i naturlig storlek av rymdfarkost
bollix trassla till
boloney, bologny *se baloney*
bomb I *s* fiasko **II** *v* misslyckas, göra fiasko
bombed, bombed out 1 berusad **2** *hipp.* narkotikaberusad, bombad
bomb out misslyckas, göra fiasko
bombshell sexig kvinna, "bombnedslag"
bomfog, bomfoggery innehållslöst politiskt snack
bone (ben) **have a bone on** *vulg.* ha stånd, ha erektion
bone box ambulans
bone-breaker 1 läkare **2** hårt jobb **3** brottare
bonehead 1 dumskalle **2** envis person **3** misstag som begås p.g.a. dumhet
boner 1 klavertramp **2** flitig studerande

bones 1 tärningar **2** pengar
bonkers 1 tokig, galen, sinnessjuk **2** trasig, sönder
bonus baby bollspelare som får en engångssumma när han går
över till annan klubb el. blir proffs
boo marijuana
boob I *s* dumbom, idiot **II** *v* klanta sig
boobess kvinnlig dumbom el. idiot
boobies, boobs stora kvinnobröst
boo-boo I *s* "groda", klavertramp **II** *v* (*ibl.* **pull a booboo**)
trampa i klaveret
boob trap nattklubb
boob tube TV-apparat, dumburk
booby hatch 1 polispiket, Svarta Maja **2** sinnessjukhus
3 mindre fängelse
boodler vagabond som tillbringar vintern i fängelse för att få
gratis mat och logi
boogaloo 1 grovhångel **2** samlag **3** boogaloo (*dans*)
boogie dansa till rockmusik
book I *s* **1** (*efter 1930*) livstids fängelse **2** (*före 1930*) ett års
fängelse **3** strängt straff **4** oddslista vid vadhållning **5** (lagbok)
throw the book at s.b. ge en anklagad strängast möjliga
straff **II** *v* sticka iväg, dra
book-headed beläst, lärd, kunskapsrik
boola-boola ivrig, hjärtlig, festlig, högljudd
boondocks 1 öde, ociviliserade trakter **2** storstads ytterom-
råde **3** glest befolkad landsbygd **4** små, politiskt betydelselösa
länder **5** *mil. V* utpost i djungeln
boondoggle hög inkomst från stat el. kommun utan skälig
motprestation
boonies se *boondocks*
boost 1 snatta **2** uppreklamera, lovsjunga **3** hjälpa fram
booster 1 butiksråtta **2** person som ivrigt gör reklam för ngn
el. ngt **3** bärraket till rymdfarkost
boot I *s* **1** rekryt i flottan **2** uppsägning; **get the boot** få
sparken **3** presentation (för ngn) **4 have one's boots laced**
anses som likvärdig med medlem i gangsterliga utan att vara
medlem; **put the boots to a woman** *vulg.* ha samlag med en

kvinna **II** *v* avskeda **III** *a* nyrekryterad
bootleg I *s* **1** smuggelgods, i sht sprit **2** illasmakande kaffe
3 piratinspelad skiva **II** *v* smuggla
booze sprit
booze-fighter dryckeskämpe
boozer fyllerist
bop glasses hornbågade glasögon
boss *a* toppen
bottle (flaska) **beat the bottle** bli botad från alkoholism; **hit
the bottle** *a*) supa regelbundet o. omåttligt, *b*) supa sig full
bottle blonde flicka med hår som blekts på kemisk väg, "vä-
tebomb"
bottle it tiga
bottle someone up få ngn att tiga, tysta ner ngn
bottle s.th. up 1 få ngt (i sht lagförslag) hänskjutet till senare
behandling, så att det troligen aldrig kommer upp igen **2** lägga
hinder i vägen för ngt
bottom drawer I *s* **1** lager av sekunda varor **2** författares el.
tecknares osålda alster **II** *a* sekunda, otillfredsställande
bottomless *a* om ngn som uppträder naken (alltså både *top-
less* och *bottomless*)
bottom line 1 sista budet **2** när det kommer till kritan
bottom out *v* nå botten
boum-boum parlour *mil. V* bordell
bounce I *s* energi, vitalitet **II** *v* **1** (*om check*) returneras på
grund av att täckning saknas **2** kasta ut (från restaurang, natt-
klubb e.d.) **3** avskeda, relegera
bouncer 1 utkastare **2** check som saknar täckning
Bouncing Betty personmina som flyger en meter upp i luften
innan den exploderar
bowl utomhusstadion, i sht fotbollsstadion
bowl game finalmatch för regional- el. riksmästerskap i (ame-
rikansk) fotboll
box 1 låda; **go home in a box** dö, mördas **2** kassaskåp
3 stränginstrument (oftast gitarr el. piano) **4** radio **5** TV
6 okänslig, dum person **7** vagina **8 go into the box** gå rakt i
fällan

box-cars 1 ovanligt stora skor **2** två sexor i tärningsspel
boxed 1 full **2** satt i fängelse
box of teeth dragspel
boy heroin
bozo kille, i sht stark men dum kille
bra behå
braburner *neds*. (om militant feminist) behåbrännare
bracelets handklovar
brag-rags militära dekorationer
brain child 1 uppfinning **2** påhitt
brain drain ett lands förlust av begåvningar (genom utvand-
ring)
brain storm (wave) I *s* **1** snilleblixt **2** vanvettigt infall, tokig
idé II *v* försöka lösa ett problem genom att kasta fram den ena
vilda idén efter den andra i hopp om att någon ska visa sig
användbar
brass 1 fräckhet **2** pengar **3** (äv. *top brass, big brass, the
brass upstairs*) officer av hög rang; direktion i storföretag, alla
högre tjänstemän; ''höjdare''
brass hat officer av hög rang
brass ring lycka, i sht lättvunnen (oftast i kombinationer som
*grab for the brass ring, shoot for the brass ring, catch the brass
ring, get the brass ring*)
brass tacks väsentliga fakta, kärnan i ngt
bread pengar
bread-and-butter issue lagförslag som kan ge politiker val-
röster
bread basket mage
break I *s* **1** tur; **give s.b. a break** *a*) hjälpa ngn, *b*) ge ngn en
chans att själv klara upp ngt **2** rymning från fängelse **3** ''gro-
da'', misstag **4** kort paus i arbetet (t.ex. **coffee break**) II *v*
1 kuva (mest hästar) **2** ruinera
breaker *CB* person som vill få kontakt med andra på en viss
radiokanal
break-in inbrott, intjack
breeze I *s* **1** rymning från fängelse **2** lätt jobb **3 shoot the
breeze** diskutera, snacka II *v* rymma, smita

breeze in 1 släntra in **2** vinna utan särskild ansträngning
breeze out sticka, "pysa"
brick I *s* **1** 1 kg hårt packad marijuana el. hasch **2** trevlig kille
3 hit the bricks *a*) gå ut på gatan, *b*) gå i strejk, *c*) gå brand-
vakt, *d*) bli frisläppt från fängelse **II** *v* kasta [tegel]sten
Brickyard namn på motorstadion i Indianapolis
bring down tråkigheter ö.h.t.
bring home the bacon (groceries) 1 tjäna sitt levebröd
2 ha stor framgång i arbete el. med uppgift **3** genomföra vad
man har satt som sitt mål
bring up spy upp
brinkmanship konsten att driva politik till en punkt där krig
tycks vara oundvikligt men utan att det blir krig
broad 1 kvinna **2** lösaktig kvinna, prostituerad
broadside 1 häftigt (oftast politiskt) angrepp **2** broschyr som
kan vikas ut till och bli stor som ett plakat
broadsider företagschef som sänder ut massvis med press-
meddelanden
broccoli marijuana
brodie fiasko
broke 1 pank; **go for broke** riskera allt, göra en hundrapro-
centig satsning i arbete el. pengar **2** uttjänad, slagen till slant
brouhaha 1 tumult, oroligheter **2** käbblande **3** tarvligt kafé
brown *v* ha analt samlag
brown-bag *v* **1** ta med egen mat o. dryck **2** leva billigt fram till
avlöningsdagen
brown-boy koprofil (en som njuter av att äta skit)
brown-nose *vulg.* **I** *s* lismare, rövslickare **II** *v* fjäska för över-
ordnad
brown shoe *sjömil.* anställd vid marinflyget (*jfr black shoe*)
brush I *s* **1** småstrid, tvist, skärmytsling **2** skägg **3** (avborst-
ning) **give s.b. the brush** ignorera ngn, avfärda ngn kallt o.
likgiltigt **II** *a* landsorts-, bond-
brushoff, brush-off nonchalerande, ignorerande
brush-peddler skådespelare som får en roll därför att han har
skägg
brutal 1 schysst, toppen, "brutal" **2** kass, värdelös

bubbies, bubs *vulg.* kvinnobröst (speciellt små, välskapade sådana)

bubble-dancer diskare

bubblegum *a* om ngt som vänder sig till ungdomar i yngre tonåren (eller yngre ändå), särskilt om viss popmusik

bubblegum machine polisbil med "saftblandare" på taket

bubble-gummer realskolelev

bubblehead 1 ointelligent person, dummer **2** skoterburen polis

bubble helmet heltäckande, genomskinlig hjälm som används av flygare som flyger på stora höjder el. av astronauter

bubble trouble *CB* däckproblem, punktering

bubbly champagne

buck I *s* **1** en dollar; **turn a fast buck** tjäna pengar lättvindigt el. ohederligt **2** indian; neger **3** ung man **4** (sak som läggs i pokerpotten för att påminna vinnaren om vissa förpliktelser) **pass the buck** *a)* skjuta ansvaret på ngn annan, *b)* överlåta ett obehagligt uppdrag till ngn annan; **the buck stops (somewhere** or **on s.b.)** ansvaret ligger obevekligt (på ngn bestämd avdelning el. hos ngn bestämd person) **II** *a* av lägsta graden (t.ex. **buck private** rekryt, **buck major** nyutnämnd major)

bucket (hink) **kick the bucket** dö

bucket of worms se *can of worms*

bucket shop *börs.* ohederlig börsmäklarfirma

buckshot advertising reklam i adresslösa försändelser

bud, buddy kamrat

buddy-buddy-boy person som försöker vara vän med alla; person som söker bli populär hos alla

buff (läder, skinn) **in the buff** spritt naken, i bara mässingen

buffalo 1 lura **2** skrämma **3** kontrollera

bug I *s* **1** käpphäst, vurm, mani **2** person med käpphäst (vilken oftast anges, t.ex. **stamp-bug, racing-bug) 3** fel (i maskin el. instrument) **4** liten bil, i sht Volkswagen, "loppa" **5** häst som aldrig vunnit ett lopp **6** dold mikrofon som står i förbindelse med diktafon **7** rymdkapsel utan bärraketer **8** flicka **II** *v* **1** irritera; förvirra; trakassera **2** låta genomgå en psykiatrisk undersökning **3** installera en hemlig mikrofon **4** (äv. **bug out**) sticka iväg snabbt och plötsligt

bugeyed häpen, förbluffad

bugger I *s* **1** homosexuell person som är den aktiva parten i ett samlag **2** liten kille, grabb **3** expert på elektronisk avlyssning II *v* **1** förvirra, verka gåtfull **2** vara den aktiva parten i ett homosexuellt samlag

buggy I *s* **1** gammal, skraltig bil **2** buss **3** fordon ö.h.t. **4** flygmaskin II *a* tokig

bughouse I *s* sinnessjukhus II *a* tokig, galen

bugle 1 näsa **2** kuk

bugout I *s* fegling II *v* smita undan

bulbs bröst

bull I *s* **1** polisman **2** struntprat, snack, lögn, överdrift, ovederhäftigt tal, skryt etc.; **shoot the bull** diskutera, snacka **3** elefant (oavsett kön) **4** tung vägmaskin **5** kvinnlig homosexuell som spelar manlig roll II *v* **1** diskutera grundligt och länge **2** fördriva tiden med prat

bullet äss (i kortspel)

bullets bruna bönor o.d. (som man får diarré o. gaser av)

bullhorn megafon, taltratt

bullpen 1 reservmanskap; *sport.* reservspelare **2** avbytarbås el. -bänk **3** fängelsecell **4** boxningsring

bull session informell diskussion

bullshit *vulg.* (*ofta som interj*) **1** osympatisk person, egocentriker **2** ngt tråkigt, onyttigt el. motbjudande **3** skryt, lögn, skitsnack

bum I *s* **1** vagabond **2** boxare som sällan vinner **3** goddagspilt; lätting som håller till hos sportsmän i sht vid tävlingar **4** vidlyftig kvinna, prostituerad **5** kille II *v* **1** gå på luffen **2** "bomma" III *a* värdelös, falsk, orättvis

bumbershoot paraply

bumf 1 toalettpapper **2** se *snafu*

bummer 1 besvikelse, tråkig upplevelse **2** snedtändning

bump I *s* **1** mord **2** löneförhöjning **3** befordran el. degradering inom ett företag **4** bumpa-bumpa (*dans*) II *v* **1** mörda **2** avskeda (en arbetare) **3** besegra (i en sportgren) **4** *vulg.* göra (en kvinna) gravid ("på smällen") **5** ge (en arbetare) påökt

bump and grind stripteasenummer; nakendansös med rote-
rande höftrörelser
bumper stripteasedansös, strippa; nakendansös
bump off döda, mörda
bump rap orättvist domslut
bum-rush handgripligt kasta ut från nöjeslokal e.d.
bum's rush 1 handgriplig utkastning **2** brutalt, hänsynslöst
avvisande
bum wagon polisbil som samlar upp fyllerister
bun lätt berusning, lätt alkoholpåverkan
bunch I *s* **1** gangsterliga **2** stor summa pengar **II** *v* försvinna
från ett jobb utan att säga upp sig
bunch of fives näve
bundle 1 stor summa pengar **2** liten, söt, sexuellt tilldragande
kvinna
bunk skryt, lögn, struntprat
bunker cracker *mil.* V 152 mm granat
bunk s.b. out of s.th. lura av ngn ngt
bunny 1 servitris (värdinna) på mer exklusiv restaurang el.
nattklubb **2** naiv, godtrogen, alltid rådvill person, "hönshjärna"
3 *halvvulg.* manlig prostituerad **4** *halvvulg.* kvinnlig prostitu-
erad som arbetar för homosexuella kvinnor
bunny fuck *v* **1** ha ett snabbt samlag, ta en snabbis **2** sacka
efter
buns skinkor
burlesque, burly, burleycue, burlicue nakenrevy
burn I *v* **1** lura, bestjäla **2** utnyttja på ohederligt sätt **3** avrätta i
elektriska stolen **4** döda med revolver **5** få att ilskna till **6** dö i
elektriska stolen **7** vara ilsken **II** *s* (glödande) **do a slow burn**
lida av en långsamt växande irritation som gradvis övergår till
vrede o. slutligen till rena ilskan
burn artist narkotikaförsäljare
burn bag säck avsedd för hemliga papper som ska brännas
burned blåst, lurad
burn gas köra bil bara för nöjes skull
burn rubber 1 rivstarta, skrynkla asfalt **2** sticka iväg snabbt
burn with a low blue flame vara så berusad som över huvud

taget är möjligt
burp-gun I *s* kulspruta **II** *a* blixtsnabb
burrhead neger
bush 1 marijuana **2** afrofrisyr **3** könshår, buske **4** vagina, mus
5 kvinna
bushed 1 slutkörd, dödstrött **2** förvirrad
bush league gärdsgårdsserie, lingonserie
bushwhack anfalla el. beskjuta från bakhåll
bushy-tailed 1 pikant, ekivok **2** sexuellt frigjord
bust I *s* **1** ngt misslyckat (pjäs som gör fiasko, firma som går
bankrutt, ngn som inte klarar sitt jobb, grej som inte duger till
avsett ändamål, etc.) **2** riktigt fyllkalas **3** knytnävsslag **II** *v*
1 degradera (en militär officer) **2** spränga (ett kassaskåp) **3** haf-
fa, arrestera **III** *a* pank; fallerad
bust a gut anstränga sig till det yttersta
bust-out joint spelhåla där ägaren skinnar gästerna genom
fiffel
butch homosexuell kvinna som spelar den manliga rollen
butcher läkare, "slaktare"
butcher shop sjukhus
butcher wagon ambulans
butt I *s* **1** bakdel, säte **2** sista månaderna före muckardagen
3 fimp **4** hel cigarrett **II** *v* ge (ngn) en cigarrett
butterflies nervositet
butterfly-bellied nervös, rastlös
butter s.b. up smickra ngn för att få denne i en sådan sinnes-
stämning att man kan framföra sitt egentliga ärende, en bön om
hjälp el. lån, "smörja" ngn
buttinsky person som jämt lägger sin näsa i blöt
buttlegging försäljning av smuggelcigarretter el. cigarretter
som skatten ej betalts för (av *boot-legging,* spritsmuggling)
button 1 haka **2** (knapp) **not have all one's buttons** inte
vara riktigt klok
button-down *a* konservativ, konventionell
buttonhole 1 få (ngn) att motvilligt lyssna till vad man vill
säga **2** tvinga sig på
button man underhuggare inom maffian

button [one's] lip tiga
buy 1 vara enig med (ngn om ngt), gå med på, godkänna **2** uppnå (ett resultat)
buy it bli dödad
buy the farm *mil. V, flyg.* bli dödad vid nedskjutning
buzz I *s* **1** telefonpåringning **2** tissel och tassel **3** rus; i sht narkotikarus **4** medryckande känsla **II** *v* **1** telefonera **2** ta i förhör, "pumpa"
buzz box snabb bil, fartåk
buzz word ord som fångar lyssnarens uppmärksamhet
buzzy fuzzy motorskoter-buren polis
BVDs, B.V.D.'s (känt varumärke) herrunderkläder (oftast i vändningen **in his BVDs** halvnaken)
by-line signatur (i tidning)
BYO[B] ta med ditt eget dricka (av *Bring Your Own Bottle* el. *Booze*)

C

C 1 hundra dollar **2** kokain
cab 1 cockpit i flygplan **2** flygplan
cabbage papperspengar
cabby droskchaufför
cablese telegramspråk (avkortade ord)
cackleklatch 1 diskussion **2** kafferep
cactus 1 pengar **2** meskalin
Caddy Cadillac
Cadillac 1 heroin **2** narkotika ö.h.t.
cahoots (ev. från franska *cahute*, hydda) **in cahoots with
s.b.** *a*) i kompanjonskap med ngn, *b*) sammansvuren med ngn
cake (kaka) **take the cake** vara otroligt originell el. skicklig
cake-eater flörtig man, playboy
calaboose fängelse
california tilt bil med fronten lägre än bakänden, typ amerika-
nare ombyggd till dragster
call girl 1 glädjeflicka på bordell **2** prostituerad som kontaktas
per telefon o. som kommer till kundens hotellrum el. lägenhet
call house 1 bordell **2** ställe som efter telefonpåringning sän-
der ut en *call girl*
call in *s* telefonväktarprogram
call the signals (play, shots) 1 bestämma vad en grupp
skall företa sig **2** ge en order
cameo kort gästframträdande av stjärna i film, teaterpjäs e.d.
camera *CB* kontroll med polisradar
camera hog (louse) en som tränger sig in i bildrutan när
press- el. TV-fotograf arbetar, "linslus"
camp I *s* **1** homosexuell person **2** bohem **II** *a* **1** smaklös

2 gammalmodig men åter i ropet, camp **III** *v* flirta (*om homosexuella*)

can I *s* **1** fängelse **2** ända, bakdel **3** WC **4** båt, i sht jagare **5** fordon ö.h.t. (äv. flygplan; men oftast bil) **6 in the can** (*om film*) färdiginspelad **II** *v* **1** avskeda, relegera **2** spela in (t.ex. grammofonskiva, TV-program)

canary I *s* **1** tjallare **2** sångerska (mest ung sådan) **II** *v* sjunga

cancer stick cigarrett, cancerpinne

candy 1 hasch **2** sockerbit med LSD **3** narkotika i allmänhet

candy ass 1 blyg, tillbakadragen person **2** fegis

candy man 1 knarklangare, dilare **2** älskare **3** *CB* polis från FCC, *Federal Communications Commission,* som kontrollerar användandet av radiosändare

can house bordell

can it lägga av, sluta

canned 1 berusad **2** klar till användning i andra hand **3** avskedad

canned entertainment 1 bandat TV-program **2** film

canned music grammofonskivor, inspelade band

cannon I revolver **2** ficktjuv

can of worms 1 trafikkarusell (typ Slussen) **2** svårlöst (oftast politiskt) problem

CapCom, Capcom *rymd.* speaker som tjänar som direkt förbindelselänk mellan rymdfarare och marken

capital-N Name kändis

capo ledare för underavdelning inom maffian

capper avslutning, klimax

carbecue maskin som packar ihop o. smälter ner skrotbilar

car boost stöld från olåst bil

card (spelkort) **in the cards** förväntad, nästan oundviklig; **give s.b. cards and spades** ge ngn en fördel, ett försprång, ett handikapp e.d.

cardboard schablonmässig roll (i pjäs el. film)

card-carrier 1 medlem av kommunistpartiet **2** kommunistsympatisör

card shark (sharp) 1 korthaj, skicklig kortspelare **2** falskspelare

carnapper biltjuv

carney, carny I *s* **1** marknadsgycklare **2** marknadsjargong, äv. varietéjargong **II** *a* buskis

carpet (matta) **called (put) on the carpet** inkallad till en överordnad för att få en reprimand

carpet-bagger 1 uppkomling **2** smickrare **3** invandrare från ngn annan del av USA

carrier 1 flygbolag **2** passagerarplan

carrying *hipp.* i besittning av narkotika

carry the banner gå brandvakt

carry the mail åta sig huvudparten av ett grupparbete

cartwheel silverdollar

case I *s* **1** original, krumelur **2** problem **3** historia; **get on/off s.b.'s case** bli intresserad av/tappa intresset för ngn; **have a case for** vara attraherad av **II** *v* grundligt studera ett ställe som förberedelse till ett brott

Casey Jones lokförare

cash in one's chips dö

casual *a* bra, schysst

cat 1 jazzentusiast **2** jazzmusiker **3** person **4** fordon med larvfötter **5** Cadillac

cat (katt) **put on the cat** *a*) bluffa, *b*) försöka dupera

cat around hålla sig med många kvinnor

cat beer mjölk

catbird seat 1 överlägsen, dominerande ställning **2** förmögenhet, välstånd

catch I *s* ngt som försvårar el. trasslar till ngt, hake **II** *v* (äv. **catch on**) fatta, förstå

catch hell bli utsatt för kritik, få fan (för)

catch you later vi ses

cat-eye nattskift i gruva med början vid midnatt

cat-house 1 billig bordell **2** undermåligt ungkarlshotell

cat man lejontämjare

catnap ta sig en tupplur

cats and dogs *börs.* värdepapper som ser avsevärt bättre ut än de i verkligheten är

cat skinner (av *caterpillar* larv och *skinner* kusk) förare av (i sht stor) vägmaskin e.d. med larvfötter

cat's meow (pajamas) toppen

cauliflower ear blomkålsöra

CB lingo den jargong som används av långtradarchaufförer o. bilister i allmänhet vid samtal via kommunikationsradio (*av Citizens' Band*)

c c pills avföringspiller

Cecil the Seasick Sea Serpent flygplanet *XB-70 Valkyrie* (världens snabbaste – drygt 3 200 km/tim., tyngsta – 225 ton – och mest sofistikerade flygplan; har fått namnet p.g.a. sitt utseende)

ceiling (tak) **hit the ceiling** brusa upp, få ett plötsligt vredesutbrott

cellar bottenplacering i en sportdivision el. idrottstävling, jumboplats

century hundradollarsedel

chain (kedja) **pull s.b.'s chain** spola ngn

chalk talk 1 informellt intellektuellt samtal **2** taktikgenomgång, teorigenomgång

champagne trick rik kund hos prostituerad

channel hog *CB se alligator*

chapter and verse 1 detaljerad information som lämnas punkt för punkt **2** fastställda regler o. föreskrifter

character kille, typ

charged up påtänd

Charley horse träningsvärk

Charlie 1 *mil.* V FNL-soldat **2** *neger. i USA* vit man (*jfr Chuck*) **3** kokain **4** dollar

Charlie fever negrers hat mot vita

chaser "eftersläckning"

chatterbox 1 kulspruta **2** bilradio

cheap 1 tarvlig, billig **2** (*om kvinna*) lösaktig **3** av ringa anseende

cheap flag *sjö.* bekvämlighetsflagg

cheapskate snåljåp

cheater backspegel i bil

cheaters 1 glasögon **2** *se falsie*

cheat sheet 1 (försäljares) utgiftsredovisning **2** självdeklaration **3** fusklapp

cheat stick räknesticka

check bouncer person som skriver ut checkar utan täckning

check out dö

cheek fräckhet, djärvhet

cheese 1 betydande person **2** sexig tjej **3** pengar **4** belöning, mål **5** skryt, lögn, struntprat

cheesecake 1 suggestiva, halvpornografiska fotografier av kvinnor **2** erotiskt tilldragande flicka

Cheese it! *interj* Stick!

cheese-paring I *s* småsnålhet **II** *a* småsnål

cheesy banal, stillös, tarvlig

cher "inne"

cherry *vulg.* **1** sexuellt orörd flicka el. pojke **2** mödomshinna

chewing out allvarlig, mångordig reprimand

chew off s.b.'s balls tillrättavisa ngn grundligt, läsa lusen av ngn

chew out ge en allvarlig reprimand, läxa upp

Chicago piano kulspruta

chicano mexikan el. mexikanättling i USA

chi-chi I *s* **1** ngt el. ngn som är elegant, modern, "chic" **2** bröst **3** ngt sexigt, sexig person **II** *a* affekterat elegant el. modern

chick livlig flicka el. kvinna som är med på noterna

chicken I *s* **1** tilldragande ung kvinna **2** manlig lockfågel för homosexuella **3** feg el. käringaktig man **II** *a* feg, harig

chicken feed 1 småmynt **2** dålig betalning

chickenhawk äldre homosexuell som söker kontakt med unga pojkar

chicken out av feghet el. rädsla sluta upp med

chicken shit *a* usel, kass, obetydlig, ointressant

chicken switch 1 utlösare till katapultstol i militärflygplan **2** strömbrytare med vars hjälp dåligt fungerande raket förstörs i luften

chickie paw vänsterhänt person

Chicom kineser från Kommunistkina

chili I *a* mexikansk (*i sammansättningar*) **II** *v* strunta i
chill pilsner
chiller nervkittlande film el. pjäs (*ibl.* bok)
chimp mode *rymd.* fjärrstyrning (från marken) av bemannade
rymdfarkoster
china kopp te (*vid beställning på restaurang*)
Chinese ace pilot som landar med bankning el. vingglidning
(efter *Wun Wing Low*)
Chinese landing flygplanslandning med bankning el. ving-
glidning
Chinese money *börs.* papper (aktier, obligationer e.d.) av
ytterst tveksamt värde
chink kines
chin music 1 skvaller, ryktessmideri **2** livlig informell diskus-
sion
chintzy 1 gammalmodig, omodern **2** snål; billig
chin wagger skvallertant, pratsjuk person
chip använda narkotika (i sht heroin) oregelbundet
chip in ge sitt bidrag (till insamling, samtal el. annat)
chipper vid gott humör, gladlynt, livfull
chippie *hipp.* person som experimenterar med starka narkoti-
kapreparat
chippy 1 fnask **2** enkel klänning som knäpps hela vägen fram
chips (spelmarker) **cash (hand, pass) in one's chips** dö;
when the chips are down *a*) i det avgörande ögonblicket, *b*) i
en allvarlig situation; **let the chips fall where they may** *a*)
vad resultatet än kan bli, *b*) oavsett vem (el. vad) som råkar illa
ut därvid
chisel 1 svindla i liten stil **2** vigga
chiseler 1 snyltgäst som försöker få andel i (oftast olaglig)
vinst **2** svindlare av mindre format
chitlin circuit turné till små, dåligt betalande orter
chitlins, chitterlings traditionell mat för slavar (mest inäl-
vor), nu ansedd som en delikatess, en typ av *soul food*
chockablock with strax intill
choo-choo train (tuff-tuff-tåg) **play dirty choo-choo train**
ha samlag

chop 1 mat **2 get the chop** *a*) dö, *b*) få sparken

chop down förolämpa, kritisera

chopper I *s* **1** helikopter **2** kulspruta **3** mc med förlängd framgaffel, sänkt sits m.m. **4** bil med sänkt chassi o./el. avmonterade skärmar **II** *v* transportera i helikopter

chops, the 1 munnen **2** benen; höfterna

chow I *s* mat **II** *v* äta

chow-hound storätare

Christmas tree *se bennies 1*

Chuck 1 *mil. V neger.* vit man. (I USA heter han *Charlie*, men i Vietnam är *Charlie* bara FNL-soldat.) **2** *neger. i USA* vit polisman

chug-a-lug I *s* munfull, klunk **II** *v* dricka ur glas el. flaska i ett drag (oftast om öl)

chump 1 lättlurad person **2** huvud; **off one's chump** sinnessjuk, tokig, galen

chunk of s.th. mycket av ngt

church key ölöppnare

churning *börs.* köp och försäljning av värdepapper mellan ohederliga mäklare för att få kursen att stiga

chute popper automatisk fallskärmsutlösare

chutzpa *jidd.* gränslös fräckhet el. hutlöshet, respektlöshet

ciao 1 hej då **2** hej

cigar box violin

cinch I *s* **1** ngt bergsäkert **2** ngt som är ovanligt lätt att utföra **II** *v* verka avgörande, fälla utslaget, besegla

cinch for lillies dödsmärkt; *äv.* dödsdömd

circle jerk grupponani

circular file papperskorg

cit 1 medborgare **2** citat **3** pressklipp

citizen ordentlig (tråkig) medborgare, "svensson", knegare

city hopper liten flygmaskin på korta inrikesrutter

city slicker stadsbo (i mots. till lantbo)

civies 1 civila kläder (i mots. till uniform) **2** finkläder (i mots. till arbetsdräkt el. arbetskläder)

clam 1 person som håller tyst med vad han vet, mussla **2** mun **3** en dollar **4** tabbe

clambake 1 uppsluppen samvaro **2** jazz spelad för nöjes skull o. utan publik **3** kongress **4** (mest politiskt) sammanträde el. förhör bakom stängda dörrar **5** *radio. o. TV.* fullkomligt misslyckad repetition

clamp down on s.b. or s.th. inta en strängare hållning till ngn el. ngt

clam up 1 moltiga **2** sluta ge upplysningar

clap, claps *vulg.* gonorré

clap s.b. in the clink fängsla ngn

claptrap I *s* struntprat, skryt, lögn **II** *a* **1** falskt uppreklamerad **2** dum

claret blod

classified *mil. o. polit.* hemligstämplad, hemlig

clean 1 utan ngt olagligt (narkotika, vapen e.d.) på sig **2** fri från narkotikaberoende **3** pank **4** tekniskt felfri **5 come clean** erkänna sig skyldig

clean and green *CB* inga hinder i form av poliskontroller el. olyckor på vägen

cleaners (kemtvätt) **take s.b. to the cleaners** *a)* medverka till att ngn förlorar allt, *b)* plundra ngn

clean sweep total seger (mest i samband med politiska omröstningar o. val; dets. som *landslide*)

clear up sluta knarka

click I *v* lyckas, slå igenom **II** *s* kilometer

cliffdweller person som bor i höghus

cliffhanger 1 melodramatisk film, pjäs el. bok **2** ytterst nervkittlande situation (först använt av Carpenter om hans tredje varv runt jorden i rymden)

cliffhanging nervkittlande

climb all over s.b. ställa till ett helvete för ngn; skälla ut ngn

climb over *vulg.* ha samlag med, "dra över"

clinch I *s* omfamning **II** *v* avgöra, "spika"

clincher 1 avgörande argument **2** kärnpunkt

clink fängelse

clinker fiasko, misslyckad grej; **hit a clinker** sjunga el. spela en falsk ton

clinker around irra omkring

clip I *s* **1** hårt slag **2** fart, hög hastighet **3** slug person **II** *v* **1** lura **2** döda genom skjutning **3** slå hårt **4** stjäla, snatta

clip joint etablissemang som skörtar upp sina gäster, guldkrog

cloak-and-dagger *a* spionage-, som avser diplomatiska kåren

cloak-and-suiter 1 jude **2** damkonfektionist; damkonfektionsaffär

clobber 1 besegra överlägset **2** kritisera, läxa upp

clock I *s* ansikte **II** *v* slå

clock watcher 1 slö, ointresserad arbetare **2** självisk person som inte vill göra ngn en tjänst

clodhopper 1 stark, klumpig sko, arbetssko **2** klumpig person, koloss, lurs **2** gammal, nedsliten bil el. buss, gammalt, nedslitet tåg el. flygplan

close shave räddning i sista ögonblicket från dödsfara, katastrof el. fiasko

closet *a* hemlig

closet liberal kryptoliberal

closet queen homosexuell som håller sin homosexualitet hemlig

close-up 1 närbild **2** biografi

clotheshorse klädsnobb

clothesline *v* *sport.* stoppa en anfallande motspelare genom att hålla armen rakt ut i höjd med hans hals

cloud (moln) **on a cloud** *a*) fantastiskt lycklig, som på moln, *b*) narkotikaberusad

clout 1 inflytande **2** pondus; prestige

cloverleaf trafikkarusell

clunk dumbom

clunker 1 ngt som är av dålig kvalité **2** utsliten bil el. buss

clunkhead dumbom

clutch I *s* kris, prekär situation **II** *v* **1** gripa, fascinera **2** bli panikslagen

clyde 1 huvud **2** tankar; **put it out of your clyde** glömma bort det, inte mera tänka på det

C-note hundradollarsedel

C.O. vapenvägrare (*av conscientious objector*)

cobbler förfalskare (i sht av pass)

cock *vulg.* penis, kuk, pitt

cockamamie *a* löjlig, dum

cocked 1 (*om flygplan*) beväpnat med atombomb **2** spritpå-verkad, rusig

cockeyed 1 fullkomligt meningslös **2** stupfull **3** tokig

cocksucker *vulg.* **1** lismare, "rövslickare" **2** kvinnliga parten vid fellatio **3** den som spelar kvinnliga rollen i ett homosexuellt förhållande (mellan män)

cock teaser kvinna som hetsar upp en man sexuellt o. sedan inte vill gå med på samlag

coed I *a* gemensam för män o. kvinnor **II** *s* kvinnlig student (på grundnivå)

coffee and 1 kaffe med bröd **2** livsförnödenheter

coffee and cake[s] 1 dåligt avlönad anställning **2** kost o. logi

coffee grinder 1 stripteasedansös, strippa **2** professionell filmfotograf **3** (propellerdriven) flygplansmotor

coffee-table book skrytbok, bok i extra stort format

coffin nail cigarrett, "likkistspik"

coke 1 kokain **2** läskedryck **3** cement

coked narkotikaberusad

coke head narkoman

colaholic inbiten coca-coladrickare

cold 1 ren, utan utsmyckningar el. krusiduller **2** död **3** ointres-serad **4** felfritt el. skickligt utförd

coldcakes (ord skapat som mots. till *hotcakes*) **going like coldcakes** ytterst impopulär, misslyckad

coldcock *s.b.* slå ngn medvetslös

cold deck I *s* kortlek med märkta kort **II** *v* utnyttja (ngn) genom en situation som inte ger offret minsta chans **III** *a* ojust

cold fish känslolös person

cold turkey upphöra plötsligt med (ngt, i sht narkotika el. tobaksrökning)

color blind 1 (*neds.* i sydstaterna) antisegregationist **2** person som inte kan skilja mellan "mitt o. ditt" – alltså med anlag för snatteri o. småstölder, kleptoman

combo 1 kombination **2** liten orkester el. danstrupp **3** kombi-nationslås på kassaskåp

come I *v* få orgasm, komma **II** *s* **1** orgasm **2** sperma
come across 1 ge efter **2** ge mutor (i sht när man uppmanas till det) **3** träffa på
come again 1 upprepa vad man just har sagt **2** ge ett bättre erbjudande än det man tidigare gett
come down ''komma ner'' från narkotikarus
come-on 1 invitation **2** lockfågel, lockbete
come out [**of the closet**] erkänna sin homosexualitet
comeuppance välförtjänt reprimand
comma-counter 1 pedant **2** person som hänger upp sig på detaljer men saknar överblick över helheten
Commie, Commy kommunist
commune kollektiv
comp 1 fribiljett **2** person som bor gratis på hotell, äter gratis på restaurang el. nattklubb, har fribiljett på teater e.d.
Comsymp kommunistsympatisör
con I *s* **1** fånge i fängelse **2** bondfångare **3** offer för bondfångare; **soft con** lätt offer **II** *v* bedra, lura ngn **III** *a* falsk, fiffel-, bluff-
conchie värnpliktsvägrare
confab möte, konferens
conk I *s* **1** huvud **2** näsa **3** krulligt hår som behandlats så att det blivit rakt **II** *v* **1** slå (ngn) i huvudet **2** besegra grundligt (i sht i sportsammanhang) **3** behandla krulligt hår så att det blir rakt
conk off ''maska'' i arbetet
conk out 1 (*om maskin*) gå sönder **2** dö
connection knarklangare
contract morduppdrag
cooch 1 utmanande dansnummer; *äv.* striptease **2** ohederlig plan **3** ojust lockbete
cooch dancer nakendansös; dansös med utmanande dansnummer; *äv.* strippa
coo-coo knasig, förvirrad, tokig, onormal
cook 1 dö i elektriska stolen **2** hända, ske; **What's cooking?** *a*) Vad nytt?, *b*) Vad står på här?, *c*) Hur mås det?
cook along 1 klara sig fint **2** knalla o. gå
cookie 1 kille **2** tilldragande flicka, kalaspingla **3** person som

tillreder opium för rökning **4** svart som sviker sin ras
cookie-pusher 1 feminiserad man **2** homosexuell person
cook up 1 ljuga ihop, gripa ur luften **2** planera, hitta på, "koka ihop"
cool I *s* **1** självbehärskning **2** *hipp.* narkoman **II** *a* **1** (*om person*) självbehärskad, föraktfull, känslolös o. amoralisk (allt på en gång) **2** (*om sak el. tanke*) behagfull, smakfull, tilldragande, elegant **III** *interj* **Cool it!** Lugna dig!, Ta't lugnt!
coon neger
coop I *s* **1** fängelse **2** insatslägenhet **II** *v* (*om polis*) sova i bilen under pass
coot äldre, klent begåvad person
cootie lus; *ibl.* loppa
cop I *s* polis **II** *v* **1** stjäla, snatta **2** vinna (som pris) **3** *hipp.* köpa, skaffa sig **4** tigga sig till
copacetic toppen
cop a deal, cop a plea 1 erkänna ngt **2** skylla på ngn el. ngt
co-pilot *se bennies 1*
cop out 1 tappa modet, ge upp **2** erkänna ett brott **3** bli haffad el. arresterad **4** *hipp.* skaffa sig, köpa
cop-out utväg ur dilemma el. kinkig situation
copper 1 polis **2** tjallare **3** encentsmynt
cop s.b.'s joint suga av ngn
copycat plagiator
corker 1 spännande el. tjusig person **2** spännande o. intressant sak **3** otrolig el. rolig historia
corn 1 sprit, *i sht* majswhisky **2** ngt som är sentimentalt, banalt el. gammalmodigt **3** pengar
cornball I *s* ngn som är *corny* **II** *a se corny*
corner boy dagdrivare, slashas; *ibl.* raggare
corn-fed 1 (*endast om flicka el. kvinna*) fyllig, frodig, yppig **2** uppfostrad till att njuta av (el. spela) klassisk musik
cornrow afrikansk frisyr bestående av många små flätor i rader
corny sentimental, banal, gammalmodig, omodern
corral få tag i (ngn)
cotton bomull *e.d.* indränkt i narkotika, *t.ex.* amfetamin
cottonpicker mildare form för *motherfucker*

cotton to 1 tycka om **2** söka bli vän med
couch doctor psykoanalytiker
count (räkning) **take the last count, take the last, long count** dö
counter jumper expedit
cover 1 nyinspelning av hitlåt med annan artist, coverversion **2** *se cover up I*
cover up I *s* bortförklaring, alibi, skenmanöver **II** *v* ljuga för att hjälpa (ngn)
cowboy 1 vårdslös bilförare **2 The Great Cowboy** president Lyndon B. Johnson
cow college 1 lantbruks- el. veterinärhögskola **2** liten el. mindre känd högskola
cow pilot flygvärdinna
crab I *s* **1** häst, *i sht* kapplöpningshäst **2** sträng el. lättirriterad person **II** *v* **1** klaga, gnata **2** fördärva (ngt som tillhör ngn annan)
crabs 1 flatlöss **2** syfilis
crack 1 bryta el. tränga sig in **2** knäcka (ett problem) **3** avslöja (ngt) **4** spräcka (en sedel) **5** bryta samman **6 get cracking** komma i gång
crack a book 1 ägna sig åt studier **2** läsa
crack a ton uppnå en hastighet överstigande 160 km i timmen
crackdown 1 plötsliga (oftast hårdhänta) straffåtgärder, tukt **2** polisrazzia
cracker viting
crackers *a* galen
crackpot I *s* dumbom, dumskalle; *ibl.* vettvilling **II** *a* förryckt, fjollig, dåraktig
crack up 1 lovorda, berömma **2** krocka bil el. flygplan **3** få psykiskt el. fysiskt sammanbrott **4** börja skratta hejdlöst **5** få (ngn) att skratta
crack-up 1 trafikolycka i vilken bil, tåg, flygplan e.d. får omfattande skador **2** nervsammanbrott
cradle robber (snatcher) en som gifter sig med en avsevärt yngre person
cram I *s* bokmal **II** *v* plugga hårt strax före en tentamen, tentamensläsa

crank *se bennies l*
crank up "veva igång" (ngt)
crap I *s* **1** rappakalja, struntprat, smörja **2** lögn, överdrift **3** skräp **4** skit **II** *v* skita
crapehanger glädjedödare, döddansare
crap house *vulg.* wc
crappy dum
crash I *s* **1** svärmeri, förälskelse **2** avgörande misslyckande **II** *v* **1** göra ett intjack **2** tränga sig in där man inte är inbjuden **3** bli accepterad (i klubb, förening, grupp, yrke e.d.) **4** somna; tuppa av **5** övernatta en el. ett par nätter **III** *a* **1** förtursberättigad, privilegierad **2** snabb, express-
crash pad *hipp.* ställe där man kan sova (ej nödvändigtvis säng)
crash project projekt av så stor betydelse att det har prioritet framför allt annat i fråga om tid o. pengar
crate motorfordon el. flygplan av äldre modell
cream I *v* utnyttja (ngn) genom att smickra, ljuga e.d. **2** utföra ett arbete utan svårighet **3** grundligt besegra, knäcka **4** få utlösning **II** *s* sperma
cream puff 1 vekling, ynkrygg **2** välhållen bil som utbjuds till salu
credit gouger person som köper mycket på avbetalning
creek (bäck) **up the creek** i knipa, nära att misslyckas totalt
creep I *s* **1** nolla **2** läskig typ **II** *v* vara otrogen
creeper 1 lägsta växel i bil, ettan, krypväxel **2** snattare
creepers 1 skor med gummisulor **2** galoscher
creeps 1 ångest, motvilja, oro e.d. **2** *rymd.* klåda i huden p.g.a. lågt lufttryck i rymdfarkostens kabin
creepy-peepy *mil.* markradar
crew-cut (*om hår*) snaggat
crib I *s* **1** lathund, moja **2** studerande som fuskar i tentamen **3** mycket litet rum på bordell **4** billig, trasgrann bordell **5** rum, våning **6** kassaskåp **II** *v* **1** stjäla **2** fuska (i sht i tentamen)
crisscross katalog där telefonnumren står i nummerordning
croak 1 mörda **2** dö
croaker läkare

crock I *s* **1** otrevlig, osympatisk person **2** fyllo **3** man i allmänhet **4** *se crock of shit* **II** *v* slå ngn i huvudet

crock of shit 1 lögn; överdrift **2** lögnare; skrytmåns

crotch shots reklamfotografier av flickor i korsetter, trosor o.d.

crotch worker butikstjuv som bär ut det stulna fastklämt mellan låren

crow skryta, vara mallig över

crowded illa ansatt i diskussion

Crow Jim anti-vita attityder hos svarta (*jfr Jim Crow*)

crud 1 hudsjukdom **2** sjukdom som ger den sjuke ett motbjudande utseende **3** uppdiktat namn på sjukdom **4** smutsig o. sjabbig person **5** ngt kasst, värdelöst

cruddy smutsig, lortig

cruise åka långsamt i bil el. på mc för att "kolla läget" och eventuellt "fixa brudar"

crumb-bum 1 lusig luffare; person av ringa betydelse **2** dålig boxare

crummy 1 motbjudande, äcklig, föraktlig, smutsig **2** (*mest om avlöning*) undermålig, urusel

crunch kris; konflikt

crush 1 vurm; dyrkan, svärmeri, åtrå **2** mottagning el. annan stor tillställning **3** folkuppbåd, vimmel

crust fräckhet

crystal *se bennies l*

C.T. 1 färgad tid (*av coloured time; sagt när man kommer för sent*) **2** *se cunt teaser* **3** *se cock teaser*

cube 1 hopplöst gammalmodig person, en som inte är med på noterna (en *square* i kvadrat!) **2** sockerbit med LSD

cubes tärningar; **the cubes turn cold** man har otur

cuff I *s* (manschett) **off the cuff** *a*) informellt, oförberett, *b*) konfidentiellt, ej för offentliggörande; **on the cuff** på kredit, på avbetalning **II** *v* **1** låna pengar **2** köpa på kredit

cuff-linky elegant, exklusiv (om klubb, restaurang o.d.)

cunt *vulg.* **1** kvinna **2** prostituerad **3** fitta

cunt-struck *vulg.* samlagsgalen

cunt teaser man el. kvinna som hetsar upp kvinna sexuellt o.

sedan inte går med på samlag
cup of coffee kort visit
cup of tea ngn el. ngt man tycker om (alltid föregånget av poss. pron.)
cuppa kopp kaffe
curb (trottoarkant) **work the curb** (*om politiker*) kliva ur bilen o. skaka hand med folket på gatan
curtain raiser 1 första nummer (i konsert, på varieté, på cirkus e.d.) **2** den första i en serie
curtains for s.b. ngt som är ödesdigert el. förkrossande för ngn (t.ex. döden, slutet på en karriär, förlust av heder o. ära, fängelsestraff)
curve raiser plugghäst
cushion I pengar som sparats för svåra tider, reserv för oväntade utgifter el. för ålderdomen, buffert **2** antal poäng med vilket ett lag leder över ett annat i en idrottstävling
cushy behaglig, bekväm, lätt
cuss I *s* kille **II** *v* svära
cut I *s* **1** andel i vinst **2** sårande el. kritisk replik **3** skolk **4** inspelningssession **5** "spår" på LP- eller EP-skiva (*dvs.* en låt) **6** grammofonskiva **II** *v* **1** ignorera på ett sårande sätt **2** späda ut (drink el. narkotiskt medel) **3** dra sig ur spelet **III** *a* lättare berusad
cut a rug dansa
cut it out sluta upp med ngt
cut no ice inte ha ngn verkan, vara ointressant, inte göra ngt intryck
cutoffs avklippta jeans (*ofta med fransar*)
cutting out paper dolls sinnesslö

D

D.A. (*av District Attorney*) allmän åklagare

dab I *s* fingeravtryck **II** *v* ta fingeravtryck

dabble använda narkotika då o. då

daddy 1 populär o. respekterad man **2** man som försörjer sin älskarinna

daddy-o tilltalsord mellan män, till ngn man tycker om

daffy inskränkt, dum; **daffy about s.b.** förälskad i ngn, förtrollad av ngn

-daffy *ung.* -galen, -biten

dago I *s* **1** sydlänning, *i sht* italienare **2** italienska språket **II** *a* sydländsk, *i sht* italiensk

dagwood jättesandwich (efter seriefiguren *Dagwood* Dagobert)

daisy (tusensköna) **push up daisies** vara död o. begraven

damaged lätt berusad

dame 1 besvärlig kvinna **2** ful äldre dam **3** vidlyftig, lösaktig kvinna

dance I *s* ligistkravaller **II** *v* dö genom hängning

dance-hall fängelseavdelning med dödsceller

D and D 1 (*av drunk and disorderly*) berusad o. bråkig **2** (*av deaf and dumb*) dövstum **3** ovillig att avlägga vittnesmål

dander (trol. från *dandruff* mjäll) **get one's dander up** *a*) bli arg, *b*) bli irriterad

dangler trapetskonstnär (på cirkus e.d.)

Danish Blue *koll.* pornografiska filmer från Danmark

dark (mörker) **in the dark** ovetande, inte med på noterna

dash mutor

daylight extraknäcka på dagen

d.b.s. (*av dirty book sales*) försäljning av pornografisk litteratur

dead I *a* **1** (*om mekanism*) ej funktionsduglig **2** (*om person*) urtråkig **II** *adv* alldeles, komplett

dead beat dödstrött, slutkörd

dead-beat 1 totalt misslyckad person **2** person som gör allt för att undvika att betala sina skulder

dead broke fullkomligt pank, luspank

deadhead 1 återfärd (av taxi, lastbil, flygplan, tåg e.d.) utan passagerare el. last **2** icke använd fabrik, telefonlinje, TV-kanal *e.d.* **3** taxikund som inte ger drickspengar

dead horse 1 argument som inte längre är aktuellt el. väsentligt **2** lagförslag som framläggs för sent för att göra nytta **3** tidningsmaterial som lämnas i matrisform

dead-pan I *s* pokeransikte, min som inget röjer **II** *a* uttryckslös, med sfinxlik min **III** *v* säga (ngt) utan att röja en min

dead ringer 1 dubbelgångare **2** ngt som i påfallande grad liknar ngt annat av samma slag

dead soldier tom öl-, vin- el. spritflaska; *ibl.* ölburk, "lik"

dead to the world 1 i djup sömn, död för omvärlden **2** medvetslöst berusad, "plakat"

deadwood narkotikapolis förklädd till narkoman

deal I *s* "kohandel" (i sht politisk) **II** *v* sälja narkotika, dila

Dear John [**Letter**] brev i vilket en kvinna gör slut med en man

deb 1 debutant, nybörjare **2** ung flicka i pojkliga

decibelter disk-jockey som pratar ovanligt snabbt (i sht i rockprogram)

deck I *s* **1 hit the deck** komma (snabbt) ur sängen **2** narkotiskt pulver inlindat i papper **II** *v* slå till marken, golva

decks awash berusad o. ostadig på benen

decorate the mahogany 1 ge mycket drickspengar **2** betala en stor summa kontant

deejay (*förk.* **D.J.**) disk-jockey, skivpratare

deemer 1 tiocentsmynt **2** snåljåp

deep (djup) **go off the deep end** förlora herraväldet över sig själv, bli rasande

deep six I *s* **1** grav **2** begravning till sjöss; **give s.b. the deep six** avskeda ngn **II** *v* dumpa på djupt vatten; göra sig av med

deep throat I v suga av (*jfr filmtiteln Deep Throat, Långt ner i halsen*) **II** s hemlig källa

deli 1 delikatessbutik, affär med färdiglagad mat **2** litet o. exklusivt matställe

demo (*japanskt slangord adopterat av USA*) demonstration, protestmarsch

de-mob I s person som har muckat från armén **II** v demobilisera från armén

depth charge ett glas öl i vilket ett nubbeglas med whisky sänkts ner

derrick avskeda

deskman 1 violinist **2** kontorist vid krigsmakten el. i diplomatisk tjänst i utlandet

Detroit bilindustrin

deuce 1 tvådollarsedel **2** pultron, feg stackare **3** tvåa i kortlek **4** fan, djäkel

deuce-and-a-half 2,5-tons lastbil

dexies *se bennies 1*

dialogue v diskutera

dibs småbelopp i pengar

dibs for s.th. tjing för ngt

dice (tärningar) **no dice** förgäves, utan resultat

Dice City Las Vegas

dicey 1 svårberäknelig **2** halsbrytande, riskfylld

dick 1 detektiv **2** *vulg.* penis, kuk, pitt

diddle *vulg.* **1** onanera **2** leka med annans könsorgan **3** knulla **4** lura

diddle around plottra bort tiden på struntsaker o. småsysslor

diehard orubblig, förstockad; *ibl.* fanatisk

diesel set (neds. om folk som anländer till turistort, sportevenemang etc. i buss i stället för i egen bil el. med flyg) medelklassen

difference revolver

dig I s gliring, pik, snärt **II** v **1** fatta fullkomligt **2** tycka om **3** studera ihärdigt, plugga

dildo 1 *vulg.* konstgjord penis **2** korkad person

dilly sak, händelse el. person som på ngt sätt är märkvärdig

(spännande, vacker, skickligt utförd, välskapad e.d.)
dim kväll, natt
dimbrain, dimbulb klent begåvad person
dime (*eg. 10 cent*) 10 dollar
dime a dozen billig, värdelös
dimwit klent begåvad person, tokstolle
ding upprepa i det oändliga
ding-a-ding förnämlig, stilig, snofsig
dingaling 1 ngt som upprepas i det oändliga (i sht låt, skiva
e.d.) **2** *se dimwit*
dingbat 1 pengar **2** grej, manick **3** *se dimwit*
dinger skarpskytt
dingle berry 1 skit, trådändar o.d. som fastnat i håret kring
anus **2** klantskalle
dingles bondvischan, bystan
dingus "mackapär" vars riktiga benämning man inte kan kom-
ma på
dink *mil. V* sydvietnames
dinky 1 mycket liten **2** kass
dip 1 ficktjuv **2** tokstolle
diploma mill (*mycket neds.*) privat skola el. institut som ge-
nom komprimerade snabbkurser för eleven fram till en examen
dipper baptist
dippy småtokig
dirt 1 skvaller, skandal; **have the dirt on s.b.** känna till ngn
bortglömd el. hemlig skandal om ngn och därigenom ha denne i
sin makt **2** upplysningar; **do s.b. dirt, do the dirty on s.b.** *a*)
tjalla på ngn, *b*) tala illa om ngn tills denne får dåligt rykte
3 pengar **4** cigarrett med vanlig tobak
dirt bike motocrossmotorcykel
dirty dozens verbal kamp, oftast bland tonåringar o. svarta,
bestående av förolämpningar av motståndarens föräldrar etc.;
ofta rytmiska rimmade ramsor
dirty pool skumma affärer; ojust uppträdande, fusk
dirty-shirt lawyer brännvinsadvokat
disco diskotek
discombobulate 1 förvirra **2** vålla besvär o. oro

dish I *s* **1** tjusig kvinna **2** ngt som passar en precis **3** radarantenn **II** *v* snacka

dish it out 1 läxa upp, kritisera **2** dela ut (kraftigt) slag, tackling *etc.* **3** betala ut pengar

disk grammofonskiva

disk jockey disk-jockey, speaker i non-stop-program med skvalmusik

ditch 1 kasta bort, överge **2** smita ifrån, skaka av sig **3** nödlanda på vatten

dive 1 sämre krog **2** elegant nattklubb **3** knockout-fall i boxning som har gjorts upp på förhand mellan boxarna; **take a dive** avsiktligen förlora en boxningsmatch genom att låtsas att man har blivit utslagen

divvy I *s* andel i byte **II** *v* dela (med ngn)

D.J. *se deejay*

do I *s* frisyr **II** *v* suga av

D.O.A. (*av Dead on Arrival*) patient som dött i ambulansen på väg till sjukhus

do a drug använda narkotika

doberman förrädare

do bird avtjäna fängelsestraff

doc 1 läkare **2** tilltalsord till ngn man inte känner (*vanl.:* "*Say, doc …*")

dock s.b. göra avdrag på ngns lön (för frånvaro, förstörda verktyg e.d.)

dock-walloper 1 hamnbuse **2** hamnarbetare

dog 1 ngt som är sekunda el. inte motsvarar förväntningarna (ful flicka, slö kapplöpningshäst, tråkig film, pjäs etc.) **2** Greyhoundbuss **3** put on the dog vara struntviktig, göra sig till

dogface menig infanterist

doghouse (hundkoja) **in the doghouse** i onåd (i sht hos sin fru)

dog it 1 klä sig fint, nästan prålígt **2** "maska" i arbetet

do-gooder person som idkar välgörenhet o. gärna vill bli beundrad för sin osjälviskhet

dog robber kalfaktor

dogs [människo]fötter

dog tags identitetsbrickor (2 st) av metall som bärs i kedja om halsen av alla amerikanare i militärtjänst

do-hinky 1 finne, kvissla **2** grej, grunka

do in 1 förolämpa **2** klå upp **3** såra **4** mörda **5** utnyttja

do it to death göra ngt superbt

do it to it *CB* full fart framåt, gasen i botten

doll 1 vacker flicka **2** trevlig o. hjälpsam person (oavsett kön) **3** narkotikatablett **4** medicinsk tablett ö.h.t.

dollar-a-year-man oavlönad stats- el. kommunalanställd

dollop 1 portion, del **2** massor av

doll up klä sig omsorgsfullt o. efter senaste modet men utan att vara prålig (*jfr dog it*); **all dolled up** finklädd

dome huvud

dong 1 kuk **2** skit

donnybrook 1 kravaller **2** bullersamt, högljutt gräl, slagsmål e.d.

don't know from nothing 1 vara dum **2** inte ha någon aning (om *about*)

don't make no never mind spelar ingen roll, är likgiltigt

doodad grunka, grej

doodle rita "gubbar" under sammanträde, telefonsamtal e.d.

doolie nyintagen vid *US Air Force Academy* Flygkadettskolan

doosey, doozer I *s* unikum **II** *a* unik

dope 1 drog, i sht narkotika **2** narkoman **3** fakta, upplysningar (i sht svåråtkomliga) **4** dumbom

dope fiend storförbrukare av narkotika

dope out räkna ut vad som skall hända

doper knarkare

dope sheet 1 program till hästkapplöpning **2** tryckt el. skriven tipslista i samband med idrottsevenemang

dopester person som ger förhandstips på basis av företagna beräkningar

dopey I *s* pundhuvud **II** *a* slö

dork kuk

dorm hem på internatskola

dose *halvvulg.* venerisk sjukdom, *i sht* syfilis

doss down 1 gå i säng (i sht med ngn av motsatt kön) **2** "kinesa"

doss house 1 bordell **2** sjabbigt hotell, ungkarlshotell
do time avtjäna fängelsestraff
dotty småtokig, prillig
double I *s* **1** dubbelgångare **2** ställföreträdare för filmstjärna i farliga el. besvärliga scener **3 on the double** illa kvickt, snabbt, springande **II** *v* (dubbla) **double in brass** *a*) ha två olika befattningar inom samma firma el. företag, *b*) ha extraknäck
doublecross lura el. förråda kompanjon el. bundsförvant
double dome beläst o./el. mycket intelligent person
doubleheader 1 två baseballmatcher samma dag mellan samma lag **2** upprepning av handling o. med samma personer inblandade bägge gångerna **3** tillställning med två huvudattraktioner
double-o (från de två o:na i *once-over*) **I** *s* grundlig granskning **II** *v* betrakta grundligt
double take I *s* hastig ny titt på ngt el. ngn som vid första ögonkastet inte verkade vara märkvärdigt el. värt att se på **II** *v* ta en *double take*
double-team 1 genom lögn el. falsk anklagelse medverka till att ngn arresteras el. kommer i allvarlig knipa **2** *sport.* punktmarkera farlig motståndare med två egna spelare
dough pengar
dough-boy menig infanterist (i sht under första världskriget)
dove duva, en som förespråkar en fredlig politik
down and dirty ofin, ruffig, skojaraktig, förrädisk
down and out 1 luspank **2** misslyckad, felslagen
downer 1 narkotikatablett innehållande barbiturat, neråttjack **2** neråttripp **3** otillfredsställande upplevelse
down home I *s* Sydstaterna **II** *a* präglad av rasfördomar o. andra sydstatstraditioner
down on arg på
down on all fours i knipa
down the drain 1 borta, spårlöst försvunnen, bortslarvad, förskingrad **2** gagnlös, till ingen nytta
down-the-line 1 helhjärtad **2** kritiklös
down-thumb visa missnöje mot

down trip *hipp.* ngt tråkigt el. ointressant
Down Under Australien
do your own thing *ung.* förverkliga sig själv
draftnik värnpliktsvägrare
drag I *s* **1** huvudgata, stråk **2** inflytande; popularitet **3** lockbete använt av bondfångare **4** danstillställning, bal **5** flicka som en man tar med sig till en fest, en dans e.d. **6** tråkig person **7** tråkig tillställning **8** homosexuell sammankomst, där deltagarna klär sig som om de tillhörde det motsatta könet **9** transvestits påklädning **II** *a* transvestit-
drag down (some sum) få ett visst belopp i lön el. arvode (endast om stora belopp)
drag one's heels underlåta att göra vad man kan el. vad man lovat, el. göra detta långsamt o. med inskränkningar
drag one's tail 1 arbeta el. gå långsamt, "maska" **2** vara melankolisk, nere
drag queen transvestit
drag race kappkörning med bil med start från stillastående för att avgöra vilken bil som har störst accelerationsförmåga
drag strip 1 rak bana, väg el. gata (företrädesvis av betong), som kan användas till *drag race* (*s.d.o.*), ofta en övergiven landningsbana för flyg **2** landningsbana för flyg **3** landningsbana på hangarfartyg
draw a blank 1 tillfälligt glömma bort ett namn, telefonnummer, en adress e.d. **2** vara berusad, "salig" **3** misslyckas med ett försök
dream boat 1 åtråvärd person av motsatt kön **2** pangsak, toppengrej
dream peddler narkotikaförsäljare
dream stick 1 cigarrett **2** opium
dream up 1 fantisera ihop **2** uppfinna
dream weed hasch
dreck 1 skräp, värdelös sak, sak av dålig kvalité **2** avföring, skit
dress down ge en kraftig o. grundlig utskällning
dressing down kraftig, grundlig utskällning
dress out 1 mucka från militärtjänst **2** bli frigiven ur fängelse

drink vattensamling (i sht en ocean men äv. en liten pöl)

drip 1 impopulär ung man, tråkmåns (*jfr drizzle*) **2** struntprat, smicker, skvaller **3** äcklig sentimentalitet

drizzle mycket impopulär ung man (*jfr drip*)

drop a brick trampa i klaveret

drop a flea in s.b.'s ear övertala (*ibl.* muta) ngn att favorisera en på ett sätt som nästan (men ej nödvändigtvis) är otillbörligt

drop a pill njuta narkotika

drop bees into s.b.'s bonnet ge ngn en idé som denne tror är hans egen o. rättar sig efter

Drop dead! Stick!, Försvinn!, Dra åt helvete!

drop-dead signal elektronisk impuls som spränger fjärrstyrd raket när den kommer ur sin planerade bana

dropout en som lämnar skola, universitet, kurs e.d. utan att tentera

drop out 1 lämna läroanstalt i förtid **2** *hipp.* lämna resten av världen o. bli hippie

dropper professionell mördare

drop the boom stoppa vidare kredit

drug head knarkare

drugstore cowboy flickjägare

drummer handelsresande

drunk supkalas, fyllkalas, "sjöslag"

druthers alternativ som man föredrar

dry I *s* nykterist **II** *a* **1** törstig **2** pank **3 not dry behind the ears** inte torr bakom öronen, oerfaren

dry fuck grovhångel med kläderna på

dry run repetition, generalrepetition utan publik

dry up tystna, hålla mun

D.T.s delirium tremens

dub I *s* nybörjare, gröngöling, dummer **II** *v* sätta ljud till en film efter det att bilderna är tagna

dubok 1 spions gömställe för brev till kontaktman **2** täckmantel, fasad

ducat, ducket 1 fribiljett **2** betald biljett till teater, sportevenemang e.d. **3** en dollar; pengar

duck I *s* **1** kille **2** lätt offer för bondfångare **3** stickbäcken

4 amfibietank **5** fimp **6 for the ducks of it** för skojs skull **II** *v* undvika

duck soup 1 lätt uppdrag, lätt arbete **2** person som är lätt att övertyga, övertala el. lura

ducktail warbler rock-'n'-roll-sångare

dud person el. sak som är misslyckad el. missanpassad

dude man

duff I *s* stjärt, ända **II** *v* **1** ge en felaktig bild av, ge falskt sken **2** lura, skoja, svindla

duffer äldre, något excentrisk man (nästan alltid *old duffer*)

duke I *s* hand, näve **II** *v* **1** slåss med knytnävarna **2** festa om

dullsville ngt urtråkigt el. urmodigt

dumbo 1 dum person **2** klavertramp

dum-dum korkad person

dummy up neka att lämna upplysningar man sitter inne med, vägra att tjalla

dump I *s* **1** byggnad, lägenhet, teater e.d. som är otrevlig, sjabbig billig el. tarvlig **2** stad, köping **3** idrottstävling i vilken ena parten förlorar avsiktligt **II** *v* **1** kasta bort, "dumpa" **2** sluta umgås med **3** avsiktligt förlora el. med flit bidra till att det egna laget förlorar en match **4** döda **5 dump on s.b.** skälla ut ngn, vara extremt elak mot ngn (ofta utan orsak)

dumper person som med flit förlorar en idrottstävling el. avsiktligt spelar dåligt för att hans lag skall förlora en match

dune buggy lätt bil avsedd att köras i sanddyner

duner person som ägnar sig åt att köra *dune buggy*

dunk 1 doppa (t.ex. bröd i kaffe) **2** knuffa el. kasta ngn i vattnet

dust I *s* **1** narkotika i pulverform **2** pengar **3 hit the dust** *a)* komma i onåd, nedklassas, förnedras, *b)* dö **II** *v* **1** hastigt försvinna **2** slå (ngn med ngt)

dust catcher osäljbar bok el. film

dusters knogjärn

dust-off 'copter *mil. V* helikopter som evakuerar sårade från stridsområdet

dutch förstöra (ngt för ngn), göra det omöjligt (för ngn att genomföra en plan)

Dutch (holländsk) **go Dutch** betala sin egen förtäring när man går ut flera stycken på restaurang e.d.; **in Dutch** i onåd, i knipa
Dutch treat knytkalas
dyed-in-the-wool äkta, orubblig
dyke 1 kraftig, maskulin kvinna **2** kvinna som spelar manliga rollen i ett homosexuellt förhållande mellan kvinnor
dynamite 1 särskilt ren narkotika **2** ngt mycket bra

E

eager beaver person som arbetar hårt för att de överordnade skall se det; överambitiös person
eagle day avlöningsdag
eagle-eye 1 detektiv, i sht butikskontrollant **2** lokförare
eagle-flapper överdriven patriot (i sht amerikan som i utlandet ständigt berömmer allt amerikanskt)
ear (öra) **pin back s.b.'s ears** besegra ngn totalt; **stand s.b. on his ear** konfundera, mystifiera, upphetsa ngn
earache sång el. melodi som har spelats så länge o. så ofta att man tröttnat på den
ear-banger 1 storskrytare **2** person som genom smicker söker vinna överordnads ynnest
ear-bender person som pratar för mycket
early bright gryning, morgon
earthnik rabiat naturvårdsförkämpe
easy as pie utomordentligt lätt, lekande lätt, lätt som en plätt
easy mark lättlurad person
easy on the eyes vacker
easy rider hallick
eat 1 irritera, besvära (oftast i frasen: *What's eating you?*) **2** *vulg.* bedriva cunnilingus (*ibl.* fellatio)
eat dirt 1 be om ursäkt **2** ta emot grov kritik el. utskällning på ett ödmjukt sätt, förödmjuka sig
eatery enkelt matställe, cafeteria
eat high on the hog 1 ha framgång **2** ha hög levnadsstandard
eat shit *se eat dirt;* **Eat shit!** Dra åt helvete!, Kyss mig i röven!
eat up ground rusa framåt, barka i väg
ecofreak ivrig naturvårdare, grönavågare, miljöaktivist

edge 1 litet försprång el. övertag **2** kniv **3 have an edge on** vara lätt berusad

egads button *se chicken switch*

egg 1 kille **2** flygplansburen bomb; **lay an egg** *a*) kasta en bomb från ett flygplan, *b*) misslyckas totalt, (*i idrottssamman-hang*) inte få en enda poäng

eggbeater 1 flygplanspropeller **2** helikopter **3** utombordsmotor

egghead begåvad, intellektuell person

ego massage 1 smicker, fjäsk **2** besök hos psykoanalytiker

ego trip egotripp, ngt man gör för att tillfredsställa sig själv el. bygga upp sin egen image utan hänsyn till andra

eight-ball fumlig person; **behind the eight-ball** i en besvärlig situation, i knipa

eighty-eight piano

Eighty-eights *CB* Hej då, Klart slut, Puss o. kram

eighty-six I *interj* Nej!, Nix **II** *s* person som inte serveras på restaurang **III** *v* neka, ignorera el. förolämpa; kasta ut

elbow-bending (vanligtvis måttlig) spritförtäring

electric *a* med psykedeliska effekter

electrical bananas *hipp. se mellow yellow*

electric wine vin spetsat med LSD

elephant ear tjock metallförstärkning i rakets yttervägg

elephant train traktortåg; *ibl.* visningståg

elevated berusad, livad

eleven-on-a-one-to-ten toppen, schysst till 110 %

elint (*av electronic-intelligence ship*) spionbåt (typ Pueblo)

emcee (*av master of ceremonies*) **I** *s* konferencier **II** *v* vara konferencier

emote fingera känslor som man för ögonblicket inte alls hyser; anlägga en mask, "spela teater"

empty nesters föräldrar vilkas barn är vuxna o. har flyttat hemifrån

ends 1 skor **2** pengar

equalizer skjutvapen; *vanl.* pistol

erase döda, mörda

Evel Knievel *CB* motorcyklist

even splitters falska tärningar som parvis inte kan ge summan 4, 6, 8 el. 10
even-steven jämnt, kvitt, utjämnat
Everybody into the pool! Dags att gå hem!, Slut på arbetsdagen!
evil 1 underbar, skön **2** sarkastisk; illvillig
ex före detta (numera frånskild) maka el. make
exfiltrate ta sig ur fiendeland utan att upptäckas
extension maximal kredit
extracurricular 1 oväntad, ej planerad **2** ohederlig, omoralisk
extracurricular activity könsumgänge med annan än maka el. make, vänsterprassel
eye 1 TV-apparat **2** privatdetektiv
eyeball I *v* **1** titta på, se sig om **2** bygga el. förfärdiga efter ögonmått **3** *rymd.* manövrera rymdskepp utan att använda radar el. annat mätinstrument **II** *s* möte öga mot öga
eye-opener 1 återställare **2** oväntad o./el. förvånande upplysning
eyewash smicker, struntprat
Eytie italienare

F

fab toppen, jättebra
face 1 kändis **2** främling **3** person **4** typ **5 feed one's face**
äta; **open one's face** tala, prata, säga ngt
face-off debatt i TV, *ibl.* i radio
face s.b. möta en fiende öga mot öga
face s.th. se sanningen i vitögat
face the music 1 ta konsekvenserna **2** finna sig i (berättigad)
kritik
fack tala sanning
fade I *s* **1** slut (på en bok, novell, verklig situation, pjäs el.
urspr. endast film) **2** svart som lever som vit **II** *v* **1** försvinna,
flytta **2** satsa (i tärningspel)
fade away försvinna, sticka utan att ngn märker det, dunsta
fade out ta adjö, gå hem (från ett besök e.d.)
fag 1 cigarrett **2** feminin man, homosexuell man **3** pervers
person
fag along *cowboy*. rida fort
fagged out dödstrött
faggot homosexuell person
fair-haired boy person (ej nödvändigtvis ung) som favoriseras
av överordnad, politiker e.d.; *ibl.* "kronprins"
fair shake rättvis behandling
fairy man som har den kvinnliga rollen i ett homosexuellt
förhållande
fairy godfather (*mest teat.*) person som man hoppas skall
finansiera ett företag
fake 1 improvisera **2** lura, bedra **3** låtsas, bluffa
fall apart komma ur jämvikt, tappa koncepterna, förlora fatt-
ningen

fall by komma in, stiga in
fall down, go boom, *ibl.* **faw down, go boom** offentligen misslyckas totalt
fall flat bli fiasko, bli pannkaka av
fall for 1 bli mycket intresserad av **2** bli förälskad i **3** bli lurad av
fall guy 1 syndabock **2** lättlurat offer
fall in *se fall by*
fallout 1 biprodukt (dock mest oväntad sådan) **2** oväntad påföljd el. efterverkning av en handling
fall out 1 *se fall by* **2** somna
fall out with someone bli osams med ngn, råka i gräl med ngn
fall up *se fall by*
falsie behå med inlägg som gör bysten större el. ger den bättre form
family jewels testiklarna, familjelyckan
fan I *s* **1** beundrare, vurmare **2** flygplans propeller **3** motor på propellerdrivet flygplan **II** *v* kroppsvisitera
fan-mag populär (ej facklig) filmtidning
fanny bakdel, stjärt
fanny-dipper badgäst vid badstrand
Fanny Mae (*av Federal National Mortgage Association*) *börs.* federala nämnden för byggnadslov
fanny pincher "flörtprick" (som är grov i sin kurtis)
fantail häck (på hangarfartyg)
fare-you-well (farväl) **to a fare-you-well** perfekt, grundligt, komplett
far out 1 konstig, ovanlig **2** avancerad **3** originell; spännande **4** toppen
fart I *s* **1** föraktlig, värdelös person **2** *vulg.* fjärt **II** *v vulg.* fjärta
fashion-plater modelejon, klädsnobb
fast buck lättförtjänta pengar el. pengar man har fått på mindre hederligt sätt
fast one 1 list, fiffel, skälmstycke, fusk, svek; **pull a fast one** fiffla, fuska, skoja **2** mycket rolig (i sht oanständig) anekdot el. vits

fast time sommartid

fat cat 1 person som bidrar ekonomiskt till politikers valkampanj **2** berömdhet, förmögen person **3** person som får el. väntar sig större förmåner än alla andra

fatcat söka få bättre villkor än kolleger el. andra jämställda

fat-cat högkonjunkturs-, välstånds- (t.ex. *fat-cat Sweden*)

fat chance små el. inga utsikter el. chanser

Fat City I *s* föråldrad inställning till tillvaron, traditionalism **II** *interj* Allt är toppen!

fat farm bantningspensionat

fathead 1 dumbom som fattar långsamt **2** klavertramp förorsakat av dumhet

fat lot ingenting alls, ytterst litet

Fat Man atombomben över Nagasaki (1945)

fat-so, Fatso tjockis

fay *neger.* vit man el. kvinna

featherbed 1 kräva anställning av personal för onödigt el. obefintligt arbete **2** ''maska''

featherbird *dets. som featherbed (s.d.o.)* men endast om förhållanden inom flygbolag

feather merchant reservofficer i flottan

feature fatta, förstå

fed federal polis

fed up with s.th. utled på ngt

feeb, feebie 1 dum, korkad person **2** FBI-agent

feebles ''kopparslagare''

feed 1 pengar **2** måltid (från galamiddag till lätt lunch); **off one's feed** *a*) utan aptit, *b*) nere, missmodig, *c*) sjuk

feedbag (foderpåse) **put on the feedbag** äta en måltid

feedbox information stalltips

feed the bears *CB* få fortkörningsböter

feeler finger, långfinger

feelie porrfilm

feel no pain vara berusad, omtöcknad

feet (fötter) **go home feet first** dö; **have one's feet in concrete 1** vara orubblig (i fråga om åsikt e.d.) **2** märkt som mordoffer

fee-vee, Fee-Vee mynt-TV
femme, *ibl.* **fem** kvinna
fence 1 hälare **2** (staket) **on the fence** neutral
fence-hanger 1 person (oftast politiker) som ännu inte har bestämt hur han skall rösta **2** person som har svårt att bestämma sig
fence-sitter person som inte vill ta ställning, neutral person
fender bender footage TV-film om krockar, slagsmål, brand, vilda demonstrationer o.d.
fiddle-faddle tomt prat
fiddle-footed kringflackande, rotlös, ostadig
field 1 skaffa sig, vinna **2** sända representanter (t.ex. en grupp idrottsmän till en tävling, försäljare till en ny marknad, diplomater till utlandet)
field day (idrottsdag) **have a field day with s.b.** *a*) ha kungligt roligt åt ngn (mest om denne har bekymmer el. besvär med ngt) *b*) vinna en överlägsen seger över ngn
field nigger revolutionär svart (*i motsats till house nigger*)
field questions besvara närgångna frågor ytterst skickligt i en offentlig debatt el. intervju
-fiend -biten, -frälst, -galen
Fifth (*av Fifth Amendment* femte ändringen i USA:s grundlag); **take the Fifth** som vittne neka besvara en fråga i rättssalen därför att den kan avslöja ngt ofördelaktigt om en själv
fight a bottle dricka, halsa
fight-and-fall corps *TV., se stunt man*
fighting word[s] (*oftast i pl*) svår förolämpning; **Them's fightin' words!** Du förolämpar mig grovt!
fig-leaf censurera bort sex (ur tidning, film e.d.)
filch snatta, småstjäla, knycka
file thirteen papperskorg
filler 1 kortfilm **2** liten tidningsnotis i anekdotform, spaltfyllnad **3** medlem av förstärkning (vanl. reserven) som används för att göra styrkan fulltalig vid bataljon, ett regemente e.d. (man blir *filler* först i det ögonblick man verkligen används)
fin femdollarsedel
finagle lura till sig

finest (finast) **the finest** (*numera mest iron.*) New Yorks poliskår

finger I *s* **1** tjallare **2** liten drink, skvätt, klunk, *eg.* en fingerbredd från botten av glaset **3** *se bird 9* **4 put the finger on s.b.** ange ngn **II** *v* **1** utpeka (ngn, vanligtvis som den skyldige, men ibl. som offer för förbrytare) **2** för tjuv peka ut ett ställe värt att besöka o. tala om bästa sättet att ta sig in o. ut igen

finger man person som ger förbrytare tips om lönande kupp med detaljer om när o. hur det är lämpligast att göra kuppen

finger [**oneself**] (*om kvinnor*) onanera

finger pop knäppa med fingrarna till musik

finger wiggler musiker (*i sht* pianist) som spelar mekaniskt o. utan känsla

finish out of the money inte helt nå det man strävar efter, klara sig någorlunda men inte så bra som man borde

fink I *s* **1** strejkbrytare **2** tjallare **3** polis **4** föraktlig, ynklig person som man helst vill slippa **II** *v* tjalla

fink out ta sin Mats ur skolan

finned can vrålåk

finnif femdollarsedel

fire avskeda, ge sparken, kicka

fireball person som är mycket aktiv; idog, ambitiös, skicklig arbetare

firebug pyroman

fire on s.b. angripa ngn i ord el. handling

first national bank kvinnas strumpa

first-string förstklassig, mest använd

fish I *s* **1** en dollar **2** svagt begåvad, lättlurad person, gröngöling **3** ubåt **4** kvinna **II** *v* gå med håven

Fishbed MIG-21-plan

fish-eater katolik

fish eye (fisköga) **give s.b. (or s.th.) the fish eye** kasta en ointresserad blick på ngn (el. ngt)

fish scale mynt; *vanl.* femcentsmynt

fishtail I *s* stor fena på bils bakskärm **II** *v* sladda med en bils bakhjul

fish-wrapper dagstidning

fishy misstänkt, suspekt
five (fem) **take five 1** ta sig en tupplur **2** ta en kort rast
five-by-five 1 i fin kondition **2** tjock
five-five *CB* den hastighetsbegränsning på 55 miles/tim. (ca 90 km/tim.) som gäller i hela USA
five-foot shelf boksamling köpt på andras inrådan och ej efter egen smak
five—ten (*äv. skrivet* **5—10**) totospel (närmast motsvarande svenskt V 5-spel)
fix I *s* narkotikainjektion, vanl. med heroin **II** *v* **1** muta (ngn) att avsiktligt förlora i idrottstävling, kapplöpning e.d. **2** muta ö.h.t. **3** ge (en narkoman) en spruta, oftast med heroin **4** kastrera (djur)
fixer 1 person som olagligt säljer narkotika direkt till narkoman **2** person som ger andra narkotikainjektioner **3** person som ordnar ut- el. inbetalning av mutor för andra **4** beskäftig person
fix s.b. up skaffa ngn ngt (om inte detta ngt anges rör det sig vanligtvis om en prostituerad)
fix-up enstaka narkotikainjektion
fizzle I *s* fiasko **II** *v* misslyckas
flabbergast förbluffa, förvåna
flack 1 PR-man, pressagent, pressombudsman **2** masspridning av reklamalster **3** *se flak*
flack out 1 somna, bli medvetslös **2** tröttna **3** dö
flag book masochistisk pornografi
flag down ge signal till ett fordon (vanl. bil) att stanna
flag it köra i tentamen
flag waver 1 chauvinist **2** anförande, sång, pjäs e.d. av chauvinistisk art
flak hård kritik
flak catcher den som får ta de hårda stötarna
flake out 1 sträcka ut sig (oftast för att sova) **2** somna; tuppa av
flaky 1 frigjord **2** slapp **3** labil, tokig
flam 1 flörta **2** antasta
flap I *s* **1** panik, rädsla, kris, oro **2** gräl, slagsmål **3** förvirring,

nervositet **4** skandal **5** bullersamt kalas **6** kritisk situation **ll** *v* förvirra, bringa ur fattningen

flapper 1 hand **2** backfisch, flicksnärta (på tjugotalet)

flare up plötsligt bli arg, brusa upp

flash l *s* **1** person som är ovanligt skicklig i sitt yrke **2** grannlåt, bjäfs **3** *hipp*. effekt av en narkotikados **4** idé **ll** *v* **1** kasta en hastig blick på **2** framvisa i syfte att imponera **3** få en idé **4** blotta sig

flashback LSD-hallucination som återkommer långt efter själva trippen

flasher blottare

flashy gräll, prunkande, färgstark

flat pank

flatbacker fnask

flat broke luspank

flat-foot patrullerande polis

flatfooted (plattfotad) **catch s.b. flatfooted** överraska ngn, ta ngn på sängen

flathead 1 dumbom, dumskalle **2** skådespelare som överskattar sig själv

flat-out l *v* uppnå maximihastighet i bil el. flygplan **ll** *a* i toppfart

flat tire tråkmåns, torris, träbock

flattop hangarfartyg

flat-top vanlig gitarr (i mots. till elektrisk)

fleabag, flea-bag 1 säng **2** ynklig kapplöpningshäst **3** fallfärdigt, smutsigt, sjabbigt offentligt ställe (t.ex. bio, hotell, konsertsal) **4** jycke

flea trap billigt hotell, ungkarlshotell

fleece lura på pengar, "skinna", pungslå

flesh flick porrfilm

flesh parlour 1 bordell **2** nattklubb e.d. med nakendansöser o./el. *B-girls* (*s.d.o.*)

flesh-peddler 1 sutenör **2** chef för arbetsförmedling **3** ställe (nattklubb, teater e.d.) som har nakendansöser el. vackra flickor som dragplåster

flesh-press handskakning

flesh spa gat∩ el. stadsdel med nöjesetablissemang som lockar
med sex, sprit o. spel
flick, flickers film
flicker *bokförl.* bok där man hittar ngt läsvärt på varje sida när
man bläddrar igenom den
Flicksville 1 Hollywood **2** filmvärlden
flier 1 chansartad affär el. verksamhet **2** flygblad för masspridning
flies (flugor) **there are no flies on s.b.** han är inte lättlurad,
han är alert o. kvick
flim-flam I *s* bedrägeri, lurendrejeri, bondfångeri **II** *v* lura,
dupera, slå blå dunster i ögonen på
flip I *s* mindre gräl **II** *v* **1** bli uppskakad el. chockerad **2** resa
fort (t.ex. per flyg) **III** *a* fräck, taktlös, uppnosig, näbbig
flip-flop snabb förändring i inställning, riktning, position e.d.
flip for s.b. or s.th. *a*) förälska sig i ngn, *b*) reagera förvånat,
förtjust el. upphetsat över ngn el. ngt
flip one's lid (wig) *a*) bli häftigt uppbragt, mista kontrollen
över sig själv, *b*) bli sinnessjuk el. sinnesrubbad
flip out 1 brusa upp **2** få (ngn) att brusa upp **3** reagera starkt
(för ngt) **4** uppleva (ngt underbart) **5** förlora kontakten med
verkligheten, flippa ut
flipper 1 hand **2** arm
flipperman grodman
flip side 1 B-sida (på singelskiva) **2** (*på mynt*) klave
flit homosexuell
flivver 1 gammal skraltig bil **2** gammal skraltig flygmaskin
floater 1 hoppjerka **2** klavertramp **3** penninglån **4** order från
polisen att lämna en stad **5** försöksballong
floating berusad (av sprit el. narkotika) o. på gott humör
float one låna en summa pengar
flooey, flooie *se go blooie*
floor 1 chockera, överrumpla, överraska **2** *se floorboard*
floorboard köra fort, trampa gasen i botten
floozy 1 lättvunnen kvinna **2** prostituerad av lägre klass
flop I *s* **1** fiasko **2** person för vilken allt misslyckas **3** säng,
ställe där man kan sova **II** *v* **1** misslyckas **2** lägga sig att sova

flophouse sjabbigt, billigt hotell, ungkarlshotell av sämsta slag
flopperoo dunderfiasko
flotel uselt hotell (dock en aning bättre än *flophouse*)
flower homosexuell man
flower children (people) hippies
flub I *s* **1** fumlig, tafatt, obelevad person **2** pinsam tabbe, blamage **II** *v* blamera sig, ha otur med, trampa i klaveret
fluff I *s* **1** ung kvinna **2** (*i tidning*) intetsägande nyheter, spaltfyllnad **3** felsägning, missgrepp, "groda" **II** *v* komma av sig (p.g.a. felsägning, falsk ton i musik el. sång, e.d.)
fluke I *s* **1** slump, tillfälle (oftast *pure fluke* rena rama slumpen) **2** misslyckande **II** *v* misslyckas med
fluky 1 minimal, chansartad **2** genom tur mer än genom skicklighet el. flit
Flu Manchu hongkonginfluensa
flummox förvirra, förvåna
flunk 1 (*i skola*) ge underbetyg **2** inte klara sig i examen, "köra"
flunk out sluta skola el. universitet utan att ta examen (underförstått p.g.a. att man inte klarat sig)
flush I *a* kapitalstark, vid kassa **II** *v* ignorera, frysa ut
flush it bli kuggad, köra i tentamen
fluter homosexuell man
fly I *v* **1** vara narkotikaberusad **2** övertyga **II** *a* flott
fly a kite I *v* **1** skriva luftpostbrev för att be om pengar el. annan hjälp **2** skriva ut check utan täckning **II** *interj* **Go fly a kite!** Stick! (används när man är trött på ngn – inte när man är irriterad el. arg)
fly ball (cop, dick, mug) civilklädd kriminalpolis
flyboy flygplanspilot
fly-by-night 1 efemär, dagsländelik **2** amatörmässig, ogenomtänkt, slumpartad
fly clean *mil.* flyga utan bomblast
flyer *se flier*
flying boxcar stort fraktflygplan
flying saucer pessar
flyoff prov för att jämföra flygplans prestanda

fly off the handle ilskna till o. börja gräla
flyswatter antirobot-robot
Foggy Bottom USA:s utrikesministerium
fold 1 göra konkurs **2** (*om t.ex. TV-program, serie, pjäs*) sluta
p.g.a. otillräckligt intresse utifrån
folding, folding cabbage (green, lettuce, money) papperspengar (i mots. till mynt)
fold one's wings dö
fold up 1 gå hem (från bjudning, nattklubb e.d.), sluta kvällen
2 säcka ihop, svimma **3** slå igen butiken, gå i konkurs
folkie folksångare
follow förstå, fatta
foodaholic frossare
food for the squirrels 1 dum person **2** meningslöst uppdrag,
meningslös plan
foofaraw grannlåt
fool around 1 slå dank **2** flörta
foot (fot) **put one's foot in it, put one's foot in one's**
mouth försäga sig, säga fel sak på fel tid och på fel ställe,
trampa i klaveret
football väska i vilken koderna till USA:s atomangreppssignaler finns (bärs av speciell vakt i presidentens följe)
foot dragger inflytelserik person som endast motvilligt ansluter sig till en idé (ett lagförslag e.d.) el. som försöker förhala
dess genomförande
foot-dragging I *s* obstruktion, uppskjutande, förhalning **II** *a*
obstruerande, uppskjutande, förhalande
foot-in-mouth disease benägenhet att försäga sig el. trampa
i klaveret
foot it 1 gå till fots **2** sticka sin väg
footsie (fossing) **play footsie** *a*) kurtisera utan att andra
upptäcker det, bedriva fotkurtis, *b*) fjäska el. visa överdrivet
tillmötesgående mot ngn genom vilken man kan uppnå politisk
el. affärsmässig vinning
foot stompers jazzentusiaster, rock-'n'-roll-entusiaster
foot the bill betala räkningen
fork out (over, up) lämna ifrån sig (oftast pengar, men också

upplysningar, saker osv.)

for openers, for starters till att börja med

fouled-up tilltrasslad

foul up 1 trassla till, krångla till **2** fördärva, förstöra

foul-up 1 osmidig person; person som ofta begår fel **2** tilltrasslad situation el. sak

four bits (= 2 × *two bits*) 50 cent

four-eyes person med glasögon

fourflush bluffa, lura

fourflusher posör; bluffmakare

Four Hundred (*äv.* **400**) gräddan av societeten

fourletteracy pornografi

four-letter man 1 student som är framgångsrik i fyra olika sporter el. idrottsgrenar **2** dum, efterbliven studerande

four-letter words vulgära uttryck, obsceniteter, "runda ord"

four-time loser desperat förbrytare (som om han straffas ännu en gång får livstids fängelse)

four-wheeling terrängkörning med fyrhjulsdriven bil

four zip I *interj* Saken är klar! **II** *a* **1** mycket lätt **2** perfekt

fox sexig, framåt tjej

fractured berusad, ostadig på benen

frag *mil.* medvetet döda officer (*mindre ofta* soldat) på den egna sidan

frail ung kvinna

frail job 1 sexuellt tilldragande kvinna **2** samlag

frame I *s* **1** komplott genom vilken en oskyldig blir lidande **2** människokropp **3** sexuellt tilldragande kvinnas överkropp **II** *v* konspirera (mot en oskyldig för att få denne arresterad, straffad el. på annat sätt lidande)

frameup *se frame 1*

frat 1 manlig studentförening **2** medlem av manlig studentförening **3** konservativ student med medelklassideal

frazzled kraftigt berusad

freak 1 okonventionell person **2** hippie **3** anhängare av ngt, *t.ex. football freak* **4** knarkare, användare av ngt, *t.ex. acid freak*

freak out *hipp.* **1** reagera entusiastiskt, begeistras **2** komma i

narkotikarus **3** bli uttråkad, bli genomtrött **4** bli hippie
freebie, freeby, freebee 1 ngt som man får gratis **2** ngn som
ger el. tar emot ngt gratis
freeloader, free loader 1 person som äter el. dricker på
andras bekostnad, i sht person som får förtäring på annans
representationskonto **2** person som försöker få ngt utan att be-
tala **3** person som lever på socialhjälp
free-wheeling 1 slösande flott **2** självsvåldig **3** (*om man*) ut-
svävande
freeze 1 stå blickstilla i hopp om att inte bli upptäckt **2** nobba;
put the freeze on s.b. negligera ngn, behandla ngn som luft
French I *s* uttalad svordom, obscenitet, vulgaritet; **Pardon
my French!** Ursäkta mitt vulgära språk! **II** *v* ha oralt samlag
French bath *mil.* avtvättning vid vilken hjälmen används som
handfat
French leave hemlig avresa utan att intresserad part (värd,
kreditor, vän e.d.) meddelats
French post card pornografiskt foto
fresh fräck
frig *vulg.* lura, narra
frigging *vulg.* fördömd, jäkla, sabla
fringes förmåner ovanpå lönen
frisk 1 kroppsvisitera **2** genomsöka rum, lägenhet el. hus
frit *s* homosexuell
fritz, fritz out gå sönder; **on the fritz** (*nästan endast om
mekaniska el. elektriska apparater*) trasig, sönder, ur funktion
frog 1 fransman **2** fähund **3** gammaldags person
frog-eating fransk
frogskin endollarsedel
front 1 utseende **2** person som lånar sitt namn till rörelse,
grupp e.d. för att ge den bättre anseende **3** respektabel firma
som används som fasad för att dölja skumma affärer
front door *CB* första fordonet i kö el. lastbilskaravan
front office I *s* **1** avgörande instanser, direktion **2** (den talan-
des) äkta maka **II** *a* fastställd, avgjord, bestämd i högsta instans
front porch *se front door*
frou-frou (kvinnlig) grannlåt, prålig klädsel

fruit — fungo 86

fruit homosexuell person
fruitcake 1 sinnessjuk person, galning, tokstolle **2** blandning av alla möjliga piller (av olika färg)
fruit salad 1 rader av militära ordensband **2** blandning av alla möjliga sorters piller
frump slampig, ovårdad kvinna
fry 1 avrätta i elektriska stolen **2** dö i elektriska stolen
fubar *mil. se fucked up 2 (av fucked up beyond all recognition)*
fubb *mil. se fucked up 2 (av fucked up beyond all belief)*
fuck I v **1** ha samlag, knulla; **Fuck a duck!** Fan ta't!, Mig gör det detsamma! **2** lura, narra **II** s **1** dyft, dugg, det minsta; **I don't give a fuck!** Det bryr jag mig inte det minsta om! **2** fan, helvete; **What the fuck!** Vad i helvete!
fuck around tramsa
fucked out utmattad, genomtrött
fucked up 1 förvirrad, nervös, orolig **2** (*om arbete, plan, uppdrag e.d.*) tilltrasslad, komplicerad, krånglig (oftast p.g.a. att ngt fel begåtts)
fuck head 1 virrig person **2** opålitlig person
fucking 1 fördömd, sabla, jäkla **2** ansträngande, svår, obehaglig **3** ful, dålig, oönskad
Fuck off! 1 Stick! **2** Håll käften!
Fuck you! Dra åt helvete!
fuddy-duddy snäll och trevlig men gammaldags och konservativ gubbe, gammal stofil
fudge I s struntprat, nonsens **II** v fuska, fiffla, småskoja
fug förmildrande omskrivning av *fuck* (skapad av Norman Mailer för hans bok *De nakna och de döda* då bokförlaget vägrade att ge ut boken med ordet *fuck*)
full of beans (hops, prunes) 1 livlig, energisk, på gott humör **2** småtokig
fumtu *mil. se fucked up 2 (av fucked up more than usual)*
fun and games 1 ngt trevligt **2** hångel, förspel **3** ngt besvärligt
Fun City New York
fungo I s **1** litet misstag, litet klavertramp **2** hjälpaktion som inte uppskattas **II** v begå ett mindre misstag

funk I *v* köra i tentamen **II** *s* **1** funkjazz **2** stank, odör
funky 1 sentimental, banal, gammalmodig, omodern **2** bra,
inne
funnies tecknade serier
funny books porrböcker
funny bunny *CB* civil polisbil
funny business lurendrejeri, falskspel, bondfångeri
funny farm sinnessjukhus
funny-ha-ha rolig, komisk
funny money 1 falska pengar **2** *mil.* alla pengar som ej är
amerikanska
funny-peculiar *ibl.* **funny-odd** besynnerlig, egendomlig, för-
undransvärd
fur, furburger mus, fitta
furry hårresande, hemsk
fuse (stubintråd) **have a short fuse** vara lättretlig, ha kort
stubin
futy *vulg.* fitta
fuzz 1 polis **2** hår el. skägg

G

G 1 000 dollar

gab I *s* **1** snack, skvaller, struntprat **2** mun **II** *v* prata

gabber hallåman el. kommentator i TV el. radio

gabfest 1 samtal, diskussion **2** paneldiskussion i TV

gadget 1 liten mekanisk grej som man inte för ögonblicket kan komma på namnet på **2** krafs, grannlåt **3** obetydlig person

gaff I *s* (krok) **stand the gaff** utstå umbäranden, vara tålmodig **II** *v* skinna, lura

gag I *s* **1** knep, list, skälmstycke, puts **2** vits **3** utsliten, för ofta använd ursäkt el. bortförklaring **II** *v* tråka ut gränslöst

gaga tokig (i ngt), galen (efter ngt, i ngn)

gage marijuana

gaggle 1 grupp av högljudda el. tvistande personer **2** större samling människor

gall fräckhet, respektlöshet, gemenhet

galley west 1 fullständigt ur spelet **2** medvetslös

gallock-hander vänsterhänt person

gallopping dominoes tärningar

galoot tölp, bondlurk

gams 1 vackra flickben **2** ben ö.h.t. (äv. på män)

gander I *s* titt, blick; granskning **II** *v* granska

gandy dancer 1 rallare **2** grovarbetare som tar jobb där han får

gang bang tillfälle då flera män efter varandra ligger med samma flicka

gangbuster 1 mycket snabb kapplöpningshäst **2** länsåklagare (*D.A.*) el. annan hög tjänsteman med uppgift att spränga kriminella ligor; **come on like gangbusters** anlända el. sätta igång i högsta fart, med buller o. bång

gangster 1 marijuana (-cigarrett) **2** en som röker marijuana
gape ha abstinensbesvär
gapers' block trafikstockning förorsakad av bilister som stannar för att titta när det har hänt en olycka
gar *neds.* nigger
garbage *rymd.* raketdelar som ligger i kretslopp kring jorden, rymdskrot
garbage mouth I *v* häckla **II** *s* person som är ful i mun
garment peeler stripteasedansös, strippa
garter snapper ngt mycket roligt, särskilt ngt som kvinnor skrattar åt
gas I *s* **1** struntprat, skryt **2** bensin **3** ovanligt trevlig, lyckad el. omtyckt sak el. händelse **II** *v* prata, skvallra
gasbag 1 storskrytare **2** (*mest om politiker*) person som pratar länge utan att egentligen säga ngt
gas-guzzler bil som drar mycket bensin
gas-guzzling (*om bil el. annat motorfordon*) bensinslukande
gas hound person som dricker rödsprit e.d., "dundergubbe"
gas jockey person som arbetar på bensinstation
gaslight *v* driva ngn till vansinne
gassed 1 utmattad av skratt **2** förbluffad **3** (grundligt) berusad
gasser *se gas I 3*
gassy toppen
gas up s.th. pigga upp ngt, sätta sprätt på ngt
gat revolver, pistol
gate 1 inkomst från biljettförsäljningen vid sportevenemang el. på teater **2** skicklig swingmusiker **3 give s.b. the gate** *a*) ge ngn korgen, *b*) avskeda ngn
'gator *se alligator*
gauge marijuana
gay *s* o. *a.* homosexuell
gay bar bar som är tillhåll för homosexuella
gay deceivers *se falsie*
gay lib rörelse som arbetar för de homosexuellas rättigheter
gayola pengar som homosexuella betalar till utpressare
gazebo, gazabo, gazibo, gasobo 1 kille **2** provisorisk ställning som används som plattform för TV-kamera **3** drömslott

gear — get to s.b.

gear I *a* toppen **II** *s* utrustning för injicering av narkotika
gee I *s* **1** (från *G.I.*) kille **2** (från *G* = 1 000 dollar) pengar **II** *interj* (från *Jesus*) Jisses!
geed up på gott humör (p.g.a. att man tagit narkotika)
gee-gee kapplöpningshäst av mellanklass
geek 1 föraktlig person **2** pervers person som mot betalning åtar sig motbjudande uppdrag
Gee whiz! *interj* Jisses!
geezer 1 excentrisk person, original **2** kille (dock mest äldre)
gelt *jidd.* pengar
gentleman in blue sportdomare (i sht i baseball)
George, george I *s* **1** automatpilot i flygplan **2** ngt som är märkvärdigt, charmant, praktfullt, dråpligt **3 let George do it** fras som används när ngn försöker slippa ta ansvaret för ett uppdrag e.d. **II** *a* märkvärdig, charmant, praktfull, dråplig **III** *v* locka (ngn) till samlag
gesundheit *jidd.* prosit
get I *s* **1** inkomst från biljettförsäljningen vid sportevenemang (= *gate*) **2** fatta, förstå **II** *v* **1** irritera el. reta **2** hämnas på
get a glow on bli påtänd
getaway, get-away 1 flykt **2** fordon som används vid flykt
get away with s.th. 1 lyckas med ngt **2** göra ngt olagligt utan att bli upptäckt **3** äta en måltid el. en rätt
get behind it bli påtänd
get down with it sätta igång med ngt (på allvar)
get in the wind 1 sticka iväg på motorcykel **2** köra fort i bil
get into s.b.'s pants ligga med ngn
get into s.th. komma igång med ngt
get it off with s.b. få orgasm med ngn
get it on 1 bli kåt **2** knulla **3** uppleva ngt fint **4** sätta igång
get it together 1 förbereda sig, t.ex. för avfärd **2** samla sina tankar
get it up få erektion, få stånd
Get lost! *interj* Stick!
get off 1 tända på **2** njuta, koppla av
get on *se* turn on
get to s.b. 1 influera ngn, göra intryck på ngn, påverka ngn

2 irritera ngn

get-up and go livfullhet, vitalitet, energi, ambition, framåtanda

Gevalt *jidd.* oj

ghetto sniffer negerreporter som arbetar på "vit" tidning

ghost I *s.* person som mot betalning skriver ngt i ngn annans namn, spökskrivare **II** *v* mot betalning skriva ngt som ngn annan står som författare till

ghost of a show ytterst ringa chans att lyckas (nästan alltid i negativ sats *"not a ..."*)

ghost town övergiven stad, spökstad

ghoulie pornografisk skräckfilm

ghoul spool skräckfilm

G.I. I *s* **1** menig amerikansk soldat; **the G.I.s** diarré **2** veteran från andra världskriget **II** *a* **1** utlämnad (till soldaten) av armén **2** genomsnitts-; dålig, jämmerlig

gibbs mun

gibs (av *Guy In The Back Seat*) *mil.* andrepilot

giddyapper cowboyfilm

gift of the gab 1 övertalningsförmåga **2** pratsjuka

gift-wrapped 1 oväntad, överraskande **2** extra, tillagd, bifogad, medföljande

gig I *s* **1** tröstnapp el. ngt som ett barn fäster sig vid och alltid vill ha hos sig (nalle, filt, leksak e.d.) **2** ohämmad hippa; *ibl.* grovhångel **3** kortvarigt engagemang på nöjesetablissemang el. turné **4** gammal bil, raggarbil **5** *vulg.* ändtarm **II** *v* kritisera, angripa i ord

G.I. Joe menig amerikansk soldat

gilhooley 1 obildad person; bondlurk **2** lurendrejare, bondfångare **3** manick, grunka, pryl

gills (gäl) **blue (green) around the gills** *a)* sjösjuk, *b)* illamående (p.g.a. ngt man har hört el. upplevt)

gimmick 1 grej, pryl, grunka **2** reklamtrick **3** "present" el. annan extraförmån använd som lockbete vid försäljning **4** egoistiskt motiv till en ytligt sett oegennyttig gärning

gimmies vinningslystnad, ha-begär, snikenhet

gimp 1 haltande gång **2** låghalt person

gimpy *bildl.* ojämn, oregelbunden, haltande

ginger I *s* livslust, energi, arbetsiver, "krut" **II** *v* sätta fart på saker o. ting, liva upp, pigga upp, piffa upp

gingerbread snickarglädje

ginhead fyllbult

gink kille, äldre slarvig typ

gin mill tarvlig (ruffig) nattklubb, bar e.d.

ginzo 1 italienare **2** utlänning **3** kille

gip *se gyp*

girl 1 kokain **2** bög

girlie magazine porrtidning

girlie show 1 vågad, ibl. rentav obscen föreställning med nakna el. halvnakna flickor **2** enklare föreställning med stort uppbåd av balettflickor

gismo 1 instrument el. mekanism som man inte vet namnet på **2** pryl, grunka, grej

giveaway ngt som ges bort i reklamsyfte

give s.b. five daska till ngns händer som tecken på att man är överens

give (s.b.) head suga av (ngn)

give-ups *börs.* returkommission som utbetalas till tredje person som utpekas av köparen

gladhander person (oftast politiker) som låtsas vara bäste vän med den han just träffar el. råkar tala med

glad rag näsduk indränkt i narkotika (för sniffning)

glad rags 1 högtidskläder (lång klänning o. frack) **2** finkläder

glamor issue *börs.* högaktuell aktie el. obligation (gällande t.ex. rymdartiklar, elektronik, TV)

glass can engångsflaska

glazed full

glim I *s* **1** öga **2** lampa; ljus **II** *v* granska

glimmers 1 ögon **2** strålkastare på bil

glitch *rymd.* mindre fel på instrument el. annan utrustning i rymdfarkost

globe kvinnobröst

glom 1 stjäla, knycka **2** ta sig en titt på

gloop, glop 1 trögflytande massa **2** oaptitlig mat

glory hound fåfäng, ärelysten person
glossy s dyr veckotidning tryckt på blankt papper
glue binge rus uppnått genom sniffning (am. sniffare använder
vissa arter av lim i stället för thinner; se goofball 2)
gluepot kapplöpningshäst
G-man federal polis
gnat's knees a toppen
go för uttryck som börjar med go och som inte återtinns här
nedan se under det mest markanta ordet i uttrycket
go 1 klar, i ordning, villig, redo, OK; **on the go** arbetssugen,
aktiv, jäktad **2** hipp. (om flicka) samlagsvillig
go-ahead klarsignal, tillstånd att ta itu med
goat 1 syndabock; **get one's goat** irritera ngn, reta ngn, göra
ngn arg **2** oduglig kapplöpningshäst
gob 1 flottist **2** stor mängd; **gobs of** massor av **3** mun
gobbledygook 1 ngt som är skrivet i kanslistil (med inveck-
lad satsbyggnad o./el. långa sällsynta ord) **2** onödigt snack
(mest om politikers inlägg i debatt)
gobbler kalkon
go blooie, ibl. **go flooey** upphöra att fungera, plötsligt gå
sönder
go-by (förbifart) **give s.b. or s.th. the go-by** ignorera ngn el.
ngt
go down on s.b. suga av ngn
gofer, go-for 1 anställd med enklare arbetsuppgifter; spring-
pojke på kontor **2** ngt man tycker om
go for tycka om, vara stormförtjust i
go-getter energisk, ambitiös person
gogglebox TV-apparat
go-go segerrik, jätteskicklig
go go go 1 se O.K. **2** (uttryck från Cape Kennedy) i fin
ordning o. klar till start
go it klara av det
gold 1 slags högklassig marijuana **2** pengar
Goldberg neds. jude
gold braid 1 officer i flottan **2** högt uppsatta personer el.
direktion i stort företag, "höjdare"

gold brick 1 latmask, person som alltid har en förklaring till varför han undviker allt arbete **2** lockande affär föreslagen av bondfångare

gold-brick undvika arbete genom att ha någon godtagbar ursäkt

gold-digger kvinna som lägger an på rika män, lycksökerska

gold dust kokain

golden *a* fixat, OK, toppen

golden oldie evergreen

golden shower sexakt där deltagarna urinerar på varandra

golden shower boy (*jfr golden shower*) pissbög

golem *jidd.* klumpig, klantig, dum el. taktlös person

golf widow golfbiten persons maka

goma råopium

gone 1 förälskad **2** hänförd, gripen, förtrollad, fascinerad **3** exalterad (av sprit el. narkotika)

gonef, goniff I *s* **1** skojare som utan att vara professionell dock alltid är redo att lura den han kan **2** bög **II** *v jidd.* stjäla, skoja i mindre skala

goner 1 ngn el. ngt som oundvikligen går sin undergång till mötes **2** döende person

gong 1 militärmedalj **2** opiumpipa

gonk (*ingen* vet vad en gonk är!) **be gonk** vara med på noterna; **go to gonk** somna in

gonked utmattad, nere

gonkered förförd

go no go I *s* sista ögonblicket före ett avgörande **II** *a* **1** osäker, oviss, möjlig **2** förhindrad i sista ögonblicket

goo 1 ngt klibbigt el. trögflytande (t.ex. ansiktscreme, våt cement, gyttja, lera, tjock sås) **2** falskt smicker, förföriska ord

goober jordnöt

good old boy 1 medelsvensson **2** reaktionär el. konservativ person

goods (varor) **the goods** *a*) person som har de egenskaper som är nödvändiga i en given situation, *b*) bevismaterial (i sht rörande ngt brottsligt), *c*) tjuvgods, kontraband

goody-good sentimental och menlös film

goody-goody feminiserad ung man
goody two-shoes strängt moralisk kvinna
gooey 1 klibbig, oljig, trögflytande **2** smäktande, romantisk, tårdrypande, sliskig
goof I *s* **1** ärkenöt; pundhuvud utan förmildrande egenskaper **2** sinnessjuk person (oftast imbecill) **3** misstag el. felberäkning (p.g.a. dumhet) **II** *v* begå ett dumt misstag
goofball 1 varje form av fenepromin (fenedrin) som används av sniffare **2** varje slag av amerikanskt lim innehållande aceton, butylacetat el. toluol som används av sniffare **3** *se goofers* **4** sömntablett **5** original, excentrisk person
goofers narkotikatabletter innehållande barbiturater
goof off 1 slarva bort tiden **2** begå ett misstag, trampa i klaveret
goof-off person som maskar, latmask
goof on s.b. skoja med ngn, retas med ngn, lura ngn på roligt sätt
goof up ε.th. förstöra, ödelägga ngt, bringa oreda i ngt, krångla till ngt
goofus 1 "lantis", bondlurk **2** dålig teater, buskis **3** manick, pryl, grej, grunka
goofy dum, fjompig, oberäknelig
gook I *s* **1** smuts, lort; sot **2** fientlig inföding (t.ex. papuan, korean) som USA:s trupper kämpar mot; (under 60-talet) nordvietnames, (under 70-talet även) sydvietnames **3** klibbig el. trögflytande substans (oftast sås) **II** *a* inte framställd i USA
goon I *s* **1** lejd förbrytare **2** kraftig men dum person, man med mera muskelkraft än hjärna; muskelknutte **II** *a* nazistisk (vanligt under andra världskriget)
goon squad 1 brutala fångknektar **2** grupp av provokatörer
goopy sliskig
goose I *v* **1** *halvvulg.* köra tummen i baken på ngn (i eg. el. bildl. betydelse) för att retas el. för att få ngn att sätta fart på arbetet **2** genom hot, uppmuntran e.d. få (ngn) att arbeta snabbare el. bättre **II** *s* (gås) **cook s.b.'s goose** definitivt förstöra ngns chanser el. utsikter till framgång
goose egg 1 nolla (i sht på poängtavla i sportsammanhang, i

penningsumma el. i skolbetyg) **2** bula (efter slag, i sht på huvu-
det)

goose up s.th. piffa upp ngt

G.O.P. (*av Grand Old Party* – smeknamn sedan 1880) republi-
kanska partiet

gopher person, i sht försäljare, som är full av arbetslust

gosh-awful bottenlöst dålig, förskräcklig

Gospel, the sanningen

gospel pusher predikant

Gotham New York

got him where he lives *se where one lives*

go up bli hög

gourd guard störthjälm

gow 1 narkotika, *i sht* opium **2** narkotikarus **3** erotiska, halv-
pornografiska fotografier el. teckningar av kvinnor på billiga
böcker, grammofonskivor e.d.

gowed up narkotikaberusad

go with s.th. handla i enlighet med ett förslag, en plan *etc.*

goy *neds.* icke-jude

G.P. (*av general practitioner*) allmänpraktiserande läkare

grab 1 intressera **2** få att reagera känslomässigt **3** förvåna

grabber 1 ngt intressant, som hugger tag i en **2** besvärligt
problem **3** hand

grabby pockande, fordrande

grabs (grabbatag) **up for grabs** *a*) tillgänglig för var o. en som
vill anstränga sig, *b*) vakant, ledigförklarad, obesatt (om tjänst,
anställning o.d., i sht politisk)

graft 1 mutor **2** mutning

grand 1 1 000 dollar **2** 1 000

grandstand I *v* uppträda el. bete sig på ett sätt som man tror
skall imponera på åskådarna **II** *a* prålig, struntförnäm, skrytsam

grandstander utmanande person; person som avsiktligt beter
sig på ett sätt som han tror skall imponera på de närvarande

grandstand play 1 handling, tal e.d. som är avsett att väcka
beundran, skaffa ngn medhåll el. (för politiker) röster **2** presta-
tion vid idrottsevenemang som utförs så att den verkar svårare
än den egentligen är

granny glasses glasögon med metallbågar

grapevine 1 rykte **2** kanal (vanligtvis anonym) genom vilken ett rykte el. en upplysning från högre ort når fram till en reporter

grass I *s* **1** marijuana, "gräs" **2** *CB* mittremsa på motorväg **II** *v* solbada

grasshopper *flyg.* litet enmotorigt, högvingat monoplan med sluten cockpit

grass roots (*i sht polit.*) **1** folket, väljarkåren, gemene man, gräsrötterna **2** källan, ursprunget, det elementära

grass-roots (*i sht polit.*) **1** allmän, folklig, enkel, gräsrots- **2** elementär, ursprunglig, bas-

grass tar hasch

graveyard shift nattskift som börjar vid midnatt el. senare

gravy 1 penningsumma utöver vad man har väntat sig (i fråga om avlöning, arvode el. vinst) **2** lättförtjänta pengar **3** inkomst utöver vad som behövs för att täcka de fasta utgifterna

gravy train mycket lätt el. överbetalt arbete som ngn fått genom politiskt inflytande el. släktskap; **ride the gravy train** ha ett ovanligt lätt el. välavlönat arbete

gray *se grey*

grease I *s* **1** pengar **2** mutor **3** smör **II** *v* **1** muta, "smörja" **2** äta **3** döda

grease-ball sydlänning, *i sht* grek, italienare

grease-gun automatgevär

grease-monkey mekaniker, *i sht* flygplans- el. bilmekaniker

grease-pusher sminkör vid teater el. TV

greaser mexikan

greasy spoon liten sjabbig o. billig restaurang

Great Agent Up Yonder *teat.* Gud

Great Big One 1000-dollarsedel

Great Unwashed, the proletariatet; packet, slöddret, pöbeln

Great White Way teatergatan Broadway (delen nära Times Square i New York)

greek *v* ha heterosexuellt analt samlag

green I *s* papperspengar **II** *a* naiv

greenbacks sedlar

green carder 1 mexikan med rätt att arbeta i Kalifornien

2 billig arbetskraft

green dragons narkotikatabletter innehållande barbiturater

greenhorn 1 invandrare **2** gröngöling

green light godkännande, klarsignal

green power 1 köpkraft **2** storfinansen

green stamp rabattmärke (oavsett färg)

green stuff pengar, *i sht* sedlar

green thumb 1 förmåga att få saker att växa, tur med blommor, gröna fingrar **2** förmåga att få ett företag att blomstra och ge vinst

grey *neds.* vit person, viting

grey-flannel 1 affärssinnad, målmedveten **2** saklig, nykter **3** välbärgad, förmögen **4** PR-

grey-flannel souled själlös, materialistisk

greyhound *v* springa fort

grey legs kadetter vid krigshögskolan West Point

grid, gridiron I *s* fotbollsplan **II** *a* som avser fotboll, fotbolls-

grift I *s* **1** pengar som erhållits på oärligt sätt (i sht genom ohederliga affärer) **2** oärligt sätt att förtjäna pengar på **II** *v* svindla, skoja, skaffa sig pengar på oärligt sätt

grifter bondfångare, skojare

grill s.b. underkasta ngn långvarigt, hårt förhör

grind I *s* **1** tråkigt, enformigt arbete som tar lång tid **2** flitig studerande; plugghäst **3** roterande rörelse av hela höftpartiet (utförd av t.ex. nakendansös, *bumper*) **4** marknadsutropares anförande **II** *v* **1** studera metodiskt o. länge; plugga **2** rotera med höfterna (*jfr grind I 3*) **3** hålla anförande (*jfr grind I 4*)

grind house 1 non-stop bio **2** reprisbio

gringo 1 amerikan **2** viting

gripe I *s* **1** kritik, missnöje, klank, knot **2** person som gnatar **3** orsak till klagan el. kritik **II** *v* jämt o. ständigt kritisera, klanka el. gnata

groan box dragspel

groceries 1 måltid **2** livets nödtorft

grog-mill ölsjapp, billigt utskänkningsställe

grok känna för (ngn), få djup kontakt med

groove njuta av (ngt); ha det skönt

groovers *hipp.* hippies som har kommit över tonåren o. som njuter narkotika för nöjes skull

groovy *a* toppen

Gross-Out *hipp. se garbage mouth*

ground I *s* (mark) **get off the ground** bli narkotikaberusad **II** *v* **1** ta ifrån ngn flygcertifikat **2** hindra en pilot att flyga **3** ta ett flygplan ur trafik, neka ett flygplan tillstånd att starta

ground monkey flygmekaniker

grouper 1 deltagare i gruppterapi **2** deltagare i gruppsex **3** ensamstående som gärna deltar i sällskapsliv o. gruppaktiviteter

group grope gruppetting

groupie groupie, flicka som hänger efter popstjärnor (och erbjuder sig att ligga med dem)

groupnik en som deltar i alla möjliga former av gruppterapi

grouse klaga, klanka, gnälla

growler 1 högtalarsystem **2** stor bägare

grub I *s* mat, käk **II** *v* äta, käka

grub-slinger kock

grubstake I *s* startkapital **II** *v* hjälpa ngn ekonomiskt vid starten av ett företag

grungy sjaskig, sliten, smutsig

grunt 1 brottning **2** brottare **3** menig **4** underbefäl

grunt-and-groaner professionell fribrottare

G-string 1 höftskynke buret av nakendansös **2** höftskynke ö.h.t.

guardhouse lawyer *mil.* menig soldat el. underbefäl som ger sig ut för att vara expert på militärförordningar, lagar o.d.

guesstimate, guestimate uppskattning el. värdering som ej är baserad på fakta

guff I *s* struntprat (i sht i skrift) **II** *v* ljuga, överdriva

guide erfaren narkoman som hjälper en som tar LSD för första gången

guinea *neds.* italienare

guinea pig försökskanin

gull I *s* **1** prostituerad som håller sig till flottister **2** bedrägeri, fiffel; fälla **II** *v* bedra; lura, inbilla

gum-back *krim.* kompis
gum-beater storskrävlare; person som pratar för mycket
gumdrop *rymd.* Apollokapslarnas kommandomodul (de olika besättningarna gav namn åt sina farkoster, på Apollo 10 hette kommandomodulen *Charlie Brown*, på Apollo 11 *Columbia*, på Apollo 12 *Clipper*, på Apollo 13 *Odyssey; se äv. Spider*)
gumheel, gumshoe I *s* detektiv **II** *v* arbeta som detektiv (i sht skugga ngn)
gum it ha oralt samlag
gum up s.th. fördärva, ödelägga ngt (planprojekt, pågående arbete e.d.)
gum up the works *a*) genom egen dumhet, klavertramp el. fel förstöra sina utsikter, *b*) oavsiktligt förstöra ngn annans chanser att lyckas med ngt
gun I *s* **1** gangster som använder skjutvapen **2** gaspedal i bil **3** narkotikaspruta **4** betydande el. inflytelserik person **5 jump the gun** tjuvstarta; **go great guns** vinna stor popularitet, bli en jättesuccé **II** *v* **1** skjuta **2** rusa motorn i stillastående fordon el. flygplan **3** öka farten på flygplan
gunboats 1 skor i stora storlekar **2** fötter (i sht stora)
Gunga Din dricksvattenbehållare (knappt 0,25 l) inkapslad i astronauts rymddräkt (anv. första gången i Apollo 13)
gung ho 1 käck; *äv.* djärv, dumdristig, oförvägen **2** *mil. (numera oftast neds.)* helhjärtat lojal, hänfört plikttrogen, nitisk i tjänsten
gunk 1 smuts (i sht trögflytande som t.ex. lera) **2** kosmetika **3** trögflytande substans ö.h.t.
gun moll gangsterflicka
gunny marijuana
gunsel förbrytare (i sht yngre)
gunship *V* stor bestyckad helikopter
gunslinger 1 lejd gangster som skjuter ngn mot betalning **2** snabbskytte (i moderna pistolskyttetävlingar)
guru 1 psykiatriker **2** ledare, "profet"
gush käft; nuna
gussy up 1 klä sig fin **2** utsmycka, piffa upp
gut I *s* **1** mage **2** kärnpunkt (i fråga el. problem) **II** *a* **1** väsent-

lig, mycket betydelsefull **2** känslomässig, osofistikerad **3** mycket enkel, *t.ex. gut course*

gut feeling innersta övertygelse

gut hopper *skol.* högskolestuderande som bara tar lätta kurser

guts 1 mod, uthållighet, djärvhet **2** rörliga inre delar av motor el. maskin **3** mycket lätta college- el. högskolekurser

gutsy 1 rakryggad, oförfärad, djärv **2** energisk, kraftfull

guy I *s* **1** kille **2** person (oavsett kön) **II** *v* reta (i sht genom att håna el. härma)

guzzelry *se guzzle shop*

guzzled 1 berusad, "plakat" **2** arresterad

guzzle shop utskänkningsställe där sprit o./el. öl serveras

gyp I *s* **1** skojare, falskspelare, svindlare, bedragare **2** bedrägeri, skoj **3** taxi där föraren lurar ägaren på pengar **4** tik, *i sht* kapplöpningstik **II** *v* lura, bedra **III** *a* oärlig, opålitlig

gyp artist "haj", slug, driven svindlare el. skojare

gyp joint nöjesetablissemang (teater, spelhåla, nattklubb e.d.) som lurar av besökarna pengar

gypsy 1 taxi utan full licens **2** lastbilschaufför med egen lastbil som tar jobb där han får **3** lastbil som körs av ägaren, ofta utan trafiktillstånd

gyrene marinsoldat

H

H heroin som används av narkomaner
habit narkotikamissbruk; **kick the habit** sluta knarka
hack I *s* **1** taxi **2** buss **3** *rymd.* insikt, grepp (om ngt) **II** *v*
1 (*äv.* **push a hack**) köra taxi **2** hosta nervöst **3** palla för,
klara av
hacked irriterad
hackie taxichaufför
hack politician andra rangens politiker
hack-skinner skicklig o. rutinerad busschaufför
hack writer brödskrivare
hair (hår) **get in s.b.'s hair** irritera ngn gränslöst; **have s.b.
by the short hairs** ha ngn i sin makt; **have s.th. by the
short hairs** behärska en situation, med lätthet klara av ett
uppdrag el. problem; **let one's hair down** tala fritt ur hjärtat;
there is hair on s.th.'s chest *a*) det är fart o. spänning i ngt,
b) ngt (vara, pjäs e.d.) är omtyckt av kvinnor.
hairdown ohöljd, öppenhjärtig
hairpiece peruk
hair-shirt boy person som sätter arbetet framför egna intres-
sen el. personlig vinst
hairy 1 besvärlig, vansklig **2** hemsk, skräckfylld
hais *jidd.* kåt
half- framför alla ord för berusad höjer detta berusningsgraden;
används oftast med föregående negation; **he wasn't half-
sozzled** han var ordentligt berusad
half-and-half hos prostituerade, samlag till hälften oralt, till
hälften ''vanligt''
half-assed *vulg.* **1** inkompetent, otillräckligt utbildad **2** dåligt
planerad, oorganiserad, irrationell

half-baked 1 omogen, oerfaren **2** excentrisk, tokig

half-cocked 1 utan tillräcklig insikt; oförberedd **2** dåligt planerad

half-pint I *s* **1** person som är liten till växten **2** betydelselös person **II** *a* ovetande, dum och betydelselös

half seas over redlöst berusad

ham I *s* **1** dålig aktör **2** kortvågsamatör **3** person som försöker ge intryck av att vara skickligare el. mera bildad än han är **4** stor hand **5** skicklig amatör (i sht i idrott el. på scen) **II** *v* spela en roll dåligt el. med överdrivet minspel el. tonfall **III** *a* sekunda, av dålig kvalité

hamburger 1 boxare av bottenklass **2** kapplöpningshund av bottenklass

hame tråkigt jobb man har för brödfödan

ham joint billigt stamlokus där man kan sitta länge fastän man förtär litet

hammer I *s* **1** snygg, sexig tjej **2** *CB* gaspedal **II** *v* dricka sig full

hammer down *adv* med gasen i botten

hammer man auktoritär person

hammertails jackett

hand applåd, bifall; **sit on one's hands** *a*) ogilla, ej uppskatta, *b*) förbli passiv, ej delta i ngt man egentligen skulle delta i

hand it to s.b. berömma ngn, erkänna ngns (oväntade) framgång

handle I *s* **1** det namn en person är känd under – öknamn, smeknamn, alias; **fly off the handle** bli tvärarg o. skälla ut ngn (i sht måttlöst) **2** bruttointäkt vid sportevenemang el. engångstillställning **II** *v* **1** klara av **2** fatta vad som händer

handout tryckt el. stencilerat pressmeddelande av cirkulärtyp (innehåller siffror o. fakta)

handslap *se give s.b. five*

hang svänga, ta av

hanger-banger väskryckare

hang in hålla ut, stå ut

hang it up 1 strunta i det **2** sluta

hang loose 1 spänna av, koppla av **2** vänta **3** ta dagen som den kommer

hang on a few, hang a few on dricka så att man blir lätt berusad

hang one on 1 bli ordentligt berusad **2** slå (ngn) med knytnäven

hang on the tail of s.b. förfölja ngn, försöka hinna ikapp ngn (t.ex. i bil el. flygplan, el. i en kapplöpning)

hang of s.th. innebörd el. betydelse av ngt

hangout 1 tillhåll **2** stamlokus **3** hem

hang out (somewhere) 1 slösa bort tiden på (sitt vanliga tillhåll) **2** bo, ha sin hemvist (någonstans); **let it all hang out** vara helt öppen

hang tough *se hang in*

hangup 1 hinder, svårighet **2** psykologisk spärr **3** fix idé

hanky-panky 1 skoj, lurendrejeri, fiffel, fuffens **2** flört o. kurtis

happenso, happenstance tillfällighet

happy dust 1 kokain **2** morfin

happy farm mentalsjukhus

happy hour tid på dagen då drinkar serveras till starkt reducerade priser

harbor rat *sjö.* plimsollare, flytande likkista

hard (hård) **have a hard on** *vulg.* ha stånd

hard core 1 frispråkig o. detaljerad pornografi, hårdporr **2** tuffing

hard drugs tung narkotika

hard hat 1 plommonstop **2** *mil. V* nordvietnames **3** skyddshjälm **4** person som arbetar där skyddshjälm är nödvändig **5** vit konservativ ur arbetarklassen

hard money hårdvaluta

hard-nosed envis

hard rock hårdrock

hard-shell 1 orubblig, fast övertygad **2** konservativ

hard stuff 1 starksprit **2** tung narkotika

hard up i starkt behov (av ngt)

hardware 1 vapen **2** militära utmärkelser **3** idrottspriser (i sht bucklor, kannor o.d.)

Harlem toothpick stilett

harness 1 polisuniform **2** motorcyklists tävlingsdräkt **3** skinn-
knutteklädsel
harness bull uniformerad polis
harp 1 munspel **2** irländare
has-been 1 f.d. berömdhet, framgångsrik affärsman e.d. som
det gått bakåt för, fördetting **2** person som är omodern i klädsel,
tänkesätt el. annat
hash I s **1** rykten, skvaller, senaste nytt **2** (pyttipanna) **make
hash of s.th.** ödelägga, fördärva, trassla till ngt; **settle s.b.'s
hash** trycka ner ngn i skorna, sätta ngn på plats **3** hasch **4** ma-
rijuana el. annan narkotika **II** a underbart, fint, toppen
hasher servitör; servitris
hashery mindre matställe
hash-house pensionat, personalmatsal, billigt matställe
hash over 1 upprepa argument **2** dryfta samma sak för fem-
tielfte gången **3** prata om gamla minnen
hash session se bull session
hash slinger 1 servitör, servitris **2** person anställd i kök
hassle I s dispyt, träta, meningsutbyte **II** v **1** kivas, gräla;
irritera varandra **2** förfölja, bråka med
hat (hatt) **pass the hat** låta hatten gå runt, be om bidrag, tigga
till förmån för ngn annan; **talk through one's hat** prata
dumheter (i sht om saker som man inte känner till fakta om);
toss one's hat in the ring anmäla sig som deltagare i en
tävlan (i sht politisk); **under one's hat** konfidentiellt, hemligt
hatch hals; ibl. mun o. hals; **Down the hatch!** Botten opp!
hatchet job illvillig, nedgörande kritik el. handling
hatchet man 1 person som i firma (el. förening) åtar sig nöd-
vändiga impopulära åtgärder (t.ex. att avskeda ngn) **2** journalist
som avslöjar skandaler (i sht politiska sådana) **3** professionell
mördare (för gangsterligor o.d.)
hatchick ung garderobiär
hate sheet skandaltidning
hat-tossing tour turné för valfiske inom valdistriktet
haul in arrestera, finka
hausfrau hemmafru vars enda intresse är hemmet
have för uttryck som börjar med have och som inte återfinns

här nedan se under det mest markanta ordet i uttrycket
have lura, bedra; **have it coming** vara förtjänt av den motgång man möter; **have it for s.b.** önska ngn allt ont; **let s.b. have it** *a*) drämma till ngn, *b*) kritisera, anklaga el. avslöja ngn; **s.b. has had it** *a*) ngn är deprimerad o. nere, *b*) det är slut med ngn, ngn har fått nog
hawk 1 krigshetsare, hök **2** LSD-brukare el. LSD-försäljare
hawkshaw detektiv
hay 1 småpengar, litet belopp (oftast i uttrycket *that aint hay!*) **2 hit the hay** lägga sig att sova
haybag 1 fet, slarvig gammal gumma **2** gammal prostituerad, gammal gatflicka **3** säng
hay-burner 1 cowboyfilm **2** häst
haymaker 1 hårt knytnävsslag **2** hårt slag med påk e.d. **3** förkrossande replik, upplysning el. händelse
haymate samlagspartner
hay roll snabbt avverkat samlag
hayseed I *s* plump, tafatt el. drullig person, bondkanin **II** *a* bonnig, småstadsaktig
haywire 1 sönder; tilltrasslad **2** skröplig, av dålig kvalité **3** virrig, småtokig
head 1 toalett på fartyg **2** toalett i allmänhet **3** missbrukare **4** narkotikarus **5** oralt samlag **6 Go soak your head!** Du är heltokig!, Du pratar i nattmössan!
hedache bekymmer el. annan orsak till irritation o. ledsnad
head breaker *hipp.* polis
head comics tecknade serier för vuxna, avsedda att läsas vid marijuanarökning, undergroundserier
head hunter 1 personalchef **2** person som ansvarar för rekrytering av chefstjänstemän
head job oralt samlag
headliner 1 kändis **2** *teat.* aktör el. aktris vars namn står med större bokstäver på affischer, ljusreklam o.d. (*se äv. billing*)
head shop hippiebutik med allehanda tillbehör
head shrinker 1 psykoanalytiker **2** psykiater
head thing känslomässigt förhållande
heap 1 gammalt, skraltigt fordon, skrothög **2** stor mängd, stort

antal; **all of a heap** *a*) förvånad, förbluffad, *b*) snabbt, plötsligt
heart 1 mod **2** hjärta, generositet **3** ollon, kukhuvud **4** ståkuk
5 Cross my heart! På heder o. samvete!
hearts and flowers 1 sliskig romantik, sentimentalitet **2** uttalanden avsedda att väcka medömkan, hjärtknipande yttranden
heat 1 polis **2** skjutvapen **3** påtryckningar; **turn on the heat**
a) göra det ytterst obehagligt (för ngn), *b*) använda skjutvapen,
c) anstränga sig till det yttersta med det man håller på med; **put
the heat on s.b.** *a*) gå hårt åt ngn, *b*) genom hotelser e.d.
avtvinga ngn ngt (pengar, uppdrag, anställning e.d.)
heater 1 cigarr **2** revolver, pistol
heave-ho (*oftast* **the old heave-ho**) **1** utkastning från offentligt ställe **2** sparken från jobbet **3** slutet på vänskap, kärleksförhållande e.d.
heavy I *s* **1** bovroll i drama, opera, film e.d. **2** person som
lägger hinder i vägen för ngn annan **3** tungviktsboxare **II** *a*
1 olaglig **2** underbar, schysst **3** djupsinnig **4** framstående
5 jobbig, besvärlig **6** gravid
heavy date 1 träff med åtråvärd person av motsatt kön **2** betydelsefullt avtalat möte
heavy head rap allvarlig diskussion
heavy metal 1 högljudd, kompakt bluesmusik spelad på elektriska instrument och trummor **2** tung rockmusik, med mycket
elektroniska ljudeffekter
heavy sugar 1 lätt el. snabbt vunnet penningbelopp **2** förmögen person
heavyweight 1 *krim.* expert, fackman **2** person av stor betydelse (i sht i politiken)
hebe *neds.* jude
hedge vara ambivalent, osäker, obeslutsam i tal el. handlingssätt
hedge-hop fara på teaterturné, politisk turné e.d. med korta
avstånd mellan de platser som skall besökas
hedgehopper lågtflygande plan (t.ex. för besprutning av
fruktträdgårdar)
heebie-jeebies 1 nervös oro, rastlöshet, oroskänslor **2** delirium tremens

hee-haw lantis
heel 1 rötägg, lymmel, "svinpäls" **2** lärling, volontär
heel-dragging ointresserad, trög, motvillig
heeled 1 beväpnad (i sht med skjutvapen) **2** stadd vid god kassa **3** försedd med narkotika
he-ing and she-ing I *s* samlag **II** *v* **be he-ing and she-ing** ha samlag, knulla
heist råna, stjäla
heister, heist man rånare, tjuv
helilift transportera med helikopter
hell (helvete) **catch hell** få en ordentlig utskällning; **give s.b. hell** ge ngn hans fiskar varma, skälla ut ngn; **play hell with s.th.** handskas vårdslöst med ngt; **raise hell** *a*) rumla om ordentligt, *b*) motsätta sig ngt på det bestämdaste
hell-and-gone 1 oerhört långt borta (o. kommer troligen aldrig åter) **2** fullkomligt förstörd, oåterkalleligen förlorad
hell-bender vilt supkalas; *ibl.* orgie
hellfighter person som är specialist på att släcka oljekällor som börjat brinna
hell-for-leather I *a* djärv, fräck, aggressiv **II** *adv* i rasande fart
helluva 1 jättebra, fantastisk **2** jättestor **3** otrevlig, besvärlig
helo helikopter
hemp hasch
hemp-head haschrökare
hen-brained virrig, oberäknelig
hen-fruit ägg
hen party dambjudning, syjunta e.d.
hen-pen 1 flickskola **2** bostad för kvinnor, kvinnohus
Henry Ford modell ä (dock ej T-ford)
hep orienterad, kunnig, initierad
hep-cat 1 klädsnobb el. dagdrivare som lever lösaktigt **2** jazzentusiast; *i sht* swingentusiast
herb marijuana
herbie konventionell person, "Svensson"
herd vara guide för en turistgrupp
hex I *s* förtret, trassel; otur, osis **II** *v* (*äv.* **put the hex on s.b.**) genom besvärjelser (el. annan trollkraft) ge ngn trassel el. otur

hex-chaser person som genom magisk kraft motverkar otur som har åsamkats ngn genom besvärjelser
Hi! Hej!
hick I *s* **1** lantis; luns, tölp **2** naiv, lättlurad person **II** *a* lantlig, bondsk; naiv; obildad
hickey 1 finne, kvissla **2** grej, manick, grunka, pryl **3** sugmärke
hickory oil aga, prygel, spö
hick town liten, lantlig, gammaldags stad, köping el. by
hiding prygel, aga
high I *s* narkotikaberusning **II** *a* **1** lätt berusad o. på gott humör **2** "hög", i det tillstånd när narkotikans verkningar är mest behagliga
highball I *s* **1** grogg **2** expresståg **II** *v* **1** köra fordon i hög fart **2** springa mycket fort
highboots jockey
high-brights (*på bil*) helljus
highbrow I *s* intellektuell, bildad person **II** *a* intellektuell, bildad
higher-ups överordnade, personer i höga befattningar
high-hat I *s* snobb; självmedveten, inbilsk person **II** *v* nonchalera, ignorera **III** *a* högfärdig, nedlåtande, struntförnäm
high iron spår för expresståg
high-jinks uppsluppenhet, skoj, fest
high muck-a-muck pösig pamp, hög societetsperson, bracka (*vanl. neds.* är man mycket förbannad på vederbörande blir han bara en *high-muck*)
high-rise höghus
high-riser pojkcykel av motocrossmodell
high roller 1 person som slösar bort pengar **2** person som titt o. tätt satsar stora belopp på spel
high-smelling 1 urgammal **2** pornografisk
high-steel man byggnadsarbetare (oftast svetsare) på hög stålställning, bro, torn o.d.
high-tail skynda sig bort till fots
highway-hop åka långa sträckor med buss
high, wide and handsome *a*) sorglös, *b*) lätt, utan besvär el. bekymmer

high yellow ljushyad mulatt, i sht utan negroida drag (oftast om sexuellt tilldragande flicka)

hill (kulle) **go over the hill** a) *mil.* desertera, b) *krim.* rymma från fängelse, c) försvinna spårlöst el. på mystiskt sätt; **over the hill** avslutad, färdig, förbi; **the Hill** kongressen (USA:s andra kammare) i Washington D.C.

hillbilly I s bondlurk (*eg.* fattig farmare från Ozarkbergen i sydstaterna) **II** a naiv, enkel; simpel, sjabbig

hincty 1 snobbig **2** inbilsk

hinterlands bondlandet, vischan

hip 1 orienterad, kunnig, initierad, väl införstådd (*jfr hep*); **be on the hip** a) vara orienterad (*etc.*), b) röka opium

hipped *se hip;* starkt intresserad, fängslad (av idé, handling el. sak)

hipper-dipper magnifik, glänsande, briljant

hippie hippie, vanl. vit medelklassperson i 15–25-årsåldern som dragit sig undan samhället för att koncentrera sig på att uppnå ett behagligt liv i kärlek o. frid, ofta med hjälp av österländsk mysticism o./el. narkotika; har ofta långt hår o. okonventionella kläder, bor ofta i kollektiv o. arbetar inte ofta

hippy frigjord, anti-traditionell

hipster 1 person som är *hip* (*s.d.o.*) **2** amerikaniserad form av Europas existentialist i slutet av 50-talet (*jfr beat*)

hit I s **1** succé **2** fullträff i vadhållning (*t.ex.* 13 rätt på tipset) **3** dos narkotika **4** samlag **II** v **1** anlända el. nå fram till **2** framkalla en kraftig reaktion, verka **3** trycka (injicera) narkotika **4** röka marijuana **5** döda; **hit him where he lives** *se where one lives;* **hit it off with s.b.** samsas med ngn; **hit s.b.** a) tigga av ngn, b) ge ngn en narkotikaspruta; **hit for, hit out for** starta mot ett bestämt mål; **s.th. hits one** man kommer på ngt, erinrar sig ngt, ngt faller en in; **hit a home run** a) vara oerhört skicklig, b) ha en fantastisk tur

hitch I s **1** tjänsteperiod (inom försvaret el. i yrke ö.h.t.) **2** straffperiod i fängelse **3** hake, brist, aber **4** lift **II** v **1** viga; gifta sig **2** lifta

hitch up viga; gifta sig

hit man gangster som mördar mot betalning

Hizzoner borgmästaren
hock pantsätta, stampa på; **in hock** *a*) skuldsatt, *b*) pantsatt, *c*) i fängelse
hockshop pantbank
hocky 1 skit **2** sperma **3** äcklig mat
ho-dad skrytsam person som tränger sig på o. försöker vara "inne"
hoe-dig I *s* folkdans **II** *v* dansa folkdans
hoedown 1 livlig bal med folkdans **2** livlig tillställning ö.h.t. **3** häftigt gräl
hog I *s* **1** matvrak **2** person som tar mer än sin rättmätiga del av ngt **3** storförbrukare av narkotika **4** stor bil, t.ex. Cadillac **5** tung motorcykel, särskilt Harley Davidson **6** *se angel dust* **7 live high on the hog** leva flott **8** *se whole hog* **II** *v* **1** (*äv.* **eat high off the hog**) ta mer än sin rättmätiga del av ngt **2** monopolisera ngt
hog headlines 1 tränga andra nyheter i bakgrunden **2** vara främsta samtalsämnet
hog stomper skinnknutte
hogwash larv, struntprat; propaganda
hog-wild övermåttan entusiastisk el. upphetsad
ho-hum ointresserad, likgiltig för ngt
hoist 1 råna, göra inbrott **2** hänga (ngn)
hoist a few supa (i sht öl)
hoke up 1 förfalska, imitera, plagiera **2** förflacka, försimpla
hokey förfalskad, oäkta
hokum 1 smicker, falskt tal, tomt prat **2** krimskrams, bjäfs **3** gamla vitsar, knep etc. som används på teater som säkra publiknummer
hold inneha narkotika
hold the bag (sack) 1 göras till syndabock **2** bli lurad på sin rättmätiga andel
hold up råna
hold-up 1 rån med skjutvapen **2** uppskörtning
hole 1 cigarrett med enbart tobak **2** isoleringscell **3 in the hole** skuldsatt
hole in one's head låtsad orsak till ngns dumhet

hole-in-the-head dum, fjollig, fjompig
hole in the wall liten lokal el. lägenhet
hole-in-the-wall trång, kyffig
hole up 1 gömma sig, gå under jorden **2** skaffa sig tillfällig bostad, "kinesa"
Holy cow! Herregud! Oj då! (*av Holy Christ*)
Holy Joe 1 fältpräst **2** präst ö.h.t. **3** läsare **4** skenhelig person
holy roller 1 väckelsepredikant **2** medlem i väckelserörelse
hombre 1 spanjor, mexikan **2** man
home free *a* iland, igenom svårigheterna; **we're home free** vi har klarat av det
home in *mil. rymd.* (om raket o. robot, *ibl. äv.* om bomb) komma in på rätt kurs mot målet
homework *vanl.* hångel; *ibl.* samlag
hominity-grits 1 sydstats- **2** rasdiskriminerande
homo homosexuell person
honcho boss
honest injun på hedersord, bergsäkert
honey-fuck *vulg.* ha samlag med mycket ung flicka
honey man sutenör
honey shot *TV.* fasthållande av bild av vacker flicka bland publiken under direktsändning från sportevenemang e.d.
honker gås, *i sht* gåskarl
honkie vit man
honky-tonk 1 undermåligt nöjesetablissemang **2** bordell
hooch 1 starksprit, *i sht* whisky **2** *se hoochy-cootch* **3** *mil.* hus el. skjul i Korea **4** *mil.* V halmhydda **5** *mil. V.* barack
hoochy-cootch amerikaniserad, erotiskt utmanande form av orientalisk magdans
hood 1 gangster, förbrytare (i sht yngre) **2** nunna
hooey struntprat, larv
hoofer professionell dansör el. dansös
hoof it 1 gå till fots, promenera **2** dansa professionellt
hoo-ha uppståndelse, ståhej
hook I *s* **1** narkotika, *i sht* heroin **2** böjd nål använd till narkotikainjektion **3** rabattkupong, "present" e.d. som används för att öka försäljningen **4** ankare **5** (*endast i sg*) hand, finger **6** avsked

från jobbet; **give s.b. the hook** avskeda ngn; **get the hook**
bli avskedad **7** besvärlig situation; betungande ansvar; **on (off)
the hook** i (ur) en besvärlig situation; **on one's own hook** på
eget ansvar el. initiativ **8** last **9** C (etta) i skolbetyg **10** *mil. V.*
Chinookhelikopter **II** *v* **1** snatta (i sht om butiksråtta) **2** genom
falskspel lura av (ngn) ett större belopp **3** få (ngn) insnärjd el. i
klistret för att pressa honom på pengar el. annat **4** (*äv.* **hook it**)
fly, sticka iväg **5** prostituera sig, fnaska
hookah vattenpipa
hooked 1 hemfallen åt narkotika el. annan last **2** fångad, in-
snärjd, i klistret; *ibl.* på hal is **3** gift
hooked on s.th. fascinerad el. frestad av ngt
hooker 1 gatflicka **2** narkotikaförsäljare (i sht en som begag-
nar sig av utpressningsmetoder) **3** sup av oblandad starksprit,
"krök" **4** arresteringsorder **5** *rekl.* lockbete
hook, line and ,sinker fullkomligt, obeskuret; **swallow
s.th. hook, line and sinker** tro blint på ett lögnaktigt påstå-
ende
hookshop sjabbig bordell
hooky *se hocky*
Hoop-de-doo! Hurra!
hoopla 1 larm, oväsen, tumult **2** tal el. skrift som skall avleda
uppmärksamheten från el. helt dölja det väsentliga i ngt under
en diskussion
hoosegow 1 arrest, fängelse **2** offentlig (herr- el. dam-)toalett
Hoosier invånare i Indiana
hootch *se hooch*
hootchie-cootchie *se hoochy-cooch*
hop 1 hippa **2** hotellpickolo **3** opium el. annan narkotika **4** re-
sa, *i sht* flygresa
hop-fiend, hophead narkoman
hopped up 1 narkotikaberusad **2** animerad, entusiastisk, ex-
alterad **3** uppreklamerad; uppstyltad, krystad **4** (*om motor*)
trimmad
hops 1 öl **2** opium
horn 1 telefon **2** radarantenn till Telstar-satellit **3** megafon
4 blåsinstrument

hornblowing påträngande reklamåtgärd
horn in avbryta (ngn som talar)
horn in on s.b. or s.th. tränga sig på där man ej är önskvärd
hornswoggle lura, bedra
horny kåt; vällustig, sinnlig
horse heroin
horse around gå o. slå dank, driva omkring, loda
horsed up, *vanl.* **all horsed up 1** (*om pers.*) fullständigt
förvirrad **2** (*om sak*) kaotisk, huller om buller
horsefeathers I *s* larv, struntprat **II** *interj, ung.* Skitprat!
horse opera billig cowboyfilm
horse sense sunt förnuft
horse's mouth (hästmun) **from the horse's mouth** från
säker källa
horse trade *polit.* kohandel
hoss häst
hot 1 bra, god, fin, värdefull **2** aktuell, ny, färsk **3** vital, aktiv;
hårt arbetande **4** snabb, effektiv, givande **5** skicklig, kunnig
6 lyckosam, framgångsrik **7** populär, omtyckt, efterfrågad; (*om
sak*) lättsåld, i ropet **8** sexuellt åtråvärd, upphetsande, porno-
grafisk **9** kåt, sexuellt upphetsad; lysten, liderlig **10** entusias-
tisk, "biten"; intresserad, förgapad (*for* i) **11** arg, uppretad
12 stulen, kidnappad **13** efterlyst, eftersökt av polis el. fiende
14 ödesdiger, fatal; ohälsosam, vådlig; (*om pers.*) farlig el. ris-
kabel att umgås med **15** besvärlig, kinkig, svårbemästrad, till-
trasslad **16** på spår efter, nära att lyckas **17** under förbered-
ning; snart klar för användning **18** laddad, klar för användning;
fungerande
hot air 1 smicker, överdrift; falska löften **2** högtravande, inne-
hållslöst snack
hot bed säng som delas av dagarbetare o. nattarbetare
hot blue yonder, the 1 rymden **2** den zon där rymdfarkost
åter inträder i atmosfären (am. astronauter anv. benämningen
re-entry zone)
hot dog I *s* spelare i idrottslag som söker publikens gunst
genom solospel även när verkligt lagspel skulle ge bättre resultat
för laget **II** *interj* utrop av förtjusning

hot-dogging 1 avancerad surfing **2** trickåkning på skidor, "free-style"
hot eye *TV*. TV-kameras öga under upptagning
hot-eyed upphetsad, fanatisk; hatisk
hot issue *börs*. nyemitterade aktier el. obligationer som p.g.a. ohederliga manövrer stiger snabbt i kursvärde
hot money 1 stulna pengar som är efterlysta av polisen **2** pengar som överförs från ett land till ett annat i avvaktan på kursändring
hot pants 1 flickjägare **2** lusta, sexuellt begär **3** korta mode-shorts **4** *CB* rök el. brand i motorn
hot potato 1 besvärligt, svårlöst problem **2** ngn el. ngt som försätter andra i en besvärlig situation
hot rod I *s* **1** bil med upptrimmad motor o. med alla onödigt tunga tillbehör avlägsnade (äkta *hot rod*) **2** den som kör en äkta *hot rod* **3** raggarbil **4** fordon som uppnår hög fart **II** *v* köra en *hot rod*
hot-rod snabbgående (om alla fordon, *äv.* båtar)
hotrodder raggare
hots, the 1 kärlek **2** åtrå, kåthet
hot seat 1 elektriska stolen **2** vittnesbås i rättssal
hot shit *neds. om en hot shot I*
hot shot I *s* **1** pamp, betydelsefull person **2** skicklig, djärv person som är på god väg att bli betydande **3** översittare **4** dödlig dos av oren narkotika **II** *a* **1** med rätta stolt över sitt verk **2** översittaraktig
hot spot 1 populär, livlig nattklubb **2** besvärlig situation
hot sticker svetsaggregat
hot stuff 1 sensationell, spännande el. pornografisk underhållning (pjäs, bok, dans e.d.) **2** tjuvgods
hot under the collar uppretad, indignerad
hot water obehaglig (*ibl.* farlig) situation
-hound suffix som anger en person som är "biten" av ngt
Hound, the Greyhoundbuss
hound-dog kvinnojägare, bock
house 1 horhus **2 on the house** gratis (urspr. endast om gratisdrink på bar e.d.); **bring down the house** bli en jätte-

succé, riva ned stormande applåder
house nigger Onkel Tom
how-de-do, how-do-you-do krånglig situation, besvärliga omständigheter, predikament
huckster reklamman
huddle I s **1** mindre konferens, rådplägning, överläggning **2** kort men ordentlig funderare **II** v hålla en konferens, överläggning e.d.
Huey typ av helikopter använd i bl.a. Vietnam
huff butts röka cigarretter (i sht fimpar)
huff off resa bort i vrede
huggy-bear hångel
humdinger baddare
hump I v **1** anstränga sig, skynda sig **2** ha samlag, knulla **II** s klantskalle
humungus jättestor
hunch föraning
hung like a bull med ovanligt stor penis, ''välutrustad''
hungry i behov av pengar
hung up hämmad, nergrävd i sina problem
hung up on el. **over s.th.** fascinerad av ngt, förtjust över (i) ngt, besatt av ngt
hunki se bohunk
hunky-dory förnämlig, i fin ordning, OK
hurt 1 vara illa ute **2** må dåligt (t.ex. he hurts)
hurting a om ngn som saknar ngt, t.ex. pengar (he is hurting)
hush-hush I s hemlighetsmakeri **II** a mycket hemlig
husk klä av (sig själv el. någon annan)
hustle I v **1** tigga **2** tjäna sitt uppehälle som prostituerad **3** tjäna pengar på ohederligt sätt **4** ha spel som huvudsakligaste inkomstkälla (efterföljs då av spelets namn, t.ex. hustle bridge, hustle golf, hustle pool) **II** s **1** rån **2** hustle (dans)
hustler 1 person som har sin huvudsakliga inkomst av spel **2** person som bedriver ohederlig verksamhet **3** prostituerad **4** reklamman **5** professionell biljardspelare
hut up with s.b. flytta in hos ngn (oftast av motsatt kön), kinesa

hype 1 överdriven reklam; skojeri **2** narkoman
hyped up 1 falsk **2** upphetsad
hyphenate person med två olika befattningar inom samma
firma (i sht inom filmbranschen, t.ex. *writer-director*)
hypo 1 hypokondri **2** narkoman

I

ice I *s* **1** diamant[er] **2** juvel, juvelbesatt smycke **3** *se call girl 2* **4** biljettmånglares vinst **5** (*av Incidental Campaign Expenses*) mutor till polisen **6 cut ice** spela en roll, ha betydelse (*vanl. cut no ice*); [**put**] **on ice** *a*) vinstgaranterad (om vadhållning, affärer etc.), *b*) (mest om skådespelare el. personal) lagd på is till ett senare tillfälle, *c*) i fängelse **II** *v* **1** döda **2** nobba; frysa ut
ice-box isoleringscell i fängelse el. på mentalsjukhus
ice cream habit sporadisk användning av narkotika
iceman 1 juveltjuv **2** kallsinnig sportsman el. spelare
icky 1 gammalmodig, mossbelupen **2** hypersentimental, larvig; sliskig **3** klibbig, trögflytande
idiot box TV-apparat, dumburk
idiot's delight patiens
iffy tveksam, osäker
igloo container av plast
Ikey jude
illuminated berusad
in för uttryck som börjar med *in* och som inte återfinns här nedan se under det mest markanta ordet i uttrycket
incaps (*av incapacitating agents*) *mil.* kemikalier som ger hallucinationer
increase the volume tala högre
Indian country *mil. V* utpost i djungeln
Indian giver 1 person som tar tillbaka sina presenter **2** person som kräver mer tillbaka än han själv har gett
infanticipate vänta barn, vara gravid
inflammation of the Adam's apple långrandighet, talträngdhet, mundiarré
info upplysningar

in for it i onåd, i knipa
in front 1 i förskott **2** i förgrunden
injun indian
ink 1 billigt vin **2** kaffe
ink-slinger 1 författare **2** journalist **3** kontorist
inky (*av incandescent light*) glödlampa
innards 1 mage, magsäck **2** inre av (ngn el. ngt)
Innocent Abroad amerikansk turist
in one ensam på en teaterscen o. med sänkt ridå bakom sig
insider 1 medlem i förening el. grupp **2** person som känner till förhållandena inifrån
inside track fördel, privilegium; gunst
instrument penis, kuk, pitt
insult avlöning
in-talk jargong
intercom 1 lokaltelefon i firma, på flygplan e.d. **2** direkt radioförbindelse mellan fast station o. rörlig apparat (t.ex. i flygplan, bärbar sändare)
into *prep* engagerad i; som sysslar med, t.ex. *he's into politics*
invent stjäla
I.O.U., IOU (av *I owe you*) **1** skuldbevis **2** löfte, försäkran
Irish (irländsk) **have one's Irish up** vara arg, vara förbannad; **show the Irish** visa orubblighet, envishet el. tjurskallighet
Irish confetti tegelstenar el. småsten (i sht sådana som används vid kravaller)
Irish Mafia 1 *urspr.* den inre kretsen av politiker kring J. F. Kennedy **2** politikerna som samarbetade med R. F. Kennedy **3** (*numera*) kretsen kring Kennedysläkten
iron 1 skjutvapen, revolver **2** silvermynt **3 pump iron** ägna sig åt bodybuilding
iron hat plommonstop
iron horse 1 ånglok **2** stridsvagn
iron house fängelse
iron man 1 silverdollarmynt **2** maskin som ersätter arbetare **3** pålitlig arbetare
iron men *pl* dollar
iron out 1 skjuta (ngn) **2** bilägga tvist el. missförstånd

iron pony motorcykel

Irving *mil. V* sydvietnamesisk militär

-ish *(efter räkneord)* ungefär, cirka, omkring (t.ex. *fiveish* omkring kl. fem; *thirtyish* ca 30 år gammal el. ca 30 kronor – betydelsen får framgå ur sammanhanget)

it 1 det, erotisk dragningskraft **2 be with it** *a)* förstå, uppskatta, *b)* vara modern, vara med på noterna; **get with it** *a)* komma i gång med ngt, *b)* fatta el. förstå el. uppskatta ngt

itch åtrå, kåthet

Itch jugoslav

itchy 1 ivrig, otålig, nervös **2** med hoppjerka-tendenser

itsy-bitsy mycket, mycket liten, obetydlig

itsy-poo dåraktig, fånig

ivories 1 tänder **2** tärningar **3** pianotangenter

ivory dome 1 högt specialiserad expert **2** dum person

ivory pounder, ivory thumper pianist

ivory tower vetenskaplig isolering från omvärlden, elfenbenstorn

ivory-tower världsfrånvarande, opraktisk

Ivy League fotbollsdivision omfattande åtta universitet i nordöstra USA (Cornell, Harvard, Yale, Princeton, Columbia, Brown, Dartmouth, U of Pennsylvania)

ivy-league 1 bildad, kultiverad, intellektuell, aristokratisk **2** *(om klädsel)* elegant, soignerad, konservativ; *äv.* ungdomlig i snittet **3** exklusiv, av mycket hög standard

ivy-tinged 1 påverkad el. influerad av *Ivy League*-universiteten **2** av hög klass, över genomsnittet

ixnay nej, nix

J

jack 1 pengar **2** mynt av mindre värde **3** kille, jeppe **4 Jack** tilltal till främmande man
jackass dumbom
jackboot I *s* militarist **II** *a* militaristisk
jackeroo cowboy
jack off runka
jackpot stor vinst el. succé; **hit the jackpot** *a*) ta hem högsta vinsten i spel, *b*) lyckas med ngt alldeles oväntat el. på storslaget sätt
jack-rabbit start 1 tjuvstart **2** kort skutt framåt
jackroll råna; *vanl.* råna en berusad, "rulla"
jackroller person som rånar en berusad
jack up 1 öka ett belopp (t.ex. pris, siffror i böcker, vinst) **2** tillrättavisa, läxa upp **3** återuppbygga **4** ta en spruta **5** råna **6** klå upp **7** kroppsvisitera
jag 1 supkalas **2** period av ohämmad aktivitet (t.ex. *a jag of writing, a jag of laughter*) **3** narkotikarus
jagged måttligt berusad
jail bait 1 sexig minderårig flicka **2** person (oftast kvinna) med vilken bekantskap kan leda till besvärligheter (ej nödvändigtvis juridiska)
jake I *s* pålitlig kille, kille man kan lita på **II** *a* tillfredsställande, OK
jalopy 1 gammal bil **2** fordon (oavsett ålder el. tillstånd)
jam 1 knepig situation, bekymmer, besvär **2** lätt jobb el. uppdrag **3** radiostörningar **4** *se jam session*
jammy ovanligt gynnsam
jampack 1 fylla en lokal till bristningsgränsen med människor **2** pressa samman, tränga samman ett stort antal saker el. män-

niskor i för litet utrymme

jam session tillfälle då musiker improviserar tillsammans, oftast efter ordinarie spelning (urspr. om jazz, nu äv. om pop)

Jane, jane 1 ung kvinna, flicka **2** damtoalett

Jane Crow diskriminering av kvinnan (jfr Jim Crow)

Jane Doe N.N., fru (fröken) X (jfr John Doe)

jane reporter kvinnlig journalist

jank mil. ändra höjd o. kurs (i flygplan) för att undgå luftvärnseld

jap I s **1** neds. japan **2** bakhåll **II** v sticka (ngn) i ryggen, vara ojuste

jar-head mil. menig på marinens amfibieavdelning

jasper 1 teologie studerande **2** fanatisk läsare **3** man, kille **4** lesbisk kvinna

java kaffe

jaw I s samtal **II** v **1** ge en skarp reprimand **2** prata, argumentera, diskutera

jawbone I s kredit **II** v påverka genom argumentering; öva påtryckningar på

jaw-breaker svåruttalat ord el. namn

jaw-dropper 1 häpnadsväckande upplysning **2** sensation

jay 1 naiv, oerfaren person **2** landsortsbo nyligen inflyttad till storstad **3** lätt offer för bondfångare **4** marijuanacigarrett

Jaycee (av Junior Chamber of Commerce) inofficiell "handelskammare" i en storstad (med uppgift att främja stadens intressen, i sht där officiella grupper knappast kan företa sig ngt)

jazz I s **1** lögn, överdrift, skryt **2** larv, struntprat **3** utsmyckning **II** v **1** ljuga, överdriva **2** ha samlag med en kvinna, knulla **3** chockera; upphetsa

jazz up (s.th.) 1 piffa upp (ngt) **2** liva upp, sätta fart på (tillställning, föreställning e.d.)

jazzy flott, modern

J.D. (av Juvenile Delinquency) ungdomsbrottslighet

jeep 1 liten bil **2** långsam, petnoga person

Jeepers Creepers!, Jeeze (Jeez)! Jisses!

jefferson airplane I v suga i sig röken från en marijuanacigarrett genom näsan **II** s kluven tändsticka använd som hållare till marijuanacigarrett

jell bli genomförd, slutförd (om affär el. annat som lyckas: *It jelled!*)

jelly-fish person som har svårt att bestämma sig

jelly-roll 1 mycket viril man, man med stor framgång hos kvinnor **2** vulva

jerk 1 tråkig o. obegåvad kille **2** ung, oerfaren arbetare, gröngöling **3** *vulg.* person som onanerar

jerked to Jesus hängd, lynchad

jerk off 1 runka **2** slösa bort sin tid

jerkoff klantskalle

jerk town litet betydelselöst stationssamhälle

jerkwater I *s* **1** tåg som inte trafikerar huvudlinjerna **2** litet betydelselöst stationssamhälle **II** *a* provinsiell; oväsentlig, betydelselös

jerrican bensindunk, reservdunk (*urspr.* endast 5 gallon-dunk, numera bensindunk ö.h.t.)

jerry gang rallarlag

Jesus freak medlem av Jesusrörelsen

jet 1 resa med jetflygplan **2** resa långt, snabbt o. ofta (oavsett med vilket trafikmedel)

jet around fara hit o. dit

jet jockey 1 jetpilot **2** astronaut

jeg lag rubbning av dygnsrytmen p.g.a. flygning mellan vitt skilda tidszoner

jet set internationell grupp av rika innemänniskor, jet set

Jew down försöka pruta på ett pris

JFK (president John F. Kennedy) **do the JFKs** *sjömil.* underkasta sig konditionsprov

jibe *neger.* larv, struntprat

jiffy 1 kort tid **2** *atom.* något kortare (fortare) än en *shake 2,* vilket är en hundramiljondel av en sekund

jig 1 neger **2** mörkhyad person ö.h.t. **3** danstillställning; **the jig is up** alla chanser är förlorade, det är hopplöst; **in jig time** snabbt, i ett nafs, omgående

jigaboo neger

jigamaree ny grunka, grej, pryl, manick

jigger I *s* **1** mätglas för sprit på restaurang **2** liten sup, "liten jäkel" **3** neger **4** pryl, grunka, grej **II** *v* **1** förstöra vad andra håller på med **2** förbanna (ngn)
jigger-man vaktpost för förbrytarband
jiggle I *s* oregelbundna skarpa svängningar (i feberkurva, seismograf, handstil e.d.) **II** *v* skaka på kroppen el. ngn kroppsdel (*i sht* om *cooch dancer* e.d.)
Jim *neger*. tilltal till (främmande) man
Jim Crow I *s* **1** fattig person **2** neger **3** segregation, rasdiskriminering **II** *v* utöva rasdiskriminering **III** *a* endast för negrer
jim-dandy förträfflig, utmärkt, lyckad
jim-jams 1 stark, nervös oro **2** delirium tremens
Jimmie bil byggd av General Motors Corp.
jimmies nervös oro, rastlöshet, nervpåfrestningar
jing-jang *vulg*. samlag
jingle telefonpåringning
jink *se jank*
jinx I *s* **1** ngt som bringar otur **2** förbannelse **II** *v* bringa otur
jissom, jism sperma
jitney I *s* **1** fem cent **2** privatbil (ej taxi) som på en viss rutt kör passagerare mot betalning **II** *a* billig, sjabbig, underhaltig, gottköps-
jitter darra av nervositet, vara skakis
jitters *pl* anfall av nervositet el. oro
jive I *s* **1** prat, skvaller; oanständigt, slipprigt snack; smicker **2** grannlåt, färgstarka men sekunda varor **3** snabb swingmusik **4** marijuana **II** *v* **1** passa ihop med (ngt annat), verka vara logiskt riktig **2** snacka "hippt" med mycket slang **3** lura; driva med
jizz sperma
jobber besvärligt uppdrag
jock 1 idrottsman **2** jockey **3** disc-jockey **4** *vulg*. penis o. pung tillsammans **5** suspensoar
jock booth disc-jockeys arbetsrum
jock strap suspensoar
Joe 1 kaffe, fika **2** toalett **3** tilltalsnamn för person man inte känner (*say, Joe* ...) **4** trevlig kille

Joe America, Joe Blow, Joe Doakes typisk amerikan

john 1 toalett **2** genomsnittsmänniska **3** menig **4** polis **5** horkund

John B. herrhatt

John Bircher *se Bircher*

John Doe N.N., herr X (*jfr Jane Doe*)

John Hancock, John Henry persons namnteckning

Johnny-on-the-spot person som ser till att han är på rätt ställe i rätt tid för att fullgöra en plikt, gripa ett tillfälle e.d.

joint 1 *urspr.* sjabbigt matställe **2** ställe där folk samlas **3** marijuanacigarrett **4** penis, balle

joker 1 ngt som gör det omöjligt att genomföra ett arbete el. en plan **2** kille

jolt 1 narkotikainjektion **2** sup **3** strafftid i fängelse

jones narkotikamissbruk

josh skämta, driva, skoja med, spela ett spratt

jostler ficktjuv

joy-popper, joy-rider person som bara då o. då tar sig ett narkotikarus (ej vanenarkoman)

joy powder morfin

joy ride *v* "låna" bilar för skojs skull, som sport

joy stick 1 styrspak i flygplan **2** penis **3** marijuanacigarrett

jug I *s* **1** fängelse **2** sup whisky **3** bank **4** kassaskåp **5** bröst **II** *v* fängsla, arrestera

jughead 1 mulåsna **2** mindre begåvad, envis excentriker

juice 1 starksprit **2** elektrisk ström **3** flytande drivmedel till bil, flygplan el. annat fordon, "soppa" **4** pengar som härrör från spel el. ohederliga affärer **5** inflytande, makt

juiced berusad

juice head en som berusar sig med sprit

juice-joint nattklubb

juice man 1 person som finansierar illegala affärer **2** inkasserare i undre världen

juice up piffa upp

juke 1 gästgivargård, värdshus **2** (*äv.* **juke box**) grammofonautomat

juke house bordell

jukes (*alltid pl*) händer
jump svänga, sjuda av liv
jump all over s.b., jump down s.b.'s throat, jump on s.b. läxa upp ngn ordentligt
jumpy nervös
jungle 1 luffarläger **2** överbefolkad stadsdel **3** yrke med besvärliga arbetsförhållanden
jungle bunny slumneger, fattig neger
jungle juice 1 dålig sprit **2** "dunder"; alkoholhaltig vätska, nödtorftigt renad o. blandad med fruktsaft, djungeljuice
junk I *s* **1** narkotika **2** heroin **3** skräp **4** skraltig bil, rishög **II** *v* kassera
junker knarklangare, särskilt om en som tillhandahåller heroin
junk food onyttig mat som chips, popcorn *etc.*
junk heap gammal skraltig bil, skrothög
junkie narkoman, särskilt heroinist
junk mail reklamförsändelser i mängd som skickas ut per post, skitpost
juvie 1 ungdomsvårdsskola; ungdomsfängelse **2** ungdomsbrottsling
J.W. Jehovas vittnen

K

K-9 corps (*av canine*) *mil.* hundar tränade till militärtjänst
kafooster larv, innehållslöst snack
kahn *atom.* den mängd atomkraft (10 000 megaton) som åtgår för att döda hela USA:s befolkning (efter Herman Kahn, förf. till "On Thermonuclear War")
kale pengar
kamikaze dumdristig; vågsam, farofylld
kangaroo court skendomstol
kaput 1 trasig, oanvändbar, kaputt **2** misslyckad, utan minsta chans **3** död
katy herrhatt
kayo I *s* knockout i boxning **II** *v* **1** slå ut, besegra **2** sätta stopp för
kazzazza ändan, rumpan (oftast *old kazzazza*)
kee 1 kg narkotika, oftast marijuana
keek fönstertittare
keen jättebra, underbar
keep (behålla) **for keeps** *a*) för alltid, oåterkalleligen, för gott *b*) på riktigt
keep för övriga uttryck som börjar på *keep* se under det mest markanta ordet i uttrycket
keeper 1 underbetyg (i skola el. på universitet) **2** fisk el. annan fångst som behålls
keester 1 gatuförsäljares "utställningsbord" som kan vikas ihop till en väska **2** koffert, väska **3** kassaskåp **4** bakdel, ända
kelly hård herrhatt; *vanl.* plommonstop
kelt 1 neger som är så ljushyad att man tror han är vit **2** vit person
Kennedy Mafia *se Irish Mafia*

kennel rations ragu
keptie älskarinna, mätress
kerplop (ljudhärmande ord) **go kerplop** göra fiasko, misslyckas
kettle of fish knipa, tilltrasslad situation
key 1 *se kee* **2** student från ngt av de finare universiteten
key down 1 dämpa rösten, skruva ned tonen **2** tysta ned
key money 1 pengar som lämnas till en hyresvärd för "möbler" e.d., pengar under bordet **2** insats (i insatslägenhet)
ki *se kee*
kibitz 1 ge obehövliga råd, lägga näsan i blöt **2** störa ngn som uppträder så att han kommer av sig
kibit⸱ ⸱r person som ger obehövliga råd, person som lägger näsan i blöt
**kibosh ṣ.b. or s.th., put the kibosh on s.b. or s.th.
1** skaffa ngn (ngt) ur vägen, utrota ngn (ngt) **2** göra ngn inaktiv el. ineffektiv, kväsa ngn **3** genomprygla ngn, med våld hindra ngns förehavanden
kick I *s* **1** klagomål, knot, missnöjesyttring **2** källa till nöje el. njutbar spänning; **for kicks** för nöjes skull **3** angenäm spänning, känsla av glädje **4** hobby, personlig intressesfär, mani; **on a kick** odlande en hobby el. mani **5** berusning, i sht av sprit el. narkotika; **on a kick** i ett narkotikarus **6** ficka, i sht bakficka på byxor **II** *v* **1** klaga, kverulera, klanka **2** sluta med (t.ex. *kick the weed* sluta röka)
kick back 1 ge motstöt, leda till motsatt resultat mot det åsyftade **2** betala returprovision (*se kickback 1*) **3** returnera stulna pengar el. varor till ägaren
kickback 1 returprovision, pengar som betalas under bordet av firma för att få ngn som kund trots att dess priser är högre än konkurrenternas **2** mutor
kick down *CB* växla ner
kicker 1 person som visar sitt missnöje **2** revolver **3** poäng i en vits **4** "spets" (i en drink) **5** liten utombordsmotor **6** lockbete
kick in 1 bidra med pengar till, betala sin andel **2** dö, lämna in
kick in the apogee *rymd.* öka en rymdkapsels omloppsbana

genom att avfyra ny bärraket då kapseln har nått sin maximihöjd
kick in the ass *vulg.* oväntat o. chockerande (om avslag,
påstående el. nyhet); slag i ansiktet
kick it cold avbryta tvärt (oftast om narkomani)
kick off 1 börja (i sht sammanträde el. gemensamt företag),
sparka i gång **2** gå bort, ge sig iväg **3** dö
kickoff öppningsceremoni, öppningstal, öppningshandling
kick over s.th. göra inbrott på ett ställe, råna ngt
kick s.b. downstairs degradera ngn, ge ngn en lägre tjänst
kick s.th. around *a*) dryfta, överväga el. genomtänka en plan,
en idé el. ett förslag, *b*) behandla ngt hårt o. hänsynslöst, *c*)
experimentera, göra försök med ngt
Kicksville narkotikarus
kick the living bejesus out of s.b. besegra ngn totalt
kick up a fuss (row, shindig) *a*) skapa oro, ställa till bråk, *b*)
gräla, gnata, beklaga sig
kicky 1 larvig **2** fascinerande **3** inne
kid I *s* **1** barn **2** ung man, yngling **II** *v* narras; spela ett spratt **III**
a yngre, ung, barnslig
kidding skämt, narri, nojs; **No kidding** absolut sant, "berg-
is"
kif hasch
kike *neds.* jude, i sht judisk affärsman
kill 1 göra slut på (t.ex. dricka sista droppen i en flaska, släcka
en cigarrett, stänga av radion) **2** roa enormt **3** göra ett utomor-
dentligt gott intryck på
killer-diller ngn el. ngt som är ovanligt spännande, fascineran-
de e.d.
killing stor framgång (i sht i affärer); **make a killing** *a*) vinna
stort i spel, *b*) få onormalt stor vinst på en affär
killout *se killer-diller*
kind of vid pass, så där, i viss mån, något i stil med
kingpin den viktigaste el. mest omtyckta i en grupp
king-sized 1 (*om sak*) ovanligt stor, enorm **2** (*om person*)
ovanligt lång
kink 1 sexuellt avvikande person **2** sexuellt avvikande smak
kinker 1 akrobat **2** cirkusartist

kinkie porrfilm (i sht med masochistisk tendens)

kinky (*mest om kläder el. beteende*) **1** överdriven, sexuellt utmanande **2** sexuellt avvikande **3** bisarr, konstig

kip propaganda (oftast kommunistisk)

kiss (kyss) **give s.b. the kiss** *a*) avskeda ngn o. låta honom sluta omedelbart, *b*) plötsligt o. utan föregående varning bryta förbindelsen med ngn

kiss ass *s* **1** se *ass-kisser* **2** smicker

kisser 1 mun **2** ansikte

kissing cousin (kin) 1 mycket god vän av motsatt kön **2** dubbelgångare el. sak som ser ut precis som en annan **3** relativt nära släkting

kissing disease mononukleos, körtelfeber

kiss off 1 kort o. brutalt bryta förbindelsen med **2** mörda

kiss-off slut på ngt (arbete, vänskap); döden

kiss s.th. goodbye *a*) ge avkall på ngt, *b*) ge upp hoppet om ngt

kiss the canvas bli utslagen (*äv. bildl.*)

kiss the dust dö

kit and caboodle, kit and boodle rubb o. stubb, hela konkarongen

kitch 1 undermålig vara, skräp **2** smaklös (ibl. camp) vara

kite 1 brev insmugglat i fängelse **2** flygpostbrev **3 higher than a kite** mycket kraftigt berusad, dödfull, full som en alika; *se även fly a kite*

kitten (kattunge) **have kittens, have a litter of kittens** ge våldsamt uttryck för sina känslor (från häftig vrede över spänning, förvirring o. förvåning till ren munterhet)

kitty 1 penningbelopp som har samlats ihop till ngt bestämt ändamål (valkampanj, potten i kortspel e.d.); **feed the kitty** *a*) göra insats i spel (i sht i poker), *b*) ge bidrag till fond el. insamling **2** Cadillac

kiwi militärflygare (oftast officer av högre rang) som inte kan, vill el. törs flyga

klatsch samling till informell diskussion; **coffee klatsch** kafferep

klick kilometer

klupper långsam arbetare
klutz 1 fumlig, klumpig person, klumpeduns **2** dum, trögtänkt person
klutzy 1 fumlig, klumpig **2** dum
knark kärv, hjärtlös, kallhamrad person
knee-high to a grasshopper (frog, bumblebee, gnat *e.d.*) liten till växten
knee hugger *se crotch worker*
knee-jerk person som alltid reagerar reflexmässigt, på ett förutsebart sätt
knee-scraping I *s* bön **II** *a* formellt religiös, högkyrklig
kneesies flört med knäna under bordet, knäkurtis
knee-slapper skrattsuccé
knipperdolling (religiös) fanatiker, trosivrare
knob 1 huvud **2** kvinnobröst
knob-twister biten TV-tittare; *ibl.* radiolyssnare
knock I *s* **1** kritik, klander, fördömande **2** hinder, motighet; ngt hämmande **II** *v* **1** kritisera, fördöma, tala nedsättande om **2** behärska (en situation)
knock about (around) slå dank, driva omkring
knockabout lågkomik
knock down 1 förtjäna, erhålla genom egen insats (höga betyg, arvode, lön e.d.) **2** för egen del behålla pengar som en kund har lämnat i stället för att lägga dem i kassan **3** tala illa om **4** sätta ned priset på
knocked out 1 berusad, medvetslöst berusad **2** fysiskt el. psykiskt utmattad
knocked-up *vulg.* gravid, med barn
knocker pamp, "kanon"
knockers kvinnobröst
knock off 1 sluta sitt arbete (för ngn tid el. för gott) **2** mörda, döda **3** dö **4** utföra ett konstnärligt arbete (roman, tavla, komposition) på förhållandevis kort tid **5** besegra (i sht i sport)
knockout I *s* **1** person el. sak som är framgångsrik el. trevlig på ett tilltalande sätt **2** katastrof **II** *a* förnämlig, prima
knockout drops medel som tillsätts en drink för att göra den drickande medvetslös, knockout-droppar

knock over (some place) göra ett intjack (någonstans)
knock them in the aisles göra stor succé med ett uppträdande el. en replik
knock up *vulg.* göra en kvinna med barn
knothead dum, trögtänkt person
know (vetande) **in the know** invigd i ngt hemligt
know-it-all besserwisser
know what to do with it, know what you can do with it, know where to put (shove, stick) it *vulg.* eg. svar på vad ngn skall göra med ngt; används som avslag, uttryck för bristande intresse el. direkt avsky för en erbjuden sak, en plan, ett förslag el. en person. (De två första varianterna kan numera användas äv. i blandat sällskap)
knuckle down to s.th. koncentrera sig på ngt
knucklehead dum, trögtänkt person, fårskalle
knucks knogjärn
K.O., *ibl.* **kayo 1** knockout i boxning **2** OK
Kodak *CB* kontroll med polisradar
Kojak *CB* delstatspolis
Kojak with a Kodak *CB* polisbil med radarutrustning för hastighetskontroll
konk *se conk*
kook excentriker, snedvriden person
kooky excentrisk, kufisk, originell på otrevligt sätt
kootch *se cootch*
kopasetic *se copacetic*
kosher 1 acceptabel; användbar **2** ärlig, hederlig **3** äkta på gränsen till oäkta
Kraut *neds.* tysk, *i sht* tysk soldat
kvell *jidd.* roa sig
kvetch *jidd.* kvidande, jämmer, veklagan; *ibl.* tandagnissel
K.Y. federal narkotikaklinik i Lexington, Kentucky (*av Kentucky*)
K.Y. jelly glidmedel
kype stjäla

L

lace pengar
lace out läxa upp
lacy 1 (*om man*) kvinnlig, feminin **2** homosexuell
la-de-da I *s* fruntimmersaktig karl **II** *a* **1** överdådig, luxuös
2 tillgjord, feminiserad
lady-killer kvinnotjusare, hjärtekrossare
lady of the evening prostituerad kvinna
lag 1 fånge, fängelsekund **2** förvaring i fängelse
laid back avslappnad, cool
laid out berusad, plakat
laid, relaid and parlayed *halvvulg.* fullkomligt utnyttjad,
lurad el. bedragen
lalapalooza ovanlig el. märkvärdig person, sak el. händelse;
undantagsfall
lam I *s* flykt **II** *v* **1** prygla, slå, klå, bulta **2** fly, smita, fara iväg;
take it on the lam *a*) fly, *b*) gömma sig för polisen, söka
skydd för polisen; **on the lam** *a*) på flykt, *b*) (*om person*) dold,
som har gått under jorden
lambast 1 genomprygla, klå ordentligt **2** ge (ngn) påskrivet,
läxa upp, ge (ngn) en skarp reprimand
lame I *a* bakom, ute **II** *s* ngn som är ute
lame brain trögtänkt person
lame duck 1 politiker som inte har omvalts men som fortfa-
rande innehar sin post **2** börsspekulant som har förlorat mycket
lame duck bill lagförslag som har ringa utsikt att gå igenom
lamp I *s* blick, titt, flukt **II** *v* ge (ngt) ett ögonkast, se snabbt på
lamps ögon
land behind walls komma i fängelse
Land of Lincoln Illinois

landsman *jidd.* person från ens egen hemstad (i Europa)
lap liten sup, smutt, klunk
lap s.th. up 1 blint acceptera ett (oftast lögnaktigt) påstående
2 supa omåttligt
lard-head dumbom, tjockskalle
larry kund som bara tittar på varorna men inte köper ngt
latch onto 1 fatta, förstå **2** få tag i, norpa **3** slå sig ihop med
Later! Hej då!
lather upphetsad sinnesstämning
Latin syd- el. mellanamerikan
Latino sydamerikansk, mellanamerikansk
latrine-o-gram graffiti
laughing academy mentalsjukhus
laugh on the other side of one's face 1 gråta **2** misslyckas totalt efter en tidigare stor succé
launder tvätta, göra svarta pengar till vita
Lavender Curtain imaginär "järnridå" mellan homosexuella
o. heterosexuella
lay I *s* **1** *vulg.* samlag **2** *vulg.* kvinna betraktad enbart som
parningsobjekt **II** *v vulg.* ligga med en kvinna
lay down *s* **1** misslyckande **2** (*i bridge*) hand så bra att den inte
behöver spelas **3** mycket lätt uppdrag, baggis
lay for s.b. ligga i bakhåll för ngn
lay into s.b. 1 gå till angrepp mot ngn **2** prygla, klå ngn
lay it on överdriva, bre på
lay it on s.b. tala om ngt för ngn
lay it on thick överdriva grovt, bre på tjockt
lay low hålla sig dold, gå under jorden
lay off 1 sluta med det man håller på med, lägga av **2** lämna
i fred
layoff man gangster som står risken för mindre bookmaker
som har åtagit sig vadhållning som han inte har råd att förlora
lay s.b. out 1 slå ngn sanslös **2** läxa upp ngn, ge ngn en
reprimand
lazy dog *mil.* splitterbomb
lead kulor (el. kula) från skjutvapen; **get the lead out** komma
i gång med ngt; **have lead in one's pants** vara långsam o.

trög
leadfoot 1 fortkörare **2** slöfock
leadpoisoning 1 döden **2** skottsår
leak I *s* **1** *halvvulg.* urinering **2** person som avsiktligt el. oav-
siktligt röjer ngt hemligt **II** *v* **1** röja ngt hemligstämplat **2** *halv-*
vulg. urinera
lean on s.b. 1 stödja sig på ngn **2** tvinga ngn
lean over backwards göra allt för att visa sin opartiskhet i en
fråga där alla tror man är jävig
Leaping Lena bil
leather 1 plånbok **2** boxhandskar **3** fotboll, "läder" **4** kött
leather boy sadomasochist som genom sin klädsel (ofta läder-
jacka) visar sina böjelser
leatherneck marinsoldat
leave a strip bromsa (sin bil) häftigt
leaves papperspengar, sedlar
lech, letch I *s* **1** begär **2** vällusting, liderlig person **II** *a* liderlig
leech I *s* snyltgäst, parasit **II** *v* låna utan avsikt att lämna
tillbaka
leery misstänksam, misstrogen, tveksam
left field (del av baseballbana) **out in left field** ovetande,
okunnig, tafatt, dum
lefthanded falsk, olaglig
lefthanded compliment tvetydig el. tvivelaktig komplimang
left holding the baby stå ensam med ansvaret för vad en hel
grupp har åtagit sig att ansvara för
lefty 1 vänsterhänt person (i sht idrottsman) **2** extrem liberal;
ibl. kommunist
leg I *s* **1** infanterist; **the legs** infanteriet **2** samlag **3 shake a
leg** skynda på, ila **II** *v* springa el. gå fort
leg art fotografier el. teckningar av vackra nakna el. halvnakna
flickor
legger 1 *se leg man* **2** smugglare, *i sht* spritsmugglare **3** bu-
tikstjuv som bär ut det stulna fastklämt mellan låren
legit I *s* New Yorks seriösa teatervärld (som rör drama o.
komedi men ej musical, revy etc.) **II** *a* **1** som avser New Yorks
seriösa teatervärld **2** ärlig, laglig, äkta

leg man reporter vars material bearbetas av annan reporter

leg show uppträdande av dansös el. dansöser

leg work 1 arbete som utförs av en *leg man* **2** arbete som medför besök hos många klienter, kunder e.d.

lemon 1 fiasko; "nit" **2** värdelös el. oönskad sak **3** impopulär person, *i sht* slöfock **4** ljushyad afroamerikan

lemon law federal lag som tvingar en tillverkare att reparera el. återta felaktig vara

lensman fotograf, *i sht* press- el. TV-fotograf

leotards trikåer

les, lesbo lesbisk kvinna

let för uttryck som börjar med *let* och som inte återfinns här nedan se under det mest markanta ordet i uttrycket

letch *se lech*

let it all hang out vara helt öppenhjärtig

let on förställa sig, låtsas

let one släppa sig

let-out 1 kryphål, utväg **2** avskedande

let s.b. have it 1 vålla ngn skada (fysiskt el. på annat sätt) **2** ge ngn en utskällning

letter (bokstav) **win (earn) a letter** representera sin skola, sitt college el. universitet i tävling (oftast idrottstävling) mot annan motsvarande institution tillräckligt ofta för att få rätt att bära skolans "bokstav" på sin tröja

lettuce papperspengar, sedlar

let up 1 upphöra med **2** minska, mildra

let-up 1 paus; mildring **2** upphörande

let up on s.b. vara mindre sträng mot ngn

level 1 slå ned, fälla **2** (*äv.* **level with**) tala sanning; **on the level, on the dead level** hederlig, sannfärdig, ärlig

Level One Teater med stort T, seriös teater

Levis blå, tätt åtsittande jeans med smala ben o. iögonenfallande sömmar

Levittown massproducerad hastigt uppbyggd förstad el. sovstad

LGMs (*av little green men*) "signaler" från pulsarer el. kvasarer

liberate *mil.* **1** plundra obemärkt o. i mindre omfattning **2** snatta **3** (*om ockupationssoldat*) ligga hos en kvinna från det ockuperade landet

license (flyglicens) **lift s.b.'s licence** ålägga en pilot flygförbud

lickety-split fortare än kvickt, fortast möjligt

licorice stick klarinett

lid 1 förpackning med 22 gram (1 ounce) hasch **2** hatt; **blow one's lid** bli mycket ilsken; **blow the lid off s.th.** avslöja ngt, röja ngt som åstadkommer skandal; **flip one's lid** *a*) bli sinnessjuk, *b*) bli häftigt uppbragt, bli arg, härskna till

life, the horsvängen, livet som prostituerad

life-boat benådning (i sht från dödsdom)

life of Riley vällevnad

lifer 1 livstidsfånge **2** en som knarkar hela sitt liv **3** stamanställd militär

lift I *s* hänförelse, exaltation, trans **II** *v* **1** snatta **2** plagiera, "planka"

light I *s* eld (till rökverk); **out like a light** medvetslös (av utmattning, berusning, sömn, hårt slag osv.), slocknad **II** *v* **1 light up** *a*) få eld på rökverk, *b*) bli på bättre humör **2** sticka, fly, sjappa; **light into** angripa i ord el. handling; **light out** fly, sjappa, smita iväg **III** *a* för lite (i fråga om belopp, t.ex. $ *4 light* fyra dollar för lite); **make light of** *a*) strunta i, *b*) förringa ngt som ngn annan har uträttat

lighten s.b. of s.th. 1 stjäla ngt från ngn **2** vinna el. låna ngt från ngn, lura av ngn ngt

Lighten up! Låt mig vara!, Var lite hygglig mot mig!

light-fingered tjuvaktig, långfingrad

lightning undermålig, illasmakande whisky

light on his (her) feet sexuellt avvikande, *i sht* homosexuell

light piece silvermynt (av mindre värde)

lights ögon

lights out döden

like ungefärlig; **like anything** högeligen; så in i vassen, okristligt; **like to** (*äv.* **liked to**) närapå, nästan, på ett hår när; **make like** låtsas; **something like** grovt räknat, på en höft; **like** i

slutet av en mening betyder "lika gärna", "sak samma", t.ex.
I'll be dead like jag kunde lika gärna vara död
like crazy (mad) 1 obehärskat, vilt, utan hämningar
2 snabbt, fort **3** ivrigt, entusiastiskt **4** gränslöst
like never inte om jag kan förhindra det, inte med min goda vilja
like sixty blixtsnabbt, som en oljad blixt
likker sprit
lilly fruntimmersaktig man
lilly-livered feg
lilly-white 1 rasdiskriminerande **2** oskyldig
limb 1 busfrö, näsvis unge **2** (gren) **out on a limb** i en farlig
el. komprometterande situation, sårbar
limbs vackra kvinnoben
lime-juicer, limey 1 brittisk båt **2** brittisk sjöman **3** engels-
man
limit ovanligt fräck, djärv, ohämmad, otraditionell på ett upp-
seendeväckande sätt; **go the limit** *a*) hålla ut till det bittra
slutet, *b*) (*om kvinna*) gå med på samlag
limo limousin
line 1 övertalningsförsök, argument **2** (linje) **in line** i överens-
stämmelse med vad som är passande (i fråga om ålder, rang,
position, tradition e.d.); **in line with s.b.** enig med ngn; **lay it
on the line** *a*) kritisera, läxa upp, *b*) framlägga bevis el. fakta,
c) betala kontant; **put it on the line** betala kontant; **out of
line** fräck, arrogant; **the line** balettflickorna i en revy
lip 1 advokat **2** fräckhet
lippy 1 fräck **2** munvig
lip-synch *v* mima till playback
liquidate döda, likvidera
liquored up, likkered up spritpåverkad
lit I *s* kurs i litteratur **II** *a* berusad o. på gott humör
little black book verklig el. tänkt lista över flickbekanta
little grey cells hjärnan, de grå cellerna
Little Joe fyra (i ett kast med två tärningar)
little magazines gemensam benämning på höglitterära tid-
ningar med extremt modern smak o. tendens
little ones (små enheter) **make little ones out of big ones**

avtjäna fängelsestraff (från den tid då fångar arbetade med stenhuggning)
little people *mil. V* nord- el. sydvietnameser
little shaver pojke, grabb
little woman maka
lit to the gills ordentligt berusad, full som en kaja
lit up lätt berusad, glad; **lit up like a Christmas tree** (el. som ngt annat som är färgrikt o. har många el. starka ljus) **1** lite mer berusad än *lit up* **2** prålig, bjäfsig, behängd med grannlåt **3** narkotikaberusad
live cannon ficktjuv som specialiserar sig på plånböcker
live it up föra ett utsvävande liv, roa sig
live one 1 person som är frikostig med pengar **2** lätt offer för svindlare, lättlurad person
live out of a suitcase fara på turné
live performance (show) direktsändning i TV el. radio
live wire person som är energisk o. skicklig i sitt arbete
live with s.th. uthärda, finna sig i ngt
living room gig uppträdande i TV (mest av jazzmusiker)
lizard 1 en dollar **2** kapplöpningshäst **3** *se lounge lizard*
Lizzie gammal skraltig bil
load 1 sprit i tillräcklig mängd för att berusa en person **2 get (or take) a load off one's feet** sätta sig; **get a load of s.th.** *a*) betrakta, uppmärksamma ngt, *b*) lyssna noga på ngt; **loads of s.th.** massor av ngt
loaded 1 berusad, "packad" **2** (*om drink*) "spetsad" **3** stormrik **4** (*om spelapparat e.d.*) ojust **5** explosiv (i sht bildl. om utlåtande, situation e.d.) **6** narkotikaberusad
loaded dice 1 falska tärningar **2** underhandling, transaktion e.d. i vilken ena parten har orättvist ogynnsamt utgångsläge
loan shark ockrare
local yokel *CB* ortspolis
lockup fängelse
loco tokig, galen
logorrhea 1 munvighet **2** svammel
logrolling ömsesidiga tjänster o. gentjänster (i sht inom politiken)

loid 1 öppna dörr med hjälp av en bit celluloid **2** göra inbrott
loin film porrfilm
Lolita-aged (*endast om flickor*) **1** minderårig **2** under tonåren
men sexuellt välutvecklad
lollapalooza baddare
lollipop fegling; godtrogen person
lolly pengar
lonely hearts column äktenskapsannonser, "personliga"
annonser
loner, lone wolf person som frivilligt el. av nödtvång håller
sig för sig själv (i arbete, på fritid etc.), ensam varg
Lone Star State Texas
long (lång) **be long about the ears** ha polisonger; **be long
on s.th.** ha mycket av ngt
long arm 1 polis **2** lag, rättsväsende
long drink of water lång o. smal person (oftast också tråkig)
long green papperspengar, sedlar
longhair 1 intellektuell person med smak för seriös underhåll-
ning **2** klassisk musik
long-haired 1 intellektuell **2** gammalmodig **3** klassisk
long-hairs *koll.* hippies
long hitter storsupare
longhorn person från Texas
longies yllebyxor med långa ben (i sht för damer)
long Johns långkalsonger
long rod gevär
long shot företag el. vadhållning med höga odds emot sig
long suit huvudegenskap, stark sida
Long time no see! *interj* Det var länge sedan!
long underwear 1 klassisk musik **2** skriven orkestrering av
musikstycke **3** gammal el. traditionell jazz, sentimental jazz
loo WC
looey, looie löjtnant
looker 1 person (i sht kvinna) som ser bra ut **2** kund som bara
tittar på varorna men inte köper ngt
look-in kort gästframträdande av stjärna
look-see 1 besiktning, inspektion; titt **2** pass, licens; identitets-

handling ö.h.t.

loon 1 dum person **2** sinnessjuk person

loony 1 dum, tokig, fånig **2** sinnessjuk, galen

loony bin sinnessjukhus

looped berusad, stagad

loopy dum, trögtänkt, slö

loose 1 (*om kvinna*) lösaktig, omoralisk **2** frikostig med pengar, generös **3** opålitlig, ohederlig **4** (fri) **on the loose** *a*) på fri fot, *b*) ute o. rullar hatt, *c*) arbetslös

loosey-goosey utan fast ståndpunkt

loot 1 stort belopp **2** löjtnant

loss leader *rekl.* lockvara

loudmouth 1 storskrävlare **2** person som pratar för mycket el. som röjer hemligheter

lounge lizard lat man som driver omkring på restauranger, nöjesetablissemang o.d. på jakt efter kvinnor, i sht sådana som vill betala hans underhåll

louse ej omtyckt, osympatisk person

louse up s.th. 1 trassla till ngt, förstöra ngt **2** misslyckas med ngt **3** förvrida, förvränga, vantolka ngt

lousy 1 eländig, värdelös, dålig **2** vidrig, odräglig; drumlig

lousy with s.th. sprängladdad med ngt (oftast pengar el. värdesaker), välförsedd med ngt

lover-boy flickjägare som skryter med sina erövringar

love-in *hipp.* möte för att främja kärlek o. medmänsklighet

lowball svagdricka, sockerdricka, juice

lowballing *hand.* avgivande av orealistiskt lågt anbud (o. med avsikt att höja det när man har fått kontraktet)

low-brow I *s* person utan kulturella intressen **II** *a* okultiverad, simpel

low-down I *s* konfidentiell, intern upplysning **II** *a* ofin, vidrig; ojust

lower the boom on s.b. 1 lägga hinder i vägen för ngn **2** straffa, läxa upp ngn **3** slå ut ngn (vanl. i boxningsmatch)

low-lifer vidrig, omoralisk person

low man on the totem pole mest oansenlig person (i firma el. grupp)

low rider 1 förare av bil med sänkt chassi el. chopper-mc **2** bil med sänkt chassi **3** tuffing från gettot **4** fånge som hotar medfångar för att få dem att betala för beskydd
low-rise låghus
lube job rundsmörjning av bil
lubricated berusad (oftast också pratsjuk)
lug 1 ansikte; *vanl.* haka **2** stark men obegåvad person (oftast om boxare) **3** dum kille **4** kille ö.h.t. **5** mutor; **put the lug on s.b.** pressa ngn på pengar
lulu 1 exceptionell el. unik person el. sak **2** naturaförmåner el. biinkomster som är skattefria (mest inom politiken)
luminous höggradigt berusad (men fortfarande på benen)
lummox klumpig, obegåvad person
lump dumbom
lump it I *v* acceptera el. finna sig i ngt **II** *interj* Tig!
lunch ödelägga, fördärva; *ibl.* missbruka
lunch hook lätt ankare som används på fritidsbåtar vid kortare uppehåll, lunchankare
lunchy mindre begåvad, dum
lunger tuberkulospatient
lunk, lunkhead trögtänkt, dum person
lunkheaded dum, naiv
lush I *s* **1** alkoholist; vanedrinkare **II** *v* dricka starksprit **III** *a* **1** *se lushed up* **2** förmögen **3** överdådig, luxuös, extravagant, lukullisk
lushed up berusad
lush-roller tjuv som plundrar fyllerister
lushy berusad

M

M 1 morfin **2** pengar
Ma and Pa business 1 *koll.* småföretag **2** familjebolag
Ma Bell *Bell Telephone Co.*
mace 1 batong **2** (*av Chemical Mace*) flytande tårgas i spray-
flaskor som används av polisen
machismo aggressiv manlighet, virilitet
macho I *s* viril, aggressiv man; mansgris **II** *a* viril, manlig
mack 1 (*av Macintosh*) regnrock **2** sutenör **3** tilltal till (främ-
mande) man **II** *v* **1** knulla med **2** agera hallick
mackerel smasher, mackerel snapper [romersk] katolik
mackman hallick
mad 1 arg **2** förnämlig, märkvärdig; tjusande, eggande; **like
mad** *a*) hastigt, snabbt, *b*) ivrigt, med stor entusiasm
Mad. Ave., Madison Avenue I *s* reklambranschen **II** *a* som
avser reklambranschen, reklam-
madball spåmans kristallkula
made I *s* uträtat hår **II** *v* **be made** bli lurad
mad money 1 pengar en kvinna har med sig i reserv så hon
kan åka hem om hennes kavaljer blir alltför närgången **2** (kvin-
nas) pengar sparade för senare impulsköp
Mae West flytväst
mag vecko- el. månadstidning
magazine dom på 6 månaders fängelse
Maggie's drawers *mil.* röd flagga som visas på skjutbana
när man har skjutit bom
maggot fimp
magoo 1 gräddtårta som kastas i scen- el. filmfars **2** betydel-
sefull person
main drag huvudgata

main line 1 lättåtkomlig ven för narkotikainjektion **2** pengar **3** *koll.* de förmögna, spetsarna i ett samhälle

main-line ge en intravenös narkotikainjektion

mainliner narkoman som får sitt rus genom injektion i ven

main man 1 favorit **2** älskare **3** bästa vän

main queen homosexuell som spelar den kvinnliga rollen

main stem huvudgata

major-league ledande, skickligast, betydelsefullast

Major Leagues de tre ledande divisionerna i baseball i USA

major leagues toppen, eliten (i ngn speciell bransch)

make för uttryck som börjar med *make* och som ej återfinns här nedan se under det mest markanta ordet i uttrycket

make I *s* **1** hinna i tid till **2** uppnå, vinna (t.ex. framgång, berömmelse); **on the make** *a*) villig (i sexuellt avseende) *b*) på jakt efter en partner *c*) streberaktig utan hänsyn till lag o. moral *d*) opportunistisk **3** lyckas få ligga med (en kvinna) **4** göra ett fördelaktigt intryck på **5** stjäla, råna **6** avslöja **7** köpa narkotika **II** *s* **the make** *a*) bytet från rån el. intjack, *b*) vinsten vid affär, evenemang e.d.

make as if låtsas

make away with s.th. stjäla ngt utan att bli fast

make book ordna vadhållning (t.ex. som *bookmaker*)

make good lyckas, bli succé

make it 1 lyckas, nå ett efterlängtat mål **2** få ligga med en kvinna

make it for (someplace) skynda sig iväg till (ngt bestämt ställe)

make it out of (someplace) sticka från, fly från (ett ställe)

make like 1 imitera **2** låtsas

make out 1 klara sig, må, trivas; **How you makin' out?** Hur mås det? **2** lyckas med **3** hångla

make-out artist donjuan, kvinnotjusare, förförare

make out with s.b. ha samlag med ngn

make up to s.b. 1 fjäska för ngn **2** försöka vinna ngns vänskap el. förtroende

make with s.th. begagna sig av ngt

makin's, makings 1 cigarrettpapper o. tobak **2** ingredienser

el. lösa delar till ngt som skall göras
malarkey struntprat, skryt; överdrift, lögn
male chauvinist pig mullig mansgris
Malfunction Junction *rymd.* Cape Kennedy
mama 1 kvinna, flicka **2** sexig kvinna **3** flicka i motorcykel-
gäng
man 1 en dollar **2 the Man** a) *neger.* den vite mannen, b)
bossen, c) polisen, d) knarklangare **3 the man upstairs, that
man up there** Gud
mangy with se *lousy with*
man in grey flannel högre tjänsteman (i privat el. offentlig
tjänst)
man on horseback ledare el. galjonsfigur (för parti, rörelse
el. annan grupp)
map 1 ansikte **2** check (i sht en som saknar täckning)
maps tryckta noter; partitur
marble 1 sunt förnuft, normal tankeförmåga **2** (kula) **pick up
one's marbles** dra sig ur spelet, ta sin Mats ur skolan; **pick
up the marbles** segra
marble orchard kyrkogård
marge kvinna som spelar passiv roll i ett lesbiskt förhållande
maricon bög
marines (flottister) **Tell that to the marines!** Jag tror inte
ett ord av vad du säger!, Det kan du inbilla andra!, Struntprat!
mark I s lätt offer för skojare **II** v söka ut (ett ställe el. en person
som det kan löna sig att plundra)
marker skrivet skuldbevis
marshmallow 1 blyg, tillbakadragen flicka **2** *neds.* viting
Marvin the Arvin *mil.* V (*av Army of the Republic of Viet
Nam*) sydvietnamesisk militär
marvy fantastisk, toppen
Mary 1 homosexuell man som spelar kvinnans roll **2** lesbisk
kvinna **3** hasch
Mary Ann, Mary Jane marijuana
mash I s **1** svärmeri, förälskelse **2** älskare; älskarinna **II** v
kurtisera grovt
masher påträngande kurtisör

mash note glödande kärleksbrev
mat 1 landningsbana på hangarfartyg **2 on the mat** *a*) totalt
utklassad, övermannad, *b*) som får en utskällning
mattress money 1 betalning till prostituerad **2** underhålls-
bidrag till frånskild fru
mattress piece porrfilm el. -pjäs
mattress play samlag
mau mau I *s* medlem av militant negerorganisation **II** *v* terrori-
sera
maverick I *s* **1** politiker som har sina egna åsikter o. inte
nödvändigtvis röstar med sitt parti **2** särpräglad person, ensam-
varg **II** *a* unik, avvikande, egenmäktig
mavin expert, kännare
maxi maxikjol
Mazola party samlag där deltagarna är insmorda i matolja
mazuma, mazoomy, mazula, mezuma pengar
M.C. *se emcee*
McCarthyism aggressiv antikommunism, McCarthyism
McCoy (släktnamn) **the real McCoy** *a*) äkta vara, *b*) person
man kan lita blint på
M.C.P., mcp *se male chauvinist pig*
meal ticket 1 person som man är beroende av för sitt uppehäl-
le (make, maka, arbetsgivare etc.) **2** verktyg, kroppsdel el. för-
måga som man är beroende av för att kunna tjäna sitt uppehälle
3 det yrke som ger en sin inkomst **4** person som man kan vara
säker på att han skickligt o. riktigt uträttar det arbete som ålagts
honom
mean 1 skamsen, förnedrad; liten **2** vid dålig hälsa **3** skicklig
o. imponerande **4** schysst, bra
meany småskuren person, gnidare
measly torftig, minimal, obetydlig
meat 1 lätt arbete el. uppdrag **2** hobby el. syssla för vilken
man har den rätta läggningen el. intresse **3** kärnpunkt **4** lättbe-
segrad konkurrent **5** stark men dum person **6** penis **7** man be-
traktad som sexobjekt **8** slitbana på bildäck
meat-and-potatoes det väsentligaste, det som ligger till
grund, det primära

meateater korrumperad polisman som söker mutor
meathead dumbom, dumhuvud
meatheaded dum, tjockskallig
meat hook hand (i sht stor o. klumpig), labb
meat rack 1 stråk där kvinnliga o. manliga prostituerade håller till **2** mötesplats för homosexuella män
meat show nakenrevy
meatwagon 1 ambulans **2** likvagn
med medicine studerande
medic, medico läkare
medicare statsunderstödd sjukvård (i USA tills vidare endast för åldringar)
medicine 1 upplysningar **2** skvaller
meemies *se screaming meemies*
megabuck (*oftast i pl*) jättebelopp
megaton (1 miljon ton) **in the megaton range** *a*) av kraftigaste slag (om sångare, boxare, reprimand, talare etc.), *b*) av högsta slag (om röst, motorbuller, kritik, gräl etc.)
megillah, the whole megillah *jidd*. **1** hela rasket **2** alla (de ointressanta) detaljerna
MEGO sagt om ngt viktigt men samtidigt urtråkigt (*av my eyes glaze over*)
meller filmmelodram
mellow I *a* **1** behagligt berusad, lätt påverkad **2** avslappnad **3** mycket vänlig **II** *s* god vän
mellow out 1 slappna av **2** mjukna
mellow yellow *hipp*. narkotika utvunnen ur insidan av bananskal som kokas, bakas o. sedan röks i cigarrettform (troligen en av hippiernas mest lyckade *put-on, s.d.o.*)
melon 1 extra stor vinst till delägare i affär **2** olagligt byte (från rån, inbrott e.d.)
member *neger*. tilltalsord mellan män, *ung*. kompis
mensch *jidd*. aktningsvärd, ärlig människa
men's lib mansrörelsen (*jfr women's lib*)
mental job psykopat, sinnessjuk person
merge with s.b. gifta sig med ngn
mesc meskalin

meshuga tokig, galen

message (budskap) **get the message** fatta innebörden av utlåtande el. åtgärd och handla därefter; fatta situationen o. klara av den

mess around slå dank

mess over s.b. hunsa med ngn

mess up förstöra, krångla till

messy 1 oanständig, omoralisk, liderlig **2** besvärlig, tillkrånglad, kinkig

Met 1 Metropolitan Opera House (New York) **2** Metropolitan Museum of Art (New York)

metal *se heavy metal*

meter-reader andrepilot

meth metamfetamin (Methedrin i USA) använt som narkotika

meth head (freak, monster) metamfetamin-knarkare

Mets baseballag hemmahörande i New York

Mexican basket *se bennies 1*

Mexican brown, green, red olika typer av marijuana från Mexiko

m.f. *mycket vulg., se mother fucker*

Michigan roll rulle sedlar av vilka endast den yttersta är äkta (o. vanligtvis av hög valör)

Mick I *s* **1** irländare **2** katolik **II** *a* **1** irländsk **2** romersk-katolsk

mick *se Mickey Mouse course*

Mickey 1 irländare **2** potatis **3** *se Mickey Finn*

Mickey Finn 1 starkt avföringsmedel som smygs ned i en drink för att skämta med ngn o. tvinga honom att hastigt o. lustigt lämna sällskapet **2** *se knockout drops*

Mickey Mouse I *s* **1** lätt föreläsningsserie på universitet; kurs i vilken det är lätt att tentera **2** *mil. V. se snafu* **3** *neger., neds.* viting **II** *a* **1** billig, dålig, kass **2** lätt, barnslig **3** fånig **4** tilltrasslad **III** *v* slösa bort sin tid

Mickey Mouse course *skol.* mycket lätt college- el. högskolekurs

Mickey Mouse money 1 mjukvaluta **2** pengar från länder som har el. kan komma att få kraftig inflation

micro-mini ultrakort kjol

microskirt minikjol

middleaisle it gifta sig

middlebrow I s genomsnittsmänniska (i fråga om begåvning o. kulturella intressen) **II** a folklig; förnuftig, rationell

middle-of-the-road I s utslätad populärmusik **II** a utslätad

midi mellanlång kjol

midnight cowboy bög

midnight plumber person som plundrar ett rivningshus på allt säljbart (värmeelement, vattenrör, dörrhandtag etc.)

midnight requisition mil. stöld, beslagtagande utan fullmakt

miff förolämpa, irritera

miffed irriterad, stött, arg

miffy irritabel, lättretlig

mig, miggle billigaste sorten stenkulor

mighty mezz marijuanacigarrett (efter Mezz Mezzrow)

mike 1 mikrofon **2** mikrogram

milage framgång, vinning, nytta; **make milage** ha framgång, göra framsteg

Mile High City Denver, Colorado

milk 1 utnyttja för egen vinning, "mjölka" **2** locka upplysningar ur **3** runka

milk run 1 lätt, rutinmässigt arbete el. uppdrag **2** mil. riskfritt flyguppdrag (oftast för bombning)

milk the curtain söka bifall

Milktoast, Milquetoast 1 blyg, foglig, fridsam person **2** toffelhjälte

mill I s **1** boxningsmatch; slagsmål **2** flygplans kolvmotor **II** v slåss, boxas

mind-bender 1 se mind-blower **2** ngn som försöker påverka andra på ett försåtligt sätt

mind-blower 1 hallucinogen drog **2** ngt fantastiskt, överväldigande

mind-fuck manipulera, hjärntvätta

mingles ogifta personer som bor ihop

mini kort-kort kjol

minibike mc med små hjul

minibuster polit. förhalningsteknik utan att obstruktion tillgrips

mini-line flygbolag med endast en liten anslutningslinje

mink 1 attraktiv, framåt tjej **2** kvinnas könshår

mirror (spegel) **all done with mirrors** det är bara båg, det hela är bara ett bländverk

mishegoss *jidd.* smörja, dåraktigheter

mishugah *se meshuga*

Miss Ann vit kvinna

missle-whistle apparatur i rymd- el. robotraket som mottar signaler från marken o. omvandlar dem till mekaniskt arbete

miss the boat 1 missa chansen **2** inte fatta en order, en replik el. poängen i en vits

Mister Big (Right) 1 bakgrundsfigur som planlägger, leder o. beslutar brott **2** person som utan att till namnet vara ledare är det egentliga överhuvudet över ett politiskt parti

Mister Charlie 1 vit man, boss **2** typisk medelklassperson, medelsvensson

Mister Charlie's boy neger som fjäskar för de vita, neger som går de vitas ärenden, onkeltommare

Mister Jones *se Mister Charlie*

mitt I *s* hand **II** *v* **1** skaka hand med **2** belägga med handklovar

mitten money vintertillägg till lotslön

mittens 1 boxhandskar **2 get the mitten** *a*) få avslag på en anhållan *b*) bli uppsagd; **give the mitten** *a*) avslå en begäran, *b*) säga upp

mitt-reader spåman (el. spåkäring) som spår i handen

mitts handklovar

mix, mix it, mix it up slåss, tampas, fajtas

mix cement for someone döda ngn (o. dölja liket)

M.J. *se Mary Jane*

mob 1 band, liga **2** grupp av personer, yrkesgrupp e.d. (föregås vanligtvis av en specificering)

Mobe (*av mobilization*) protestmarsch; **New Mobe** protestmarscherna som började i okt. o. nov. 1969; **Old Mobe** protestmarschen mot Pentagon 1967

Mobesters deltagare i protestmarscher

mobster ligamedlem

mock-up modell i skala 1/1 av flygplan, bil e.d. som används vid experiment, prov osv.

moke neger

moldy fig gammaldags, omodern figur el. sak

moll 1 gangsters kvinnliga medarbetare el. älskarinna **2** kvinna **3** prostituerad

moll-buzzer väskryckare

mom mamma

mom-and-pop shop liten affär som drivs av ägaren o. hans familj; kvartersbutik

momism modersdyrkan; matriarkat underbyggt av romantisk sentimentalitet

mondo halvpornografisk film med många nakenscener

money (pengar) **for my money** enligt min åsikt, vad mig anbelangar; **in the money** a) välbärgad,) första, andra o. tredje plats i hästkapplöpning; **out of the money** fåfäng, resultatlös, gagnlös

moneybags 1 förmögen person **2** person som finansierar rörelse, parti e.d.

money player 1 person som uppnår bäst resultat under press el. stress **2** skicklig spelare som gör stora insatser

moniker 1 tilltalsnamn **2** börs. tillväxtpapper

monk 1 apa **2** kines bosatt i Amerika

monkey 1 kille (oftast klipsk, kvick, snabbtänkt) **2** narkomani; **get the monkey off** el. **get the monkey off one's back** a) bli kvitt sitt narkotikabegär, kureras för narkomani, b) bli befriad från komplex el. neuros

monkey around 1 pillra, mixtra med saker o. ting **2** flanera

monkey business 1 ohederliga, förtäckta el. socialt ej acceptabla handlingar (såsom fusk i kortspel, ohederlig extraförtjänst på ngt, flickjakt e.d.) **2** spratt, upptåg, tokeri etc.

monkey-flag 1 regements- el. truppfana **2** förenings-, affärs-, klubbflagga e.d.

monkey island naut. öppen plattform med komplett kommandobryggutrustning men belägen ovanför själva kommandobryggan

monkeyshines se monkey business 2

monkey suit 1 frack; ibl. smoking **2** uniform (militär-, por-

tier-, pickolo-, chaufför- o.d.)
mono mononukleos
monokini topplös bikinibaddräkt
monster 1 centralstimulerande medel **2** storsäljare
Montezuma's Revenge (*använt av turister i Mexiko*) diarré
moo pengar
mooch 1 tigga **2** stjäla **3** vigga **4** (*äv.* **mooch around**) slå
dank
moocher 1 kronisk viggare **2** person som utan att direkt tigga
kan konsten att få saker gratis
moola, moolah pengar
moon I *s* **1** hembränd whisky **2** *rymd.* (*äv.* **moonlet**) rymdfar-
kost el. raket (oavsett om den går i en bana runt jorden el. rakt
ut i rymden) **3 the moon** högsta, bästa stadiet av ett narkotika-
rus **II** *v* smäkta, tråna; **moon at s.b.** se smäktande på ngn
moon dog *rymd.* fjärrstyrt el. -aktiverat instrument i rymdra-
ket el. rymdfarkost
moonlight I *s* extraknäck **II** *v* **1** ha extraknäck, extraknäcka
2 föra ett dubbelliv
moonlighter person som har extraknäck, extraknäckare
moon man 1 TV-fotograf **2** astronaut som landar på månen
moonshine 1 hembränd whisky **2** starksprit av dålig kvalité
3 struntprat, nonsens, smörja
moonshiner 1 hembrännare **2** lantlig person; bondlurk
moonstruck galen, förryckt
mop (*om flickor*) under tonåren
mop up 1 utrota, tillintetgöra; **mop up the floor with s.b.**
platta till ngn ordentligt, sopa golvet med ngn **2** avsluta en
kampanj (militär, polisiär, politisk e.d.) **3** utföra kvarvarande
småsysslor i samband med ett arbete, uppdrag e.d.
mop-up utrotning, tillintetgörande
M.O.R. *se middle-of-the-road I*
morgue tidnings klipparkiv
Mormon City Salt Lake City, Utah
morph, morphadite *halvvulg.* hermafrodit
mosel tov *jidd.* underbart (*oftast ironiskt*)
mosey 1 fly, dunsta, pysa **2** (*äv.* **mosey along**) släntra, gå

långsamt

mosquito boat *sjömil*. liten lättbeväpnad torpedbåt

mosquito fleet *sjömil*. eskader av små lättmanövrerade krigs-
fartyg

moss neger

mossback I *s* person med antikverad, konservativ inställning
till nutidsproblem **II** *a* stockkonservativ, omodern, mossbelupen

most (mest) **the most** (*äv.* **the mostest**) toppen, raffine-
rad, utsökt

mother *sjömil*. **1** hangarfartyg **2** (*äv.* **mother plane**) flygplan
varifrån fjärrstyrd raket skjuts iväg och styrs **3** *se mother fucker*
4 bög **5** *krim*. ledare **6** ngt fint, utmärkt

mother fucker *mycket vulg*. **1** svin, jävel (*det grövsta invekti-
vet i engelska språket*) **2** skämtsamt tilltal mellan män **3** knivigt
problem

mother-fucking *a till mother fucker*

mother-in-law room *hotell*. enkelrum utan fönster

Mother Machree alibi el. hjärteknipande men troligen lögnak-
tig förklaring (som ges för att undvika bestraffning el. för att
vinna medkänsla)

mother's day den dag då socialbidraget betalas ut

Motor City Detroit

motor mouth *CB se alligator*

Motown Detroit

mouse I *s* **1** blåtira **2** flicka (oftast liten till växten) **3** mycket
liten militärraket **4** (*äv.* **mouser**) mustasch **II** *v* hångla

mouse fink pryd o. tråkig person

mouse milk kraftigt uppreklamerade tillsatser till motorolja
(utan större betydelse för vanliga bilister)

mousetrap 1 sjabbig nattklubb el. teater **2** *sjömil*. mindre
sjunkbomb använd mot ubåtar

mouthful (munsbit) **say a mouthful** säga ngt sant

mouthpiece 1 advokat, *i sht* brottmålsadvokat **2** förespråka-
re, språkrör

move I *v* sälja **II** *s* **get a move on** raska på, komma i gång
med; **on the move** aktiv, sysselsatt, rastlös

movie 1 film; **the movies** filmindustrin **2** bio

movie house bio

moxie 1 mod, djärvhet, oförskräckthet; aggressivitet; energi **2** erfarenhet, skicklighet (inom ett bestämt område)

mox nix *jidd.* det gör inget

muck, muck-a-muck *se high muck-a-muck*

mucker 1 diversearbetare på oljefält **2** arbetare som använder spade **3** knölaktig o. opålitlig (yngre) man

muckraker skandalreporter, smutskastarjournalist

mucky vågad, vulgär, pornografisk

mud 1 kaffe **2** opium före beredning **3** nedsättande uttalanden el. angrepp (oavsett om de är sanna el. ej), smuts **4** otydliga radiosignaler el. telegrafiska signaler

mudder 1 expert på tillstoppning av "vilda" oljebrunnar **2** kapplöpningshäst som löper bra på lerig bana

Muddy Mo Missouri-floden

mud hook ankare

muff I *s* **1** tabbe, groda, felsteg **2** dum, lättlurad person **3** peruk **4** *vulg.* vulva, "muff" **II** *v* förfuska

mug I *s* **1** ansikte **2** porträttfoto **3** haka; käft **4** kille (oftast ful) **5** dålig boxare **6** förbrytare **II** *v* **1** porträttfotografera **2** överfalla i avsikt att råna **3** använda överdrivet minspel på scen

mugger 1 skådespelare med överdrivet minspel **2** förbrytare som specialiserar sig på rånöverfall **3** porträttfotograf

muggle hasch, haschcigarrett

mug shot 1 polisens fotoarkiv med förbrytare en face o. i profil **2** porträttfotografi

muh-fuh *se mother-fucker*

mule 1 envis person **2** hembränd whisky **3** underförsäljare el. ombud för narkotikahandlare; kurir

mule skinner mulåsnedrivare

mulligan 1 irländsk stuvning **2** irländare **3** polis

mum I *s* **1** tystnad, förtegenhet; **keep mum** *a*) inget röja, *b*) hålla mun **2** krysantemum **II** *a* tyst, ej meddelsam, förtegen

mumbo-jumbo 1 meningslös, ritualenlig ceremoni (i förening, folkrepresentation e.d.) **2** meningslöst, innehållslöst, vilseledande struntprat

murder besegra överlägset (i sport, affärer e.d.); **get away**

with murder göra ngt olagligt el. otillåtet utan att bli straffad för det (förstärkt form av *get away with s.th.*)

murphy I *s* **1** potatis **2** *se badger game* **3** bondfångarknep som går ut på att man lurar på ngn ett kuvert med förment värdefullt innehåll (adresser t.ex.) **II** *v* idka *badger game* (*s.d.o.*)

Murphy man *se badger man*

Murphy's Law lagen om alltings djävlighet, *dvs.* allt tar längre tid än beräknat, inget är så lätt som det verkar o. om något kan gå galet så gör det det

muscle car sportbil i mellanstorlek

muscle epic äventyrsroman

muscle-head dum, trögtänkt person

muscle in tränga sig in

mush 1 överdriven sentimentalitet, tantighet **2** mun **3** ansikte **4** kyss **5** sentimentalt struntprat, snömos **6** paraply

mushy svärmisk, överspänd, tantig

musical beds (ordlek på sällskapsleken *musical chairs*) **play musical beds** ständigt byta samlagspartner

musical chairs 1 ministerskifte **2** förändring i sammansättning av styrelse e.d.

music roll rulle toalettpapper

mustang *mil.* officer som har gått långa vägen

mustard (senap) **cut the mustard** uppnå el. överskrida det väntade el. önskade resultatet

mutt, mut 1 hund av blandras **2** hund ö.h.t. **3** dumbom, person som är bakom flötet

muttonhead dum, trögtänkt person, fårskalle

mux sammelsurium

muzzy 1 förvirrad, oklar **2** dum

My ass! Skitsnack!

mythmaker, mythmonger PR-man, reklamman

N

nab I *s* polis, kriminalpolis **II** *v* infånga, arrestera
nabe förstadsbio, kvartersbio
nag 1 dålig kapplöpningshäst **2** gammal uttjänad häst
nail I *s* **1** cigarrett **2** nål till spruta **3 on the nail** *a*) omedelbart, strax, *b*) aktuell **II** *v* **1** infånga, gripa, arrestera **2** snatta, knycka **3** slå, drämma till **4** ligga med
nail down 1 fastslå, fastställa (order, bestämmelse, villkor) **2** ta i besittning
Nam Vietnam
name I *s* kändis **II** *a* berömd, känd
name dropper person som vid alla tillfällen nämner kändisar för att låta påskina att han umgås med dem (vilket ingalunda alltid är fallet)
name of the game 1 det som är viktigast **2 that's the name of the game** så är det; så går det till här i världen
nance 1 *halvvulg.* person som spelar den kvinnliga rollen i homosexuell förbindelse **2** fruntimmersaktig man
nanny 1 get (eg. bara honget men ibl. äv. bock) **2** barnsköterska
nappyblack mycket svart, med mycket afrikanskt utseende
naps krulligt hår
narc narkotikapolis
narco *se narc*
nark 1 tjallare **2** person som ger oönskade råd **3** *se narc*
narky I *s* narkoman, knarkare **II** *a* narkoman-
natch självklart, så klart
native (inföding) **go native** lägga sig till med det lands seder o. bruk i vilket man för tillfället befinner sig
natter klaga; gnata

nattering klagovisa; gnat
natural 1 afrofrisyr **2** naturbegåvning
navigate (*oftast om berusad*) stappla, "kryssa"
neb, nebbish blyg, tillbakadragen person
neck I *s* (hals) **break one's neck** anstränga sig hårt; **get it in
the neck** *a*) få obehag, *b*) bli nekad ngt; **stick one's neck
out** ta stora risker **II** *v* hångla
necking hångel
necktie snara (för hängning av dödsdömd)
necktie party 1 hängning **2** lynchning
needle I *s* **1** injektionsspruta, nål; **on the needle** *a*) hemfallen
åt narkotikamissbruk, *b*) narkotikaberusad; **use the needle**
vara narkoman **2** försmädlig el. insinuant replik, pik; kritik **II** *v*
1 spetsa (en drink) **2** förlöjliga, driva med **3** kritisera **4** driva
(ngn till ngt)
Negative Nej! (från rymdradiospråket, används i sht av ungdo-
mar)
Negatory! *CB* Nej!, Svar: nej!
nellie I *s* feminin manlig homosexuell **II** *a* feminin
nerd föraktlig, tråkig person
nerf skjuta en bil med en annan
nerts *se nuts*
nerve 1 mod, kurage, djärvhet **2** fräckhet
Nervous Nellie 1 pessimist **2** harig person, fegis
nervy fräck, påträngande
neutralize döda, oskadliggöra
nevermind (ouppmärksamhet) **make no nevermind** komma
på ett ut, inte spela ngn roll
never-never land 1 fantasirike, drömland **2** utopi
newscaster radio- el. TV-reporter; nyhetskommentator
newschick ung kvinnlig reporter
newshawk energisk, aggressiv reporter
newshen kvinnlig reporter (oavsett ålder)
newshound *se newshawk*
newsy I *s* tidningsförsäljare **II** *a* **1** rik på nyheter **2** full med
skvaller
next I *adv* **get next to oneself** bli klar över sina egna svaghe-

ter; **get next to s.b.** vinna ngns förtroende el. vänskap, *vulg.* ha samlag med ngn

N.G., n.g. opålitlig, föraktlig, värdelös (*av No Good*)

nibs person i hög befattning; **his nibs** (*oftast neds.*) översittare, högfärdig person

nice Nellie 1 person som föredrar hövliga yttre former framför skicklighet **2** pryd, petnoga person

nick 1 kräva o. få pengar av ngn **2** innehålla (del av avlöning) **3** stjäla

nicked arresterad

nickel and dime s.b. (or s.th.) to death fullständigt förstöra el. bryta ned ngn (el. ngt) genom att hänga upp sig på oväsentligheter

nickel note femdollarsedel

nickel nurser gnidare, girigbuk

nifty I *s* **1** sak el. idé som är modern, tilltalande el. fascinerande **2** rolig el. fyndig vits el. kvickhet (helst med anknytning till ngt aktuellt) **3** trevlig, vacker flicka **II** *a* modern, chic, elegant; tilltalande; skicklig; förnämlig

nigger heaven 1 teatergalleri **2** Harlem i New York; negerkvarter i stad i nordstaterna

niggertoe paranöt

nightcap 1 en sista drink innan man går hem; sängfösare **2** dryck man tar på kvällen för att sova bättre (varm mjölk e.d.) **3** sista idrottsmatch av två som spelas på samma dag

night fighter menig neger i armén

night hawk person som håller i gång till sent på natten, nattuggla

nightie nattlinne

nightingale tjallare

night owl *se night hawk*

night spot nattklubb

nightstick polisbatong

Nighty-night! Godnatt!, Nattinatt!

nigra (*mycket neds.*) neger

nine (nio) **dressed to the nines** i högtidsdräkt, i finaste stassen

Nine Old Men USA:s högsta domstol
nineteenth hole restaurang el. bar på golfbana
nine-to-five-man kontorsanställd
Nip *neds.* japan
nip stjäla, norpa
nip and tuck svåravgjord
nippers handklovar
nip-ups hemmagymnastik
Nisei japan född i USA
nitery nattklubb
nitpicking hårklyveri
nitty-gritty 1 grundläggande, fundamental, väsentlig, primär
2 elegant och förmögen
nix I *s* **1** intet, ingenting **2** avslag; förbud **II** *v* avslå, säga nej till
III *interj* Nej!
nixie 1 obeställbar post **2** cirkulärbrev som återkommer till en
reklambyrå p.g.a. att adresslistan är felaktig
nix out ge sig av, bryta upp
nob 1 huvud **2** rik, inflytelserik person
nobble dopa kapplöpningshäst (el. -hund) el. på annat oheder-
ligt sätt söka påverka resultatet av ett lopp
nobbler person som utövar *nobbling* (*se nobble*)
nobby modern, chic, elegant, stilfull
nobody but nobody 1 inte en kotte, inte en enda person,
absolut ingen **2** ingen utom folk utan betydelse
nobody home 1 ouppmärksam, frånvarande, tankspridd
2 obegåvad, dum
no-count värdelös, opålitlig
nod 1 sportdomares tillkännagivande av vinnare **2** experttips
om vinnare; **get the nod** bli utvald framför alla andra medtäv-
lande **3** slags dvala vid narkotikaberusning **4** sömn efter alko-
holförtäring
noddle huvud
noggin 1 huvud **2** hjärna, intelligens
no-go 1 om ngt som inte funkar **2** värdelös, hopplös
noid 1 sinnessjuk, paranoid **2** urdum
noise 1 otrevliga nyheter **2** revolver **3 make noises** uttrycka

sina idéer el. känslor
nola homosexuell person
noncom underbefäl
no-no ngt förbjudet
nonsked charterplan
nonsmash totalt misslyckad (om pjäs, film e.d.)
non-U oaristokratisk, ofin; *ibl.* vulgär
noodle I *s* **1** huvudet, hjärnan, intelligensen **2** dumhuvud **II** *v*
1 tänka igenom, fundera över **2** på måfå vrida på knapparna på
TV- el. radioapparat **3** "rita gubbar" under sammanträde, tele-
fonsamtal e.d. **4** (endast om amatör) improvisera på orgel för
sitt eget nöjes skull
noodler 1 person som "leker" med kontrollknapparna på TV-
el. radioapparat **2** amatör som spelar piporgel för sitt eget nöjes
skull
nookie *vulg.* **1** vagina, mus **2** samlag **3** kvinna betraktad ute-
slutande som samlagspartner
noose (ögla) **put a noose on s.b.** hämma, bromsa ngn
normal neurotic genomsnittsmänniska
Norwegian steam muskelkrafter
nose (näsa) **by a nose** med liten marginal (i konkurrens om
arbete, leverans, i tävling e.d.); **by the skin of one's nose**
med mycket liten marginal; **get one's nose wet** supa måttligt;
have one's nose wide open *a)* vara kåt, *b)* vara kär; **keep
one's nose clean** inte lägga näsan i blöt; **look down one's
nose at s.b. or s.th.** se nedlåtande el. med förakt på ngn el.
ngt; **on the nose** precis, korrekt, ackurat, på pricken; **pay
through the nose** betala överpris
nose-bag (foderpåse) **put on the nose-bag** äta en måltid
nose-dive plötsligt fall el. nedgång (t.ex. i statistiskt tal, pris,
värde)
nose job plastikoperation av näsan
nosh *jidd.* **I** *v* smååta mellan måltiderna **II** *s* mellanmål, snask
no-show I *s* (*mest i samband med flygresor*) person som har
bokat plats men inte löser ut sin biljett **II** *a* om person som lyfter
lön utan att arbeta
No soap! 1 Aldrig!, Inte hos (med) mig! **2** Har ingen aning!

no-strings utan begränsande klausuler; utan motprestation
no sweat inga problem
no-sweat pills *mil. V* nervlugnande tabletter
Nothing doing! Nej, det går inte!
nothing to write home about inget att skryta med, inget att skriva hem om
now *a* **1** modern **2** inne
no way aldrig i livet, absolut inte
nowhere tråkig, ute
nozzle näsa
nubby-grubby arbetsamma o. tråkiga detaljer i ngt
nube barn (i sht sådana som spelar in grammofonskiva)
nudie I *s* **1** porrfilm **2** föreställning med nakendans **3** nakendansös **4** porrtidning II *a* pornografisk
nudnik påträngande tråkmåns
Nugent *mil. V* (*av Nguyen, mycket vanligt vietnamesiskt efternamn*) sydvietnames
nuisance call påringning från telefonmarodör
nuke I *s* **1** atomdriven båt el. ubåt **2** atomvapen **3** kärnkraftverk II *v* angripa med kärnvapen
numbah ten *mil. V* det värsta som kan hända
numbah ten thou' *mil. V* ännu värre än *numbah ten* (*s.d.o.*)
numb-brained dum, trögtänkt, obegåvad
number **1** nummer, trick **2** marijuanacigarrett **3** tillfällig homosexuell älskare **4 do a number on s.b.** *a*) sätta ngn på plats, *b*) utnyttja ngn; **get (have) s.b.'s number** *a*) veta ngns avsikter, *b*) känna till ngns förflutna (i sht sådant som denne helst inte vill ha fram); **have one's number on it** vara orsak el. skuld till ngt; **one's number is up** *a*) man är i en besvärlig situation, *b*) man dör, avlider
Number One I *s* **1** man själv, "en annan" **2** älskare, make/maka II *v* kissa III *a* toppenbra
numbers game **1** förbjudet, mycket populärt lotteri i de flesta amerikanska städer **2** statistik **3** (tidningars) upplagekonkurrens
number ten botten
number two I *s* nästbäst, tvåa II *v* bajsa

nut 1 huvud; **off one's nut** *a*) sinnessjuk, galen, *b*) ursinnig, uppretad, *c*) som har misstagit sig **2** excentriker **3** sinnessjuk person **4** naiv, lättlurad, dum, narraktig person **5** person som är fanatiskt intresserad av ngt (vanligtvis specificerat), fantast, hängiven anhängare av **6** igångsättningskostnader för företag, startkapital **7** muta till polis

nut house (factory, farm, hatch, foundry, college) sinnessjukhus

Nuts! 1 Nej! **2** Åt fanders med det (den)!

nuts I *s vulg.* testiklar; **get one's nuts off** få utlösning **II** *a* **1** excentrisk, konstig **2** sinnessjuk, sinnesrubbad, galen **3** villrådig, perplex, förvirrad, förbryllad **4** vilseledd, fel informerad, som har missuppfattat situationen **5** dum, naiv, lättlurad **6** oberäknelig, irrationell

nuts-and-bolts 1 elementär, grundläggande **2** praktisk

nutty *se nuts II*

nyet I *s* veto **II** *interj* Nej!

nymphet minderårig sexuellt utvecklad el. sexintresserad flicka

nympho nymfoman

nymphokick *vulg.* sexuell tillfredsställelse

O

O opium
oak *se O.K.*
oakus plånbok
oat cowboyfilm
oat-burner häst
oater, oatmeal, oats opera cowboyfilm
obit nekrolog
octopus (bläckfisk) **the Octopus** MCA, Inc. (*Music Corporation of America*), Amerikas (och världens) största arbetsförmedling för skådespelare (dessutom TV-producent o. försäljningsagent för TV-program)
O.D. I *s* överdos **II** *v* ta överdos
oddball, odd-ball I *s* **1** excentriker **2** inåtvänd, världsfrånvarande person **3** sinnesrubbad, halvtokig kille **4** person med egna åsikter inom ett speciellt område **II** *a* konstifik, förbryllande, annorlunda **2** excentrisk, oberäknelig
odds-on bet 1 ngt som har utsikter att lyckas **2** (*i spel*) vad som har chans att ge vinst
ofay *neger.* vit person
off för uttryck som börjar med *off* och som inte återfinns här nedan se under det mest markanta ordet i uttrycket
off 1 döda **2** ligga med
off artist tjuv
off-base 1 onormal, abnorm, annorlunda **2** fräck, uppnosig
offbeat, off-beat 1 okonventionell men acceptabel **2** bisarr, grotesk, hisklig, makaber
off-color ekivok, pikant, vågad
office 1 arbetsplats ö.h.t. (t.ex. förarplats i taxi, cockpit i flygplan) **2** varning, vink, signal, tips (oftast i uttrycket *give s.b.*

the office)

offish reserverad, svår att få kontakt med, avvisande

off-the-cuff 1 extempore, oförberett **2** informellt; konfidentiellt

off the wall I *a* **1** ovanlig, otrolig **2** galen **II** *adv* utan att blinka

off-year *polit.* år med val men utan presidentval

O. Henry ending 1 oväntat, ofta chockartat slut (el. upplösning) på pjäs, novell e.d. **2** oväntat, ofta snopet, slut på en händelse el. episod i verkliga livet

oh yeah uttryck för tvivel, misstro el. sarkasm

oil I *s* **1** struntprat; smicker, fjäsk **2** pengar, *i sht* mutor **3 have oil in one's arms** arbeta utan minsta besvär, vara i fin arbetsform; *ibl.* arbeta hårt o. skickligt **II** *v* muta, "smörja"

oilberg *sjö.* supertanker på mer än 200 000 ton

oiled berusad, överförfriskad

O.K., okay, okey, okie-doke, okey-dokey, okey-dory I *interj* Ja!, OK! **II** *a* acceptabel, godkänd, bra

Okie 1 invånare i staten Oklahoma **2** *mil.* invånare på ön Okinawa

okie kringflackande diversearbetare

old army game svindel, skoj, humbug, fusk, fiffel

old college try försök att genomföra ngt trots enorma odds mot chansen att lyckas

old goat person som lider av gubbsjuka

old-hat gammalmodig, omodern

oldie, *ibl.* **oldy 1** sång, låt, vits, film e.d. som var populär för länge, länge sedan; **golden oldie** en *oldie* som blir populär på nytt **2** äldre grammofonskiva, *i sht* stenkaka

Old Joe könssjukdom, särskilt syfilis el. gonorré

old lady 1 maka, sambo, tjej (i sht ens egen) **2** mor (i sht ens egen)

old levi 1 gammalmodig, omodern **2** gammalmodig på lantligt sätt

old man 1 far (i sht ens egen) **2** make, sambo, kille (i sht ens egen) **3** hallick **4** kompis (i tilltal)

old man with the whiskers amerikanska regeringen el. representant för denna (t.ex. CIA)

old saw 1 gammalt el. folkligt ordspråk **2** gammal anekdot el. vits

old shoe *se old hat*

Olive oil! På återseende!, Vi ses!, Adjö!

ologist (*oftast i pl i koll.*) vetenskapsman

ology vetenskapsgren

Omigawd! Jisses!

on för uttryck som börjar på *on* och som inte återfinns här nedan se under det mest markanta ordet i uttrycket

on I *a* **1** medveten om, invigd i **2** villig, med på **II** *prep* **on s.b.** på ngns bekostnad; **on to s.th.** medveten om ngt; **on to s.b.** medveten om ngns avsikter el. planer

onager stjärt, bakdel, rumpa

once-over 1 titt; besiktning **2** provisorisk, nödtorftig bearbetning el. genomgång av uppdrag el. jobb

once-over-lightly 1 nödtorftig, temporär, provisorisk **2** snabb

one and only maka; fästmö

one-arm *se one-arm joint*

one-armed bandit spelautomat, enarmad bandit

one-arm joint billigt matställe, *i sht* självservering

one down and two to go första steget i en serie åtgärder har tagits, ngt har påbörjats

one for the road en sista drink innan man drar hemåt, färdknäpp

One Great Scorer Gud

one-horse liten, betydelselös

one-horse town 1 by; köping **2** stad (äv. storstad) som är tråkig, ointressant el. som på annat sätt misshagar en; stad där mycket litet händer

one-liner 1 aforism, epigram, fyndigt ordspråk **2** mycket kort vits el. anekdot

one-night stand 1 uppträdande endast en kväll på samma ställe **2** samlag med ngn man träffar för en natt

ones (enheter) **make little ones out of big ones** avtjäna fängelsestraff (från den tid då fångar arbetade med stenhuggning)

one-shot I *s* **1** engångsföreteelse **2** fristående artikel; novell **3** *vulg.* kvinna som samtycker till samlag en gång men aldrig mer med samma person **II** *a* enastående, unik

one up I *a* ett pinnhål över, i överläge **II** *v* komma i överläge

one-upmanship förmåga att överglänsa, övertrumfa, överträffa

one-way bottle engångsflaska; *ibl.* ölburk

onion 1 person **2** huvud **3 know one's onions** ... *know one's beans, se bean 4*

on-the-cuffer 1 person som köper på kredit **2** snyltare (i sht en som reser på det allmännas el. ngn organisations bekostnad)

on-the-rocks (*om drink*) med isbitar

oodles stor mängd; många

oof 1 pengar **2** kroppskrafter

oofus dum, klumpig person, bondtölp

oomph 1 stark erotisk dragningskraft **2** glöd, fart, schvung; hänförelse, entusiasm

oomph girl ung kvinna känd o. berömd för sin sex-appeal (t.ex. Brigitte Bardot, Marilyn Monroe)

ooze, ooze along gå långsamt, släntra

ooze out 1 smyga sig bort, försvinna obemärkt **2** sippra ut

op 1 spion **2** detektiv, kriminalpolis

operator 1 bondfångare, skojare **2** narkotikahandlare

opt out ta sin Mats ur skolan, hoppa av

Orange Sunshine känt LSD-fabrikat

orbit I *v* **1** gå krogrond **2** slå dank **II** *s* (omlopp) **in orbit** *a*) aktiv, energisk, *b*) på rätt plats, *c*) som klarar av sitt arbete skickligt; **get into orbit** *a*) bli populär, *b*) lyckas med ett företag; **go into orbit** *a*) ivrigt o. helhjärtat ta itu med ett uppdrag, arbete e.d., *b*) börja få framgång med ngt, *c*) komma på rätt plats; **put into orbit** *a*) sätta igång, *b*) ge glans el. popularitet åt

orch orkester; *vanl.* dansorkester

orch chirper sångerska som uppträder tillsammans med dansorkester

Oreo *neds.* svart som lever som vit (efter en kaka som är svart utanpå och vit inuti)

ornery 1 elak, försmädlig; grym; ettrig **2** envis **3** liderlig, osedlig

orry-eyed berusad, omtöcknad

oscar 1 pengar **2** revolver **3** eloge, hyllning

Oscar 1 namn på det årliga amerikanska filmpriset **2** utmärkelse, medalj e.d.

ossifer 1 militärofficer **2** polisofficer

ossified dödfull, "plakat"

Other Agency C.I.A.

Ould Sod Irland

out för uttryck som börjar med *out* och som inte återfinns här nedan se under det mest markanta ordet i uttrycket

out 1 omodern, ute **2** öppet homosexuell **3 out from under** ut ur en besvärlig situation; **at (on) outs with s.b.** i spänt förhållande till ngn, på kant med ngn

out-and-out komplett, grundlig

outasight jättebra, alla tiders, toppen

outdoor roulette hundkapplöpning

outer utslagen politiker

out-front ärlig, öppen

out of it 1 chanslös **2** upprymd **3** borta från världen **4** ute

out of sight *se outasight*

outlaw strike strejk utan fackförbundets gillande, vild strejk

outside chance liten möjlighet, små utsikter

out-take fotograferat TV-band som avsiktligt utelämnas (el. bortcensureras) vid visningen

out to lunch borta, bakom, ute

over and out det var slutet, nu är det inte mera

overkill I *s* överkapacitet av (kärn)vapen **II** *v* handla extremt överdrivet

Owsley acid LSD-fabrikat av hög kvalité

Oy! *jidd.* **1** Oj!, oh! **2** Usch!

ozoner nöjesfält; utomhusbio

P

P.A. högtalarsystem utomhus

package I *s* **1** tilldragande flicka el. ung kvinna (oftast liten o. chic) **2** färdigt TV-program som är klart att sändas **3** pengar **II** *v* iordningställa, producera ett TV-program

package deal affär där köparen måste ta såväl sekunda som prima artiklar för att över huvud taget få ngt (vanligast i film- o. TV-branschen, där varje förstklassigt program drar med sig en rad sämre produkter)

pack a tight suitcase vara svår att bli vän med, hålla andra på avstånd, vara sig själv nog

pack heat, pack a pistol bära revolver el. pistol

pack-rat 1 gårdskarl på hotell **2** hotellpickolo

pack s.th. bära på ngt

pack them in dra stor publik (till ett evenemang)

pad I *s* **1** säng **2** hem **3** tillhåll **4** liggplats för opiumrökare **5** samlingsställe för narkomaner, knarkarkvart **6** avfyrningsplats för rymdraketer och rymdfarkoster **7** landningsplats för helikopter **8** mutor **II** *v* införa luftposter i redovisning

paddlefoot infanterist

pad down lägga sig för att sova

Paddy 1 irländare **2** vit man

paddy wagon 1 polispiket **2** fordon som används för transport till fängelser, mentalsjukhus o.d.

paddywhack ge stryk, aga

page one I *s* kändis **II** *a* välkänd, populär; ökänd

pain in the ass *vulg.* förstärkt form av *pain in the neck*

pain in the neck 1 irriterande, obehaglig person **2** obehagligt, irriterande åliggande, uppdrag el. ansvar

paint cards målade kort (kung, dam, knekt) o. äss i kortlek

paint the town red rulla hatt, festa våldsamt

pal kamrat, kompis

pally 1 kamratlig **2** tillmötesgående, hjälpsam

palm 1 smussla undan ett kort för att använda det i en senare giv **2** dölja (ngt) för en konkurrent i en affärstransaktion

palm oil mutor

palooka 1 dålig boxare **2** brottare **3** klent begåvad, storväxt person **4** svag el. värdelös hand i bridge el. poker

palsy-walsy *a* som (åtminstone utåt) tycks vara vänner

pamby sjåpig, mjäkig

pan I *s* **1** ansikte **2** nedgörande recension (av bok, pjäs e.d.); **on the pan** utsatt för hård kritik **II** *v* **1** kritisera, håna, förkättra, klandra **2** panorera med filmkamera

Panama gold, Panama red olika sorters marijuana från Panama

pancake landing buklandning

panelist deltagare i TV- el. radiodiskussion

panhandle tigga

panhandler tiggare

panic I *s* **1** person som är el. anses vara jätterolig **2** brist på narkotika på marknaden **II** *v* **1** göra stor succé på scen (i sht p.g.a. humoristiskt yttrande e.d.) **2** (*oftast iron.*) roa enormt genom yttrande el. uppträdande ö.h.t.

pan out leda till ett resultat (bra el. dåligt)

pansified feminiserad, förkvinnligad

pansy 1 man som spelar den kvinnliga rollen i ett homosexuellt förhållande **2** feminiserad man

panther häftig el. ettrig person

panther piss *vulg.*, **panther sweat** dålig whisky el. gin

pantry mage

pants man (*jfr skirt*)

pantywaist harig, mjäkig (vanligtvis ung) man

pap förmåner el. inkomster som erhållits genom politiska försänkningar

paper I *s* **1** falska sedlar **2** fribiljett (till cirkus, teater e.d.) **3 lay paper** *a*) betala med checkar som saknar täckning, *b*) sprida falska sedlar; **leave paper** *hand.* fylla i o. signera ordersedel **II** *v* **1** sprida falska sedlar **2** skriva ut checkar som saknar täckning el. är förfalskade

paperback Freud psykologi i populärvetenskaplig form

paper-hanger 1 växel- el. checkförfalskare **2** person som sprider falska sedlar

paper house teatersalong el. annan nöjeslokal som har fyllts med hjälp av fribiljetter

paper-man musiker som spelar efter noter

paper over skyla över

paper-pusher 1 person som sprider falska sedlar **2** kontorist; byråkrat

pap-happy naiv, okritisk, omogen

papoose icke-fackföreningsansluten person som arbetar i samma jobb som fackföreningsanslutna arbetare

para fallskärmssoldat

paralyzed berusad, kanonfull

paranoid chick *hipp*. kvinna som just har börjat knarka

Paraquat test kit utrustning för att kontrollera om marijuana är besprutad med Paraquat, ett gift som används i vissa länder för att förstöra marijuanaodlingar

pard kamrat, kompis

park 1 ställa (ngn el. ngt någonstans) på obestämd tid **2** lägga ifrån sig **3** stå stilla en längre tid **4** hångla i en parkerad bil

parking orbit arbetsplats (oftast *s.b.'s parking orbit*)

parlay I *s* **1** vad på två el. flera saker där vinsten från den ena utgör insats på nästa osv. (om ett steg inte ger vinst är serien slut, t.ex. V 5) **II** *v* **1** satsa vinsten på ett vad på ett nytt vad **2** (*i affärslivet*) satsa vinsten från en transaktion på en ny transaktion (ev. genom en hel serie transaktioner)

parley-voo tala el. förstå ett främmande språk

parlor house bordell

parlor pink salongskommunist

partner kompis

party hack I *s* obetydlig politiker **II** *a* politiskt obetydlig

party pooper 1 den el. de första som lämnar en bjudning **2** glädjedödare, "döddansare"

pash I *s* idol, hjälte, avgud **II** *a* passionerad, romantisk

pass I *s* **1** försök att göra intryck på ngn; **make a pass at s.b.** göra närmanden i hopp om att få ligga med ngn **2** fribiljett **3** godkänt betyg el. högre (i tentamen) **II** *v* bli godkänd av grupp, ras, parti e.d.

passion pit utomhusbio

pass out svimma, tuppa av

pass-out 1 medvetslös person **2** förlust av medvetandet (oavsett vilken orsaken är) **3** falsk tärning

pass s.th. off on s.b. pracka på ngn ngt; *ibl.* prångla ut

pass up 1 tacka nej till **2** negligera

paste 1 drämma till **2** besegra grundligt (mest i sport) **3** beskylla, ange

pasteboard 1 biljett **2** kort (visitkort, spelkort osv.)

paste s.th. in one's hat göra en minnesanteckning om ngt, lägga ngt på minnet

paste-together montage

patsy 1 lättbesegrad el. lätt övertygad person, sportlag e.d. **2** syndabock **3** specialitet, starka sida **4** andlig sparringpartner

patter 1 likgiltigt prat **2** reklaminslag i radio el. TV

patty vit person

paw I *s* hand **II** *v* tafsa på, smeka

pay day dag då man gör succé, vinner berömmelse, får pengar e.d., lyckodag

pay dirt källa till framgång, rikedom, popularitet e.d.; **hit pay dirt** *a*) förverkliga dröm el. önskan, *b*) vinna framgång

pay dues ha det svårt

pay-off 1 slutresultatet av en serie händelser, handlingar, åtgärder e.d. **2** poäng (i vits el. anekdot) **3** utbetalning av mutor **4** *bildl.* slutgiltig behållning av ngt

payola mutor; *i sht plugola* (*s.d.o.*)

P.C.P. *se angel dust*

P.D.A. (*av public demonstration of affection*) smekning el. kyss på allmän plats

P.D.Q. (*av pretty damn quick*) omedelbart, som en blixt, ögonblickligen

pea 1 golfboll **2** pistolkula

peacemaker revolver

peacenik antikrigsdemonstrant
peace weed *se angel dust*
peach I *s* exceptionellt trevlig person el. sak **II** *v* röja; tjalla
Peach State Georgia
peachy ypperlig, charmant, briljant
peahead dumbom
peanuts 1 obetydlig summa pengar **2** föga lönsam affär el. handling
pearl-diver diskare på kafé, restaurang e.d.
pea-shooter jaktplan
pea soup tät dimma
peasouper 1 fransk-kanadensare **2** tät dimma
peck äta
pecker *vulg.* penis, kuk, pitt
peckerwood fattig vit man från sydstaterna i USA
pecking order rangordning
peddle one's papers inte lägga näsan i blöt, sköta sina egna affärer; sticka sin väg, försvinna
peddler knarklangare
pedigree papers *rymd.* testresultat för enheter som skall användas i rymdfarkoster
pee I *s* **1** *mil.* V vietnamesisk piaster **2** *vulg.* urin, piss **II** *v vulg.* urinera, pissa
peed off *halvvulg.* **1** ledsen, nere **2** arg, förbannad
pee-eye sutenör
pee-jays pyjamas
peel 1 ta av sig kläderna **2** uppträda som stripteasedansös
peeler stripteasedansös, strippa
peeleroo nöjesetablissemang med nakendans och striptease
peel off 1 (*om militärplan*) avlägsna sig från en formation **2** (*om fordon*) i hög fart svänga ut ur en trafikström (t.ex. i en trafikkarusell) **3** (*om person*) dra sig ifrån ett ressällskap el. en grupp
peel out avlägsna sig hastigt o. utan förklaringar, sticka
peel parlor nattklubb som specialiserar sig på nakendansöser o. stripteasedansöser
peel the bark off få fram nakna sanningen, avslöja

peep knyst, muck, knäpp (nästan alltid negativt: *not a peep outa you!*)

peeper 1 privatdetektiv **2** (*oftast i pl*) öga

peepers solglasögon

peeping Tom fönstertittare

peep show 1 inte särskilt vågad underhållning med lätt klädda flickor **2** nyckelroman el. -pjäs

peewee I *s* person som är mycket liten till växten (dock ej om dvärg) **II** *a* mycket, mycket liten

peg-leg 1 person med träben **2** enbent person

peg out dö

pegs ben (ej ofta kvinnoben)

pen fängelse

pencil-pusher 1 kontorist **2** reporter, författare el. annan som lever på att skriva

penguin 1 mark- o. kontorspersonal vid flygvapnet **2** statist som uppträder i frack el. smoking i masscen (mest i film)

penguin suit rymddräkt

pen in spärra in, stänga in (inte nödvändigtvis i fängelse)

penman förfalskare

penny 1 cent **2** dollar, dollarsedel **3 pretty penny** väl tilltaget belopp; **the penny drops in s.b.'s mind** ngn fattar galoppen, det går upp ett ljus för ngn

penny-ante billig, obetydlig, oväsentlig

penny-dreadful billig sensationsroman; kiosklitteratur

penny-pincher gnidare

pennyweighter juveltjuv

pen-pusher *se pencil-pusher*

Pentagon 1 krigsministeriets hus i Washington, D.C. **2** amerikanska krigsministeriet

pentagonese militärjargong

people familj, släkt

people beeper personsökare

people eater TV-kamera för närbilder

pep vitalitet, energi, fart, kläm

pepless slö, nere

pepper fog tårgas

pepper fogger apparat som under högt tryck sprutar ut tårgas (mot demonstranter o.d.)

pepper-upper ngt uppiggande (person, drink, kaffe, tabletter, musik etc.)

peppy livfull, pigg

pep up 1 pigga upp **2** piffa upp, sätta snits på

percentage förmån, fördel, vinst; **what percentage is there in it for me?** vad får jag ut av det? (svaret kan lika gärna vara varor, gentjänster e.d. som pengar)

percolate röra sig inom ett litet område (t.ex. cocktailparty, bar), gå från grupp till grupp, från person till person e.d.

perilune wiggle *rymd.* månsonds (el. rymdfarkosts) oförklarliga avvikelse från fjärrstyrningsorder när den kommer nära månen

period *vulg.* mens, "grejerna"

perk knalla o. gå

perks privilegier

perk up repa sig, komma i gång

persnickety noga, kinkig, kräsen

persuader revolver

pesky irriterande, besvärlig

pete kassaskåp

Pete tilltal till (främmande) man

pete-man dynamitard

peter 1 kassaskåp **2** *vulg.* penis, kuk, pitt

peter out försvinna långsamt, sina, gradvis upphöra

Peter Principle principen om att en anställd alltid avancerar till den nivå i en firma som motsvarar hans inkompetens

pet peeve 1 antipati, avsky, motvilja **2** mycket starkt irritationsmoment

petrified dödfull

pheenies narkotikatabletter innehållande barbiturater

phenagler lurifax; snyltare

phfff, *äv.* **go phffft 1** dö **2** gå sönder, bli trasig

Philly Philadelphia

phiz ansikte

phone in *s* telefonväktarprogram

phony I *s* **1** förfalskning **2** hycklare **II** *a* förfalskad, eftergjord, imiterad

phooey I *v* visa förakt **II** *interj* Fy!, Usch!

pic (*pl pix*) film

pick at s.b. tjata på ngn, gnata på ngn

picker gitarrist

picker-upper 1 *se pepper-upper* **2** bilist som tar upp liftare

pickle besvärlig el. knepig situation

pickle barrel (picklestunna) [**right**] **down the pickle barrel** precis som planerat, helt enligt ritningarna

pickled kraftigt berusad men ej dödfull

pick-me-up återställare

pick up 1 arrestera **2** ge lift **3** hämta, ta upp **4** slå sig i slang med, lära känna **5** lära sig **6** köpa narkotika

pick-up 1 arrestering **2** tillfällig bekant (oftast kvinna) **3** lösaktig kvinna **4** förbättring i hälsan

pick up on s.th. sätta sig in i ngt, lära sig ngt om ngt

pick up the tab betala

picky 1 som gärna vill anmärka **2** anspråksfull

picnic lätt jobb, lätt uppdrag

picocurie *forskar.* pikocurie (biljondels curie)

picture (tavla) **out of the picture** *a*) avpolletterad, utestängd, avskriven, ute ur bilden, *b*) utan chanser, utsiktslös

piddle urinera, pinka

pie I *s* lätt jobb el. uppdrag, lätt idrottstävling, sak som är lätt att klara av **II** *v* gå i stöpet, misslyckas

piece 1 andel av vinst; andel i företag **2** pistol; *zip gun* (*s.d.o.*) **3** *vulg.* kvinna betraktad uteslutande som sexualobjekt **4** *vulg.* samlag **5** ett ounce heroin el. annan narkotika **6** graffiti utanpå tunnelbanevagn **7** **say one's piece** säga sin åsikt, säga vad man anser om ngt el. ngn; **speak one's piece** *a*) säga sin åsikt, *b*) tala till sitt försvar

piece of ass *vulg.* **1** kvinna betraktad uteslutande som sexualobjekt **2** samlag

piece of cake smal (enkel o. lätt) sak

piece of change summa pengar

piece of tail *vulg.*, *se piece of ass*

piece of the action andel el. procent av vinsten

piece of trade prostituerad kvinna

pied type tryckfel (i sht omkastade rader)

pie-eyed 1 berusad, omtöcknad **2** storögd av förvåning, skräck e.d.

pie-face person med runt, uttryckslöst (el. komiskt) ansikte

pie in the sky 1 valfläsk **2** utopi, drömrike **3** pengar från himlen, oförtjänt inkomst el. vinst

pig I *s* **1** polis **2** rasist, fascist **3** behållare (oftast av bly) för transport el. förvaring av radioaktiva ämnen **II** *a* kälkborgerlig, borgerlig **III** *v* vräka i sig

pig boat ubåt

pigeon I *s* **sit like a pigeon** vara i en ömtålig el. riskfylld situation **II** *v journ.* sända sitt manus med flyg

piggyback I *s* **1** fordon el. båt som används till transport av mindre fordon el. båt **II** *v* **1** transportera på *piggyback* **2** göra reklam för två (el. flera) olika varor i samma annons el. radio- el. TV-inslag

pigheaded envis

pig pen polisstation

pigskin fotboll, läder

pig up vräka i sig

piker snåljåp, ynkrygg

pile förmögenhet, stor summa pengar

pile after s.b. springa efter ngn, förfölja ngn

pile up (*om fartyg*) gå på grund; (*om fordon el. flyg*) krocka

pile-up krock

pill 1 ej omtyckt person **2** opiumkula beredd till rökning **3** cigarrett **4** bomb **5 drop a pill** använda narkotika i tablettform; **the pill** p-piller

pillow fee prostituerads betalning

pill pad narkotikahåla

pill-peddler, pill-pusher 1 läkare **2** apotekare

pilot I *s* **1** jockey **2** anförare el. ledare av grupp **3** första i en serie **II** *a* inledande

pimp sutenör

pimp socks *neger.* långa svarta herrstrumpor

pin – pin-up girl

pin 1 uppvakta (ngn av motsatt kön), stöta på (ngn) **2** förstå (ngn) perfekt **3** kolla in, vara intresserad av

pin a tag on s.b. förklara ngn skyldig

pin back s.b.'s ears 1 överlägset besegra ngn **2** genomprygla ngn **3** läxa upp ngn

pinch I *s* **1** arrestering **2** stöld, intjack, snatteri **II** *v* **1** arrestera **2** stjäla, snatta **3** göra svåråtkomlig

pinch-hit for s.b. (i nödsituation) ersätta ngn

pin down 1 definiera, fatta o. förklara i detalj **2** hålla fast med våld

pineapple 1 handgranat **2** bomb

pinfeather (fjun) **in pinfeathers** lanserad, påbörjad, just uppkommen

pinfeather-age flygets barndom

ping-ponging sätt av läkare att få ut mer pengar från sjukkassan genom att helt i onödan skicka en patient från den ena läkaren till den andra

pinhead idiot, klent begåvad person

pink 1 salongskommunist **2** vit människa **3** körkort **4** LSD **5** barbiturat **6 in the pink** vid god hälsa

pink collar *a* om yrke där kvinnor dominerar

pink elephants delirium tremens

pinkie 1 privatdetektiv **2** se *pinky*

Pinks detektiver från Pinkerton's National Detective Agency

pink slip 1 uppsägning, avsked **2** poäng el. bråkdel av poäng tilldelad amatörbridgespelare av American Contract Bridge League

pinktoes (*i vit persons mun*) ljushyad negress; (*i negers mun*) negers vita älskarinna

pinky lillfinger (*pl pinkies* alla fingrar)

pinky ring lillfingersring

pins ben, fötter

pin s.th. on s.b. anklaga ngn för ngt

pint-sized mycket liten

pin-up 1 foto el. bild av vacker (vanligtvis naken el. nästan naken) flicka **2** se *pin-up* girl

pin-up girl kalaspingla, pinuppa

pip 1 märkvärdig, raffinerad, förstklassig sak el. person **2** militär gradbeteckning i metall på axelklaff

pipe I *s* **1** lätt uppdrag el. jobb **2** telefon **3 hit the pipe** *a*) röka opium, *b*) röka knark ö.h.t.; **take the pipe** begå självmord **II** *v* **1** titta på, beskåda **2** prata, skvallra, tjalla **3** slå (ngn) i huvudet med metallrör

pipe down 1 sluta tala **2** tysta ned

pipe dream orealistisk plan, målsättning el. idé

pipes 1 TV-mikrofon använd utanför studion **2** luftrör; *ibl.* lungor

pipperoo mycket märkvärdig, raffinerad el. högklassig sak el. person

pippin *se pip*

pipsqueak liten, obetydlig person el. sak; litet, obetydligt djur

piss *vulg.* **I** *s* urin, piss **II** *v* urinera, pissa

piss and vinegar energi, vitalitet; kvickhet, skämtsamhet

piss away slösa bort

pissed-off *halvvulg.* **1** arg, upphetsad **2** trött, utsliten; ledsen, nere

pissed up *vulg.* upphetsad

pisser 1 liten grabb (i sht en glad o. livad) **2** *halvvulg.* strängt, svårt, tröttsamt arbete el. uppdrag

piss-poor 1 utfattig **2** usel

pitch 1 argumentering; **make a pitch** *a*) försöka uppnå en förmån (som man inte är berättigad till), *b*) försöka pungslå **2** gatuförsäljares tricks o. försäljningssnack **3** gatuförsäljares stånd, bord el. bricka

pitch in 1 ge sitt bidrag (t.ex. till insamling) **2** börja arbeta hårt med; **in there pitching** görande sitt bästa, ivrigt försökande

pitch into s.b. angripa ngn i ord el. handling

pitchman 1 gatuförsäljare **2** demonstratör i reklaminslag i TV **3** officiell förespråkare för idé, plan, rörelse e.d.

pits, the botten

pix 1 *koll.* film **2** fotografier **3** homosexuell person

pixilated 1 förhäxad **2** excentrisk **3** lätt berusad

pizazz 1 grannlåt **2** falskt, yttre skal, fasad **3** förmåga att få folk intresserade (mest genom att framhäva oväsentliga detaljer)

4 kraft, styrka, energi
P.J.s. pyjamas
place (ställe) **go places** ha framgång, bli befordrad
plain vanilla genomsnittsmänniska
plank down (out, up) s.th. plocka fram ngt, punga ut med ngt
plant I *s* **1** en el. flera betalda personer som uppträder som publik, kunder e.d. (t.ex. klack på teater) **2** arrangerad situation (*se frame 1*) **3** spion som uppträder som medlem av förening, grupp, liga e.d. **4** undangömt tjuvgods **II** *v* **1** begrava (t.ex. en död, pengar, värdesaker) **2** anbringa fällande bevismaterial så att en oskyldig får skulden
plastered ordentligt, men ej medvetslöst berusad
plastic *hipp.* **1** eländig, urdålig, värdelös **2** konstgjord, falsk
plastic hippie *hipp.* deltids-hippie
plater kapplöpningshäst (oftast dålig)
plates fötter
platforms platådojor
platter 1 grammofonskiva **2** diskus
play (lek, spel) **make a play for** *a*) göra sig sexuellt attraktiv för ngn av motsatt kön, *b*) anstränga sig hårt för att nå ett bestämt mål el. en förmån
play around 1 slå dank **2** umgås intimt med två el. flera personer av motsatt kön samtidigt
play ball 1 påbörja **2** vara förstående el. tillmötesgående
played out 1 trött, utmattad **2** sliten, utnött (om pjäs, artistnummer, bok, vits, anekdot e.d.)
player 1 spelare, gambler **2** lösaktig person (särskilt om gifta) **3** hallick
play for keeps uppträda hårt o. hänsynslöst
playoff 1 finalomgång (i sport- el. idrottstävling), avgörande omgång **2** förlängning (efter oavgjord match el. idrottstävling)
play s.b. or s.th. big 1 ge ngn el. ngt en framträdande plats i en tidning **2** fira ngn el. ngt
play the field sällskapa med många av motsatt kön men inte ha fast sällskap med ngn
play the s.b. uppträda som om man har viss ställning, rang el.

yrke (som anges genom "s.b.")

plebe 1 förstaårsstuderande vid ngn av USA:s tre statliga officersskolor **2** förstaårsstuderande vid college el. universitet

plonk tråkmåns; klantskalle

plotz roa

ploy 1 förfarande, metod; ingripande **2** manöver, undanmanöver, dimridå

plug I *s* **1** gammal häst **2** falskt mynt **3** dålig, andra klassens boxare **4** rekommendation; ros, lovord **5** osäljbar vara **6 pull the plug on s.b. or s.th.** *a*) göra sig av med ngn el. ngt, *b*) sätta stopp för ngn el. ngt **II** *v* **1** drämma till **2** döda med skjutvapen **3** förorda, stödja, plädera för **4** göra reklam för, plugga för **5** studera intensivt, plugga

plugged-in 1 inne, med i svängen **2** upprymd

plug-in I *s* **1** ngt med stickkontakt **II** *a* som kan anslutas till elnätet

plugola mutor, i sht till disk-jockey för att han skall "hamra in" en viss grammofonskiva

plug-puller flicka i telefonväxel, växeltelefonist

plug-ugly 1 boxare **2** stor o. ful man

plumb komplett, fullkomlig, äkta

plumber person med uppgift att täppa till informationsläckor (t.ex. i Vita Huset)

plumbing course sexualundervisning (i skolan)

plunk I *s* en dollar **II** *a* precis, nöjaktig

plunk down *se plank down*

plush, plushy elegant, luxuös, förnämligt inredd

PNG (*av persona non grata*) oönskad person

PNG'D deporterad

Podunk namn som används i stället för ordet "landsortshåla om en ort

pogey 1 privat välgörenhetsinrättning (t.ex. barnhem, ålderdomshem, sjukhus) **2** gratis matpaket, utspisning

point 1 nål (till spruta) **2** utkik

pointyhead *äv.* **pointed head 1** intellektuell person **2** kvasiintellektuell person

poison 1 person, sak, ställe, som för otur med sig **2** alkohol-

haltig drink, *i sht* starksprit
poison-pen letter elakt anonymt brev
poke I *s* **1** cowboy **2** alla pengar man har **3** börs, plånbok el.
ficka (där man bär sina pengar) **II** *v* sköta en hjord nötboskap el.
får
pokey, poky fängelse
pol politiker
Polaroid hastighetskontroll med polisradar
poler plugghäst
police up städa grundligt
polish off 1 klara av **2** äta; dricka **3** döda; slå medvetslös
polish up förbättra, modernisera
political plum book officiell lista över alla politiska ämbeten
i USA
Pommy australier
ponce I *s* **1** gigolo **2** sutenör **II** *v* tjäna sitt uppehälle som
sutenör el. gigolo
pond ocean, *i sht* Atlanten, "pölen"
pony 1 lathund, moja **2** tidningsartikel som huvudsakligen be-
står av utdrag ur o./el. sammandrag av bok, föredrag e.d. **3** litet
glas för likör, aperitif e.d. **4** litet glas öl **5** kapplöpningshäst
6 balettflicka i revy
pony up betala
pooch hund, jycke
poof (ljudhärmande ord) **go poof** krossas, tillintetgöras, gå åt
fanders
pooh-bah självbelåten, självförgudande person
pooh-pooh nonchalera, strunta i, negligera, ge fasen i
pool reporter reporter som arbetar på samma uppdrag för två
el. flera tidningar
pool shark 1 professionell biljardspelare **2** bondfångare med
biljardspel som specialitet
poop I *s* **1** ej omtyckt, obetydlig el. dum person **2** upplysningar
direkt från auktoritativ källa **II** *v* trötta ut, göra andfådd
poop along knalla o. gå
pooped, pooped out dödstrött, utmattad
poop out misslyckas el. sluta med p.g.a. ångest, trötthet e.d.

poop sheet (*mil. o. sjömil.*) skriven (sällan tryckt) officiell kungörelse, dagorder, plan e.d.

poor fish han, hon, den, det, de (kan användas i stället för *he, she, it* el. *they*)

poor man's billigare, mindre, obetydligare, ringare, mindre känd

poor-mouth 1 påstå att man är fattig **2** förringa sig själv, sina chanser etc. **3** förtala

pop I *s* **1** pappa **2** poplåt **3** pistol **4** glasspinne **5** läsk **6** dvala; **on a pop** berusad genom sniffning **II** *v* **1** ligga med en kvinna; **get popped** (*bara om kvinnor*) bli knullad, *äv.* våldtagen **2** käka piller **III** *a* populär, modern

pop a gasket bli förtörnad, bli arg, ilskna till

pop off 1 dö **2** döda **3** kila i väg **4** säga sin åsikt utan omsvep

pop one's buttons vara utomordentligt stolt el. belåten

poppycock nonsens, struntprat

pop quiz (test) provskrivning som inte har aviserats, oväntad provskrivning

pork barrel den federala regeringens stöd el. subventioner till enskilda stater, län el. städer, avsedda att öka den enskilde kongress- el. senatsmedlemmens popularitet hos väljarna

pork-barrel (*om lag el. lagförslag*) innebärande möjlighet för senator el. kongressmedlem att tillskansa sig en för stor andel av de beviljade beloppen till det område han representerar o. därigenom vinna ökad popularitet

porker 1 gödgris **2** (*mycket neds.*) ortodox jude

porno I *s* porr **II** *a* porr-

porny pornografisk tidskrift

portsider vänsterhänt person

portsiding vänsterhänt

posh *se plush*

poshlost berömmande kritik av konstalster framförd av s.k. experter, som eg. inte förstår vad det hela rör sig om och därför använder intetsägande klichéer för att dölja bristen på verklig kunskap

possum (pungråtta) **play possum** *a*) låtsas sova el. låtsas vara död, *b*) låtsas vara okunnig el. ovetande

postage-stamp country (nation) nation som är obetydlig i fråga om storlek, politisk betydelse el. annat (i sht om de små nationerna i Mellanamerika)

pot I *s* **1** marijuana **2** hembränd whisky **3** alkoholist **4** *se kitty;* **go to pot** ruineras, gå åt pipan **5** stort belopp **6** kalaskula **7** ej omtyckt medelålders (i sht fet) person **8** *mil.* stålhjälm **II** *v* **1** tillfångata **2** vinna, försäkra sig om **3** skjuta ned, knäppa

potato 1 en dollar **2** näsa **3 hold one's potatoes** ha lite tålamod, lugna ned sig

pot belly 1 kalaskula **2** person med kalaskula

potboiler 1 bok skriven enbart med tanke på ekonomisk vinning **2** verk av känd konstnär el. författare men av betydligt lägre kvalité än vanligt

pothunter 1 arkeolog **2** person som plundrar övergivna byggnader

pot out (*om motor*) gå på tomgång

pot shot snabbt försök

potted, potted up 1 berusad, påstruken **2** narkotikaberusad (oftast av hasch)

potty småtokig, excentrisk, lätt sinnesrubbad

pound one's ear sova

pound the pavement 1 vara arbetslös **2** (*om polis*) patrullera

pour in framträda på TV-skärmen

pour it on 1 framlägga en onödigt lång rad argument **2** bre på, överdriva

pow makt, inflytande

P.O.W., *ibl.* **pow** krigsfånge

powder (pulver) **take a powder, take a run-out powder** smita, sticka, försvinna

powder monkey bergsprängare

power-house 1 starkt idrottslag **2** kraftfull o. seg sportsman **3** mycket konkurrenskraftig grupp

pow-wow konferens; diskussion; debatt

prat bakdel, rumpa

prat-fall 1 "rova" (fall) **2** nederlag; förlust; missöde

prayer chans, utsikt att lyckas (alltid negativt o. vanl. i uttryck-

et *s.b. hasn't a prayer*)
pre-bra set 1 barn under tonåren **2** småbarn som spelar in grammofonskivor
preem 1 premiär (på pjäs, film e.d.) **2** debut (på scen, i TV e.d.)
preemie, *äv.* **premie** för tidigt fött barn
prefab I *s* monteringsfärdigt hus **II** *a* **1** monteringsfärdig **2** plagierad, välkänd, utnött, förhandenvarande (om intrig, situation e.d. i bok, pjäs etc.; äv. om förslag el. idé)
prelim 1 förmatch vid boxningsgala **2** provskrivning före själva tentamen **3** inledning, förspel, upptakt
preppie elev vid *prep school*
prep school förberedande skola (vanl. privat internatskola) för intagning vid college el. universitet
prep-school 1 som avser *prep school* **2** snobbig o. stilig, struntförnäm
press the bricks (*om polis*) patrullera
press the flesh 1 skaka hand **2** få ngn på andra tankar, vinna anklang hos ngn
pretzel tysk; tyskättling
pretzel-bender 1 brottare **2** krogkund, rumlare
prexy rektor (vid universitet, college el. prep school)
Prez 1 USA:s president **2** direktör för storföretag
prick *vulg.* penis, kuk, pitt
prick teaser *se cock teaser*
primed 1 lätt berusad **2** redo för (ngt el. ngn)
private eye privatdetektiv
privy torrklosett, utedass
pro I *s* **1** professionell **2** prostituerad **3** profylaktiskt medel mot könssjukdomar **4** villkorlig dom **II** *a* professionell
pro-blue 1 ultrakonservativ **2** antikommunistisk
process räta ut krulligt hår
prof 1 professor (vid universitet el. college) **2** lärare, magister (vid läroanstalt ö.h.t.)
profile (profil) **keep a low profile** ligga lågt
prole proletär, en i den stora massan; *ibl.* Medelsvensson
prom 1 skoldans **2** föreningsbal

185 **promo bit — pucker assed**

promo bit filmstjärnas turné genom landet för att göra reklam för en ny film
promote tillskansa sig, skaffa sig genom list
prom-trotter 1 mycket populär (i sht studerande) flicka **2** manlig studerande som är mera intresserad av nöjen än av studier
pronto omgående, strax, meddetsamma
prop I *s* **1** teaterrekvisita **2** flygplanspropeller II *a* oäkta, simili
proposition s.b. framlägga ett förslag för ngn (i sht föreslå samlag)
props 1 scenarbetare **2** ben **3** *se falsie*
prosty hora
protection, protection money mutor till polis el. politiker
proverbial snowball ngn el. ngt som inte har någon chans att lyckas (oftast i uttryck som *like the p.s.* el. *of the p.s.;* ordspråket är: *as much chance as a snowball in Hell*)
prune 1 kille **2** dummerjöns
prushun ung ledsagare åt vagabond
P.S. folkskola (om *P.S.* följs av ett nummer anger det vilken folkskola i berörda storstad det rör sig om; vissa skolor i USA har inte namn men nummer, speciellt i New York)
p's and q's 1 takt o. ton, goda manér **2** personliga tillhörigheter, eget arbete, egna intressen (i motsats till andras)
psych I *s* kurs i psykologi II *v* **1** utöva påtryckningar på med psykologiska medel, psyka **2** psykoanalysera ngn
psycho 1 psykopat **2** excentrisk, småtokig person; **go psycho** *a)* förlora fattningen, *b)* löpa amok
psych out 1 tappa fattningen **2** bringa (ngn) ur fattningen **3** förstå (ngn) ''på djupet''
psych up ladda upp, samla sig
psywar psykologisk krigföring
P.T.A. 1 föräldraförening **2** snabbtvätt av stjärten, underlivet och brösten (*av pussy, tits and ass*)
ptomaine parlor elegant inredd restaurang med dålig mat
pub-crawl gå krogrond
pucker 1 rädsla **2** mun
pucker assed rädd, skraj

pudding-head I *s* dum, virrig men omtyckt person **II** *a* dum o. virrig men omtyckt

puddle-hopper, puddle-jumper 1 allmänt kommunikationsmedel (buss, tåg, flygplan etc.) som är litet o./el. i dåligt skick o. som betjänar småstäder **2** bolag som har sin inkomst från *puddle-jumpers*

puff I *v* berömma **II** *s* gratisreklam

puff job, puff piece 1 PR-alster **2** reklamtext om författare o. bok på bokomslag

pug boxare

pull för uttryck som börjar på *pull* och som inte återfinns här nedan se under det mest markanta ordet i uttrycket

pull I *s* inflytande **II** *v* arrestera

pull down tjäna (i lön)

pulleys hängslen

pull for s.b. ge ngn sitt stöd, arbeta för ngns framgång

pull in arrestera

pull s.th. off 1 lyckas med ngt, genomföra ngt **2** begå ngt olagligt el. brottsligt

pulp I *s* tidning av låg litterär kvalité **II** *a* sensationell, undermålig (endast om innehåll i tryckalster)

pulps (*koll.*) kiosklitteratur

pump jockey *se gas jockey*

pumpkin, *ibl.* **punkin** köping; by

pumpkin head dumbom

punch I *s* (*om replik el. skrivet utlåtande*) kraft, betydelse, skärpa **II** *v* **1** sköta en hjord nötboskap **2** knulla

punch-drunk 1 hjärnskadad genom boxning **2** omtöcknad o. oklar i tankarna

puncher tillfällig ställföreträdare för arbetsledare under dennes frånvaro

punch-for-pay pro-boxning

punch-line sista meningen, poängen (i vits, anekdot *e.d.*)

punch up i TV-sändares kontrollrum välja ut den bild som skall sändas

punchy *se punch-drunk*

punk I *s* **1** ung, obetydlig man **2** homosexuell person **3** bröd

4 punkmusik **5** diggare av punkmusik o. punkkläder *etc.*, punkare **II** *a* **1** småkrasslig, olustig, "vissen" **2** sekunda, av dålig kvalité; oanvändbar

puppy love ungdomlig förälskelse

pup tent tält som rymmer högst två personer

purple 1 ordrik, svulstig, svamlig **2** (*endast om ord el. replik*) pornografisk

purple heart piller innehållande amfetamin o. barbiturat (*av dess utseende; dessutom en anspelning på den amerikanska tapperhetsmedaljen med samma namn*)

purple microdots LSD

purple passage svulstigt el. ekivokt avsnitt (i bok e.d.)

push I *v* **1** sälja narkotika **2** uppreklamera **3** döda **4** nalkas en ålder (*pushing fifty*) **5** bedriva yrkesmässig trafik (i sht med stora lastbilar o. truckar) **II** *s* **1** stor samling personer **2** gäng, liga **3** energi, iver

push a pen ha kontorsarbete

pushed out of shape *hipp.* nervös; ängslig, bekymrad

pusher 1 narkotikalangare **2** person som sprider falska sedlar **3** arbetsförman

push off I *v* **1** ge sig iväg **2** dö **3** döda **II** *interj* Stick!

pushover 1 latmansgöra **2** svag motståndare **3** lätt seger

push up daisies ligga begravd

pushy streberaktig

puss 1 ansikte **2** mun

pussy mus, fitta

pussycat sötnos

pussyfoot (*mest om politiker*) inta en oklar ståndpunkt

pussyfooter person som slingrar sig ifrån direkta svar på frågor, person som inte intar en klar ståndpunkt

pussywhipped under toffeln

put för uttryck som börjar på *put* och som inte återfinns här nedan se under det mest markanta ordet i uttrycket

puta hora

put across s.th. 1 göra ngt ohederligt **2** förklara ngt på övertygande och begripligt sätt

put away 1 fängsla **2** döda **3** äta

put-down 1 politiskt program **2** vallöften **3** förolämpning, ngt förödmjukande

put down s.b. förödmjuka, förnedra ngn

put in one's two cents (*el.* **2 c**) **worth 1** framföra sin (vanligtvis ej sakkunniga) åsikt om ngt **2** ge ej önskade råd

put on överdriva, "brodera ut", "bre på"

put-on 1 avsiktligt vilseledande snack el. förklaringar; *ibl.* handgripligt skämt **2** bluffmakare

put out I *v* **1** prestera; göra sitt bästa **2** *vulg.* (*om kvinna*) gå med på samlag **3** besvära **II** *a* åsidosatt, negligerad, förödmjukad, sårad

put-put motorbåt med svag motor

put-put crowd *koll.* oerfarna motorcyklister

putt-putt skoter

put up 1 satsa pengar på ett vad **2** inhysa, ge husrum

put-up job *se frame 1*

put up or shut up genom handling visa att man menar vad man säger

put-up-or-shut-up genom handling bevisad vara riktig

put up with s.th. 1 utstå, uthärda ngt **2** nöja sig med ngt

putz *vulg.* **1** penis, kuk, pitt **2** idiot, klantskalle

PX marketenteri vid militärförläggning el. amerikansk ambassad

pygies *se P.J.s*

pyramids platådojor

Q

q.t. tysthet; **on the q.t.** i smyg, hemligt, utan omnämnande
quad 1 fängelse **2** skolgård (vid högre läroanstalt)
quads fyrlingar
Quaker State Pennsylvania
quality tidning el. tidskrift av hög kvalité; **be the quality**
vara uppskattad o. beundrad inom en grupp
quarter (*eg. 25 cent*) 25 dollar
quarterback 1 leda en grupp, vara den bestämmande i grupp
el. rörelse **2** planlägga, organisera inom rörelse, förening el.
grupp; **Monday-morning quarterbacking** efterklokhet
queen 1 charmerande ung dam **2** homosexuell man som spelar
den kvinnliga rollen
queer I *s* **1** homosexuell man **2** lesbisk kvinna **3** sexuellt avvi-
kande person **4** falska pengar **II** *a* **1** sexuellt avvikande **2** falsk
queer s.b. with s.b. else förstöra ngns förhållande till ngn
annan
queer s.th. for s.b. fördärva el. ödelägga ngt (i sht affär e.d.)
för ngn
Queer Street ekonomiska bekymmer
queery frökenaktig (dock ej homosexuell)
quencher dryck (i sht alkoholhaltig)
quetch *se kvetch*
quick-and-dirty liten billig sylta
quick buck *se fast buck*
quickie I *s* **1** ngt som har framställts snabbt o. vanl. billigt (film,
bok, pjäs e.d.) **2** ngt som man stökar undan fort (snabbresa,
hastigt genomförd lag, snabbläst bok etc.) **3** *vulg.* snabbt ge-
nomfört samlag **II** *a* **1** snabbframställd **2** snabbt avklarad el.
genomförd

quick one hastigt nersköljd (alkoholhaltig) dryck

quick on the draw snabb i reaktionen, snabb i att ge svar på tal, snabb i att vidta motåtgärder

quick on the uptake som har lätt för att fatta (i sht innebörden i en situation)

quiff prostituerad som inte är dyr

quill rör tillverkat av tändsticksask, använt vid sniffning av heroin el. kokain

quill driver person som skriver mycket (författare, kontorist e.d.)

quiniela (*äv. kallat five-ten*) amerikansk motsvarighet till V 5-spel

quint femling

quipster vitsmakare, kvickhuvud; ordvrängare

quirk 1 excentriker; konstig figur, krumelur **2** egendomlighet, excentricitet

quirky kufisk, kuriös, underlig, invecklad

quit it dö, lämna in

quiz I *v* förhöra, fråga ut **II** *s CB* alkoholtest, ballong

quiz kid 1 ovanligt klokt barn **2** ytterst lovande ung person inom affärslivet el. politiken

quiz program (show) radio- el. TV-program med frågelek

quod *se quad 1*

R

rabbit ears 1 bordsantenn el. inbyggd antenn till TV **2 have rabbit ears** vara lättsårad, ömskinnad el. tunnhudad
rabbit food 1 råkostsallad, "kaninmat" **2** grönsak, *i sht* salladsblad
rabbit's foot maskot, amulett
race-horse survey opinionsundersökning (gallup-, Sifo- e.d.) under pågående valkampanj
racked 1 under kontroll **2** säker på framgång
racket 1 illegal el. ohederlig verksamhet **2** yrke **3** lätt jobb el. uppdrag **4** partaj
racketeer I *s* person som ägnar sig åt illegal el. ohederlig verksamhet (i sht utpressning) **II** *v* lura, utnyttja
rack out 1 lägga sig o. sova **2** dra sig tillbaka
rack up (some amount) skrapa ihop (ett belopp)
rad radikal person
radical chic mode bland rika innemänniskor att stödja o. umgås med radikala grupper
radiclib radikal liberal, vänsterliberal
radio shack radiohytt på fartyg
raft 1 stort antal, stor mängd **2** (flotte) **alone on a raft** *se alone*
rag I *s* **1** klänning, "trasa" **2** endollarsedel **3** omtyckt flicka (i sht ngns fästmö) **4** *neds.* tidning, blaska **5** binda, tampong; **be on the rag** ha mens **II** *v* retas, pika, skoja med
rag-hauler seglare
rag out klä sig fin, ta på sig finkläderna
rags 1 papperspengar, sedlar **2** kläder, klädesplagg
rag trade modebranschen
rag up *se rag out*

rah-rah I *a* (*mycket neds.*) college-, läroverks- **II** *v* heja på, uppmuntra med tillrop

railbird inbiten hästkapplöpningsentusiast

railroad 1 bura in på lösa anklagelser **2** trumfa igenom **3** med våld tvinga (ngn) att göra el. säga ngt

railroad bible kortlek

rails (spår) **on the rails** på väg, i gång, påbörjad

rail whale järnvägstankvagn rymmande ca 190 000 liter

rain klaga

rain cats and dogs regna så det står som spön i backen

rain check 1 ersättningsbiljett för evenemang som inställts p.g.a. regn **2** löfte el. anmodan om att skjuta upp en inbjudan till ett senare tillfälle

rainmaker *polit.* korridorpolitiker som har tillräckligt inflytande över en folkvald representant (i sht presidenten) för att kunna skaffa sin arbetsgivare stora förmåner

rain pitchforks regna så det står som spön i backen

rainy day woman marijuana

raise Cain (hell) 1 *se paint the town red* **2** ställa till bråk **3** ge våldsamt uttryck för ogillande, missbelåtenhet el. vrede

raisin 1 neger **2** gamling; gammal kvinna

rake in 1 erhålla; inkassera, "raka in" **2** skyffla i sig, äta mycket

rake-off 1 returprovision (*jfr kickback*) **2** andel el. rabatt som betalas under bordet

ralph kräkas

ram ha analt samlag

rambunctious uppsluppen, bullersam; omedgörlig

ramp (landningsbana) **hit the ramp** landa (med flygplan)

ramrod *vulg.* penis, kuk, pitt

R and B rhythm-and-blues

R and R 1 *mil.* (*av rest and recreation*) permis **2** rock'n'roll

1 rank I *v* **1** ofrivilligt förråda **2** trakassera, irritera **II** *a* misslyckad, fördärvad

2 rank (rang) **pull one's rank** *a*) med orätt utnyttja sin sociala, militära el. ekonomiska ställning, *b*) vara överdrivet hård (mot sina anställda), *c*) vara flärdfull, snofsig, struntförnäm

rank-and-filer gemene man, vanlig medlem (i mots. till styrelse el. ledning i förening, parti, rörelse e.d.)
rap I *s* **1** straff; **beat the rap** lyckas undgå straff; **bum rap** orättvis dom **2** utpekning som skyldig; **take the rap** påta sig skuld o. straff för ngt som ngn annan har gjort **3** förebråelse, uppläxning **4** samtal, snack **II** *v* **1** kritisera, ge en reprimand **2** småprata, fördriva tiden med snack **3** sympatisera
rap club, rap parlor porrklubb som utger sig för att vara enbart en sällskapsklubb
rap group samtalsgrupp
rap session 1 lång diskussion, oftast mellan män **2** gruppsamtal
rap sheet lista över tidigare straff
raspberry 1 förhånande, gliring; **give s.b. the raspberry** visa sitt förakt för ngn **2** hånfullt ljud som utstöts med tungan mellan framtänderna
rat I *s* **1** polistjallare **2** ej omtyckt, egennyttig person **II** *v* **1** tjalla **2** lämna sina kompisar i sticket (i sht i en farlig situation) **3** slappa, driva omkring
ratchet jaw *se alligator 4*
rate 1 vara mycket väl ansedd **2** vara berättigad till
rat-fink 1 totalt opålitlig, synnerligen egennyttig person (superlativform av *rat 2*) **2** tjallare
rat fuck I *a* **1** upprorisk mot medelklassidealen **2** toppen **II** *v* **1** njuta av livet, ha kul **2** *se rat II 3*
ratherish i viss mån
rat out överge, svika, smita
Rat Pack 1 den högre societeten betraktad utifrån dess deltagande i *the rat race* (*s.d.o.*) **2** förening, bransch, yrke el. annan grupp där yttre anseende är väsentligare än verkligt värde
rat race 1 oupphörlig och stressande aktivitet **2** konkurrens, rivalitet **3** *CB* rusningstrafik
rat's ass (råttarsle); **I don't give a rat's ass** jag skiter i det
rattlebrain förvirrad, villrådig, vimsig person
rattler tåg, *i sht* snabbt godståg
raunchy 1 slarvig, nonchalant **2** ekivok, oanständig **3** kåt
rave I *s* **1** starkt berömmande utlåtande **2** högt värderad person

el. sak **II** *v* uttala sig starkt berömmande el. smickrande **III** *a* starkt berömmande, ytterst smickrande

raw 1 oerfaren, naiv **2** orättvis, brutal **3** naken; **in the raw** i bara mässingen **4** vågad, ekivok

rawhide I *s* tuffing, råskinn **II** *v* **1** brutalt tvinga (ngn) att arbeta **2** piska

razz 1 smäda, skymfa **2** driva med; narras; retas

razzberry *se raspberry*

razzmatazz skämt, spratt; spex

reach s.b. påverka ngn genom mutor

reach-me-downs 1 begagnade kläder el. skor **2** färdigsydd kostym, konfektionskostym

reader 1 (polisens) affisch med efterlysning av förbrytare **2** läkarrecept på narkotika

readers märkta kort

read s.b. fatta, förstå vad ngn säger

ready I *a* elegant, stilig, modern **II** *s* **the ready** pengar, kontanter

ready-mades 1 konfektionskostymer **2** fabriksgjorda cigarretter (i mots. till handrullade)

real ärlig, äkta

ream utnyttja, lura

Rebel *skämts.* vit sydstatare

recce wing *mil. V* spaningsflygplansförband

re-con *mil.* spaning

red 1 en cent **2 in the red** *a*) *bokför.* på debetsidan, *b*) skuldsatt

red alert högsta beredskap

red-assed rasande, förbannad

red birds (devils) fenedrintabletter

red devil Seconal (barbiturat)

red-dog ogilla, fördöma, förbjuda

red Dollars *mil. V* speciella militära sedlar som utlämnas i stället för dollar

redeye billig alkoholhaltig dryck av dålig kvalité; **hit the redeye** ta sig ett rus

redeye flight nattflyg

red herring vilseledande spår

red-hot 1 skandalös, sensationell **2** med erotisk dragnings-kraft, pornografisk **3** efterlyst av polisen

red-ink debet

red-letter day 1 dag man ser fram emot **2** dag då ngt verkligt glädjande har hänt

red light district nöjeskvarter

red lights sinnliga lockelser; vilt nöjesliv

redlining vissa bankers stoppande av krediter för projekt i stadsdelar som anses riskabla

redneck 1 rasdiskriminerande person, person som är mot lik-ställdhet med negrer **2** lantlig typ (i sht fattig farmare från USA:s sydstater)

red neck (röd nacke) **get red in the neck, get the red neck** ilskna till, resa borst

Red Power slagord använt av radikala indiangrupper i USA

reefer 1 marijuanacigarrett **2** kylskåp (i sht stort) **3** kyltrans-portbil **4** kylfartyg

reeler supkalas, sjöslag

reel off rabbla upp

reenter "komma ner" från narkotikarus

regs förordningar

rehash gå igenom el. diskutera samma sak för hundrade gång-en, tröska om

rejasing återanvändning av skräp och skrot (*av Reusing Junk As Something Else*)

rejigger arrangera om, kasta om, ändra om

remake nyinspelning av film

remington kulspruta

reneg on s.th. bryta ett löfte (i sht rörande betalning)

rent party hippa där gästerna bidrar till värdens hyra

rep 1 omdöme (gott el. dåligt) **2** representant

repeater väljare som röstar flera gånger

repeaters 1 *halvvulg.* bruna bönor, ärter **2** falska tärningar

retard *s* efterbliven, utvecklingsstörd person

retread 1 ansiktslyftning **2** person som stuvar om gammalt material, plagiatör

retrofit reparera (ngt) så att det blir bättre än det var som nytt
rev 1 rusa en motor **2** värma en motor
rev up 1 *se rev* **2** komma i arbetstagen, komma upp i varv
revved-up 1 (*om motor*) uppvärmd **2** aktiv, energisk **3** tokrolig, snurrig, vansinnig
RF *se rat fuck*
rhino I *s* **1** pengar **2** flodhäst II *a* **1** pank **2** missmodig, nere
rhubarb gräl, käbbel, bråk
rib I *s* **1** pik, skämt som retar den det går ut över **2** flicka, kvinna **3** måltid; *ibl.* varmrätt II *v* pika, retas med
rib-tickler verkligt rolig vits el. anekdot
rice-belly *neds.* kines
rich (rik) **strike it rich** ha tur med sig
ricky-tick omodern, gammalmodig
ride I *v* **1** trakassera, gnata på, irritera **2** (*i spel*) passa II *s* **go along for the ride** vara med bara för nöjes skull; **let s.th. ride** strunta blankt i ngt; **take s.b. for a ride** *a*) mörda ngn, *b*) lura el. bedra ngn
ride a tiger sitta i klistret, vara i knipa
ride herd on 1 ta hand om (en grupp) **2** ha ansvaret för (ett arbete)
ride shank's mare gå till fots, använda apostlahästarna
ride shotgun *mil.* flyga jaktplan som beskyddar långsammare plan (t.ex. trupptransport- el. bombplan)
ride the gravy train *se under gravy train*
ride the rods smygåka med godståg
riding next to God berusad genom sniffning
rif 1 sparka, avskeda **2** degradera
rig I *s* **1** klädsel (i sht prålig o. iögonenfallande) **2** buss, lastbil, långtradare II *v* på ohederligt sätt i förväg tillrättalägga resultatet av ngt (i sht av omröstning el. idrottstävling)
rigged på ohederligt el. olagligt sätt avgjord i förväg (*jfr rig II*)
righteous 1 bra, riktig **2** ärlig, schysst
right off the bat strax, på momangen, meddetsamma
right-on I *interj* Just det!, Schysst!, Toppen! II *a* om ngt el. ngn som fungerar bra
right up there 1 nästan en kändis **2** nära att vinna el. lyckas med

rigid dödfull
ring i hemlighet byta ut en kapplöpningshäst mot en annan o.
bättre strax före ett lopp
ring a bell (a gong) 1 lyckas **2** bli godkänd **3** få (ngn) att
känna igen el. minnas
ringer 1 dubbelgångare **2** ngn el. ngt som i hemlighet används
som ersättning för ngt (t.ex. kapplöpningshäst) **3** person som
begagnar sig av en *ringer* (2) för att få en olaglig vinst
ring the gong röka opium
riot ngn el. ngt som är jätterolig(t)
rip 1 vällusting, libertin; **old rip** gamle gosse **2** värdelös o.
utsliten häst **3** bötesstraff **4** stöldgods
rip off 1 stjäla **2** ha samlag **3** döda
rip-off 1 röveri, stöld, rån **2** exploatering **3** företag som tar ut
överpriser **4** kopia, förfalskning; parodi
ripple billigt o. dåligt vin
ripsnorting första klassens, jättebra
rise (resning) **get a rise out of s.b.** få ngn att reagera våld-
samt (i sht i vrede el. irritation)
Ritz (namn på flott hotell) **put on the Ritz** vara mallig, uppno-
sig el. struntförnäm
ritzy 1 luxuös, elegant, förnäm **2** mallig, struntförnäm
river (flod) **sell down the river** förråda, svika (i sht en vän);
up the river i fängelse
roach 1 marijuanacigarrett **2** fimp efter marijuanacigarrett
roach clip hållare till marijuanacigarrett (*i form av en liten
klämma e.d.*)
road (väg) **burn up the road** köra mycket fort; **hit the road**
a) lifta, *b*) resa som försäljare, *c*) smita, sticka; **on the road** på
turné i landsorten
road hog bildrulle
roadie, roadster person som följer med en turnerande pop-
grupp o. sköter de praktiska arrangemangen, road manager
road people folk, mest ungdomar, som ständigt är på resande
fot, liftande el. i husbil, VW-buss *etc*.
roast förlöjliga, förhåna, ironisera över (ngn)
rob the cradle sällskapa el. gifta sig med ngn som är avsevärt

yngre än man själv, begå barnarov

rock I *s* **1** juvel, *i sht* diamant **2** en dollar **3 on the rocks** *a*) pank, bankrutt, *b*) på gränsen till katastrof, i en ödesdiger situation, *c*) (*om drink*) serverad med isbitar; **the Rock** Alcatraz (fängelseön); **the rocks** testiklarna; **get one's rocks off** få utlösning; **have rocks in one's head** missta sig grundligt, felbedöma en situation **II** *v* **1** dansa rock'n'roll, rocka **2** förbluffa

Rock-Bach folkmusik i rock'n'roll-rytm

rock candy diamant, diamanter

rocker 1 radiostation med skvalmusik (i sht en som specialiserar sig på rock'n'roll-låtar) **2 off one's rocker** sinnessjuk, galen

rocket 1 snabborder (el. iltelegram) till utsänd reporter **2** gevärs- el. pistolkula

rocket fuel *se angel dust*

rockhead dum person, tjockskalle

rock hound geolog

rock jockey disk-jockey som spelar rock'n'roll-låtar

rocky *se punch drunk*

rod 1 revolver, pistol **2** upptrimmad bil, raggarbil **3** penis, stake

Roger *se O.K.*

Rok sydkorean

roll I *s* **1** sedelbunt **2** det kontantbelopp man har på sig **3** *vulg.* samlag **II** *v* **1** plundra (en berusad person), "rulla" **2** filma **3** påbörja

roller skate *CB* mycket liten personbil

roll in lägga sig att sova, gå till sängs

roll in s.th. ha överflöd av ngt, rulla sig i ngt

roll in the hay *s skämts.* samlag

roll with the blow (punches) vidta motåtgärder när man råkar ut för ett missöde

romp I *v* **1** slå sönder **2** bråka med (ngn) **II** *s* slagsmål

roof (tak) **hit the roof** bli uppretad, bli mycket arg; **raise the roof** *a*) göra stor succé på scen, *b*) bråka högljutt, *c*) klaga, jämra sig, *d*) slå klackarna i taket; **the roof fell in on s.b. or**

s.th. *a*) det blev stopp för ngn el. ngt, *b*) ngn blev ytterst förvånad (nästan uteslutande i perfektum); **pull the roof down** ge stormande bifall, applådera kraftigt

rook 1 ta överpris **2** lura, bedra

rookie 1 rekryt **2** nybörjare, gröngöling

rookiette kvinnlig rekryt (vid ngn av arméns, flottans el. flygvapnets kvinnliga hjälpkårer)

roomie rumskamrat

root I *s* marijuanacigarrett **II** *v* heja på, uppmuntra

rooter 1 (*vid sportevenemang*) supporter **2** gynnare, förespråkare

rootin'-tootin' hejdundrande, sjusärdeles

rooty kåt

rope (rep) **know the ropes** vara helt insatt i ett svårt yrke el. uppdrag; **on the ropes** i en ganska hopplös situation; **put a rope on s.th.** bemästra el. få herraväldet över ngt

rope in s.b. försäkra sig om ngns bistånd (i sht genom att bedra el. lura denne)

roscoe revolver; skjutvapen som man kan bära på sig utan att det syns

rosebud analöppning

rosebush *vulg. se muff 4*

Rose Garden rubbish president Johnsons halvofficiella tal (till uppvaktande grupper o.d.)

roses (rosor) **come up roses** lyckas, gå perfekt

rosewood polisbatong

rosy lätt berusad

rot struntprat, nonsens

rotgut starksprit av allra sämsta sort, ofta hembränd

rotter knöl, tölp

rough 1 obehaglig, besvärlig, farlig **2** obscen, slipprig, vågad

roughhouse I *s* **1** larmande uppträde, bråk, tumult **2** skämtsamma påhitt, galej, upptåg **3** våld **II** *a* våldsam

roughie porrfilm med våldsscener

roughneck buse, ligist

rough stuff 1 våld, misshandel; tortyr **2** svordomar **3** obsceniteter (i tal el. skrift)

rough trade sadistisk homosexuell

rough up slå el. misshandla i syfte att skrämma

roundheels 1 lättfärdig kvinna **2** dålig boxare

roundhouse rallarsving

round robin *sport.* tävling där alla möter alla

round-up 1 polisrazzia **2** hopsamling, hopfösning **3** idrottsturnering för cowboys

rowdy 1 sniffare **2** bråkstake

rubber 1 *vulg.* kondom, gummi **2 lay rubber** köra fort

rubber check check som saknar täckning

Rubber City Akron, Ohio

rubber heel detektiv, *i sht* varuhusdetektiv

rubber lady *mil. V* uppblåsbar gummimadrass

rubbermug skådespelare (skådespelerska) med fin mimik

rubberneck I *s* turist **II** *v* **1** begabba, glo på **2** studera i utlandet

rubberneck bus turistbuss

rubber stamp office ämbete som inte medför det minsta ansvar

rube 1 lantis, bondlurk **2** naiv, oerfaren, trögtänkt person

Rube Goldberg överdrivet komplicerad, tillkrånglad, opraktisk

Rube Goldberg club imaginär förening för uppfinnare av allt som är opraktiskt

rub out mörda

rub-out mord

ruckus bullersam fest; bråk, tumult, oro

ruff puff sydvietnamesisk hemvärnsman (*av RF PF, Regional Forces, Popular Forces*)

rug peruk

rug-cutter 1 person som går på *rent party* (*s.d.o.*) **2** person som dansar bra (i sht den senaste modedansen)

rug joint luxuöst och elegant inrett offentligt ställe

rug merchant *skämts.* spion

rum konstig, egendomlig, svårförståelig

rumble 1 sammandrabbning (oftast planerad) mellan tonårsligor **2** polisrazzia **3** fara, stor risk

rum hole sjabbigt, billigt spritutskänkningsställe
rummy fyllbult
rumpot alkoholist, drinkare; krogkund
rumpus room hobbyrum
run 1 narkotikarus som pågår i två el. flera dagar **2** period av missbruk
run a book köpa på kredit, ha konto
run around with s.b. umgås med ngn
run-around (bedrägeri); **give s.b. the run-around** slå blå dunster i ögonen på ngn
runaway I *s* film producerad i Europa men av amerikanskt bolag **II** *a* ledande, främsta, yppersta
run down kritisera, visa missnöje med, klandra
rundown 1 resumé, översikt **2** ytterst detaljerad redogörelse, utförlig utredning
run in arrestera
run-in 1 arrestering **2** mindre tvist el. gräl
run it placera stöldgods hos hälare
run-of-the-line, run-of-the-mill vanlig, genomsnitts-
run-out powder *se under powder*
runs diarré, räntanbubblan
runt kille som är liten till växten
run-through repetition, inövning (t.ex. av pjäs)
ruptured duck emblem för frikallad amerikansk militär
rush I *s* **1** provvisning (av nyinspelad filmscen) **2** *hipp.* effekten (dvs. njutningen) av en narkotikados **3** tillstånd av upphetsning o. förtjusning **II** *v* flitigt uppvakta (flicka el. kvinna)
rust bucket fartyg, skorv
rusticate relegera (från läroanstalt)
rustle I *s* **1** tjuveri; intjack **2** barn som vistas i familjedaghem **II** *v* arbeta energiskt
rustle up s.th. skaffa fram ngt i en fart
rutabaga 1 en dollar **2** alldaglig el. ful flicka el. kvinna

S

s.a., S.A. (*av sex appeal*) erotisk dragningskraft, sex-appeal
sachem 1 betydande person; ledare **2** självtillräcklig, inbilsk person
sack I *s* **1** uppsägning (från arbete e.d.); **get the sack** *a*) bli avskedad, *b*) få slut (av fästmö e.d.), *c*) få korgen, bli nobbad; **give the sack** *a*) avskeda, säga upp, *b*) nobba **2** säng; **hit the sack** lägga sig att sova **3** tråkig flicka **4 hold the sack** stå ensam med ansvaret, utgifterna, straffpåföljden e.d. **II** *v* **1** avskeda **2** göra slut (med fästman el. fästmö) **3** relegera (från läroanstalt) **4** nobba
sack in 1 lägga sig att sova **2** somna in
sack out 1 sova så länge man vill, sova ut **2** lägga sig att sova
sack time 1 fritid, ledighet **2** läggdags
sack up s.th. genomföra, avsluta ngt
saddlesoap, saddlesoap opera cowboyfilm
sadie-maisie 1 sado-masochism **2** sado-masochist **3** pervers person **4** sado-masochistisk film el. publikation
sad sack 1 menig i armén (i sht i infanteriet) **2** färglös, vissen flicka **3** missanpassad person, person som gör en slät figur
sad-sack militärtjänstgörings-
safe-cracker dynamitard
safety kondom, gummi
sag slå med sandpåse el. käpp
sagebrusher 1 cowboy **2** cowboyfilm
sailboats 1 skor **2** fötter
sailing berusad, i gungan
sail into s.b. anfalla, angripa ngn
sailor person som tror sig vara en verklig kvinnotjusare (men inte är det)

sail through s.th. lätt o. snabbt klara av ngt (arbete, uppdrag e.d.)

Sal, *äv.* **Sally Ann 1** Frälsningsarmén **2** kvinnlig frälsningssoldat

salami struntprat

salami line östeuropeiskt flygbolag

salami slicing "knivkastning", politiskt käbbel

salmagundi 1 *urspr.* billig, vattnig grönsaksstuvning **2** struntprat, innehållslöst el. värdelöst snack

salt 1 sjöman (oftast *old salt*) **2** heroin

salt away lägga åt sidan, spara till senare tillfälle

salted down 1 undangömd **2** död

salt horse (junk) *naut.* saltkött

saltmine jobb; **go back to the saltmines** återuppta arbetet efter rast, sjukdom, semester e.d.; **send s.b. to the saltmines** ge ngn ett obehagligt uppdrag

Sam 1 maskulinitet, charm **2** tilltal till (främmande) man **3** federal narkotikapolis

Sambo (*mycket neds.*) neger

Sam Brown officers gehäng

Sam Hill helvete, helsike

-san *suffix* boss

sand 1 mod; uthållighet, seghet **2** strösocker

sandbag överfalla bakifrån el. från bakhåll (ej nödvändigtvis med sandsäck)

sandbag s.b. into s.th. begagna sig av försänkningar för att nå sitt mål

sandhog kassunarbetare

sandlot I *s* **1** rivningstomt **2** bollplan av dålig kvalité **II** *a* halvprofessionell (endast inom bollsport)

sandlotter halvprofessionell bollspelare

S and M *se sadie-maisie*

sandman John Blund

sand-pounder flottist i landtjänst

sandwich board skylt som bärs av *sandwich man* (*s.d.o.*)

sandwiched between s.th. inklämd mellan två saker

sandwich man sandwichman, person som bär en skylt på

magen och en på ryggen

Sandy skotte

San Quentin quail 1 minderårig sexuellt tilldragande flicka **2** erotiskt tilldragande flicka

sao *v* **1** kräk **2** fårskalle

sap I *s* **1** dum, lättlurad person **2** sandsäck, käpp e.d. som kan användas som batong **3** starksprit **II** *v* slå med sandpåse el. käpp (*se I 2*)

sap-happy 1 berusad o. vinglig **2** *se punch-drunk*

saphead dum, trögtänkt, virrig person

sappy tokig, fjollig

sap up on s.b. sammangadda sig för att överfalla ngn

sarge 1 sergeant **2** polis

sashay gå, släntra, ströva

sass I *s* fräckheter, oförskämdheter, glåpord **II** *v* vara oförskämd i sitt tal

sassy frispråkig, fräck, oförskämd

satch 1 person som pratar mycket (i sht politiker, men ibl. skvallertant) **2** person med stor mun

satchel bakdel, ända

satchel charge bomb som kan bäras i väska

satchel-mouth, *ibl.* **satchmo** person med stor mun

saturated redlöst berusad

Saturday night special liten, billig pistol

sauce 1 bensin, soppa **2** starksprit; **hit the sauce** ta sig ett rus; **on the sauce** vara vanedrinkare el. alkoholist **3** näsvishet

sauerkraut *s* o. *a* tysk

save it I *interj* Sluta tala! (mera bön än order) **II** *v* **1** *vulg.* bevara sin mödom **2** *vulg.* neka ngn samlag därför att man hellre vill ligga med ngn annan

savviest klokaste; skickligaste

savvy I *s* ingående kunskaper **II** *v* fatta, förstå **III** *a* klok; bildad; skicklig

saw tiodollarsedel

sawbones 1 kirurg **2** läkare

sawbuck *vanl.* tiodollarsedel; *ibl.* tjugodollarsedel

sawdust and cinder I *s* friidrott **II** *a* friidrotts-

sawdust parlor billig, sjabbig nattklubb e.d. (*jfr rug joint*)
sawdust trail väg till rehabilitering el. bättring; **go the saw-dust trail** *a*) ångra sig o. visa det i gärningar, *b*) rehabilitera sig, bättra sig
sax saxofon
say (uttalande) **have the say** ha det slutgiltiga avgörandet i sin hand
say one's piece *se piece 5*
Says me Ja, absolut!, Det kan du lita på!
say-so 1 tillkännagivande av åsikt **2** slutgiltigt avgörande
Says who? Vilket larv!
Say what? Hursa?, Va?
scab 1 strejkbrytare **2** arbetare som inte är medlem av fackför-ening **3** bok, skurk
scabby avskyvärd, föraktlig
scads massor, en stor mängd
scalp doily herrperuk
scalper biljetthaj
scam 1 svindel **2** uppdiktad historia **3** intressant händelse
scammer skojare, bedragare, bondfångare
scamp slå dank på arbetstid, maska
Scandahoovian, Scandinoovian skandinav
scandal sheet 1 (affärsmans) representationskonto **2** avlö-ningslista (i sht i armén)
Scandinavian dynamite starkt snus
scanties mycket små trosor, bikini-trosor
scare (skräck) **put the scare on s.b.** pressa ngn på pengar
scared shitless skitskraj
scare strap, *äv.* **scared strap** säkerhetsbälte (i bil el. flyg-plan)
scare the pants off s.b. skrämma livet ur ngn
scare up s.th. hitta el. skaffa fram ngt som behövs
scarf 1 äta **2** vara glupsk o. inte dela med sig **3** hångla **4** ha oralt samlag
scat I *s* sjungande av meningslösa stavelser i stället för ord till jazzmelodi **II** *v* **1** sjunga *scat* (*se 1*) **2** förflytta sig snabbt (till fots, i bil e.d.) **3** sticka, försvinna snabbt, smita

scatter-gun 1 hagelbössa **2** kulspruta

scene, the 1 mötesplats för innemänniskor **2** stället där saker o. ting händer **3** -världen, t.ex. **the pop scene** popvärlden; **make the scene** *a*) delta i aktivitet, *b*) anlända till en viss plats, *c*) lyckas, *d*) uträtta ngt; uppleva ngt

scheme on s.b. flörta med ngn

schizo I *s* schizofren person **II** *a* schizofren

schlemiel trög, tafatt person, "drög"

schlepp *jidd.* **1** kånka på **2** släpa sig fram

schlepper betydelselös person

schlock I *s* skräp, skrot; *bildl.* larv **II** *a* dålig, värdelös, eländig

schmack *jidd.* heroin

schmaltz I *s* **1** hypersentimental musik, sliskiga melodier **2** hårpomada, hårolja, hårvatten **3** ngt som är äckligt, kletigt, tjockflytande **II** *v* göra ngt på ett sentimentalt sätt

schmaltzy 1 sentimental, sliskig, romantisk **2** urmodig

schmatte, schmotte *jidd.* **1** sliten klädespersedel, trasa **2** ngt värdelöst

schmear *jidd.* **1** affär, situation; **the whole schmear** hela baletten **2** creamcheese (slags mjukost) **3** frukostgiffel med cream cheese

schmegegge *jidd.* **1** nolla, betydelselös person **2** struntprat

schmo 1 dum, lättlurad, naiv person **2** excentrisk person, original

schmooz *jidd.* småprata, snacka

schmuck *jidd.* **1** pick, kuk **2** klantskalle **3** typ, otrevlig person

schnook blyg, tafatt person; hackkyckling

schnorrer snyltare, snyltgäst, viggare

schnozz, schnozzle näsa (i sht stor)

schussboom åka skidor utför, *vanl.* åka störtlopp

schussboomer 1 störtloppsåkare **2** skidlöpare

schwartze *jidd.* neger

sci-fi sf, science fiction

scissorbill 1 rentier; kupongklippare **2** arbetare som inte är ansluten till fackförening

scoff 1 äta **2** dricka

scoffcar bil vars ägare struntar i att betala böter för felparke-

ring o. andra förseelser
scoop I *s* **1** journalistisk kupp **2** viktig nyhet (i tidning) **3** rikt
byte, stor vinst **II** *v* komma först med stor nyhet
scope 1 mikroskop **2** periskop **3** teleskop
scope on, scope out titta på, spana in
scorch kritisera hårt o. effektivt, nedsabla
scorcher 1 hårt o. effektfullt inlägg i debatt, nedsablande re-
plik el. inlägg **2** ovanligt tryckande het dag **3** bilförare som kör
fort
score I *s* **1** offer **2** kupp **3** byte **4** del av byte **5** samlag **6** kund
hos prostituerad, torsk **7** förpackning narkotika **8** kärnpunkt
9 planlagt mord **10 know the score** *a*) vara välunderrättad,
b) stå med båda fötterna på jorden **II** *v* **1** bli populär el. omtyckt
2 köpa el. skaffa sig narkotika **3** få tag i en flicka för kvällen
4 (*om prostituerad*) få tag i en kund **5** mörda
Scotchman 1 gnidig el. sparsam person **2** golfspelare
scow 1 stor o. ful o./el. otrevlig, besvärlig kvinna **2** stor lastbil
scrag I *s* hals **II** *v* **1** hänga; lyncha **2** omintetgöra, torpedera
ngn annans affär el. förehavande
scragging mord, dödande (i sht genom hängning)
scram I *s* hastigt försvinnande **II** *v* avlägsna sig hastigt o.
lustigt, försvinna snabbt, smita, sticka
scramble 1 tonårsskiva **2** kapplöpning mellan raggarbilar el.
trimmade privatbilar
scrambled egghead 1 person som tror sig vara mycket intel-
ligent **2** demonstrant vid högskola
scrambled eggs guldsnören o. -tecken på högre officers uni-
form (i sht guldtränsarna på uniformsmössans skärm)
scrambler terrängmotorcykel, motocrossmaskin
scrammie vänsterhänt person
scram money pengar som lagts undan med tanke på flykt
scrap slagsmål
scrape the bottom [of the barrel] använda person, plan el.
sak av otillfredsställande kvalité
scrapper 1 kamplysten boxare **2** slagskämpe
scrappy kamplysten, stridslysten
scratch I *s* **1** pengar **2** penninglån, kredit; **on scratch** på

kredit **3** struken kapplöpningshäst **4** vänligt omnämnande i tidning **II** *v* **1** köpa på kredit **2** stryka; **start from scratch** börja från botten (utan pengar, utan vederlag *e.d.*) **III** *a* **1** tillfällig; lyckosam **2** snabbt ihopkommen

scratch house ungkarlshotell av enklaste slag, uselt nattlogi

scratch-house movie bio av mycket låg klass

scratch sheet tidning med tips om dagens hästkapplöpningar

scream tokrolig el. dråplig person, replik e.d.

screamer 1 stor, färgstark, iögonenfallande reklamaffisch e.d. **2** sensationsrubrik **3** thriller i radio, TV el. på film **4** *boktr.* utropstecken

screaming *allmänt förstärkande a el. adv*

screaming meemie I *s* viss typ av militärraket som avfyras från jeep **II** *a* outhärdlig, så otäck att man vill skrika

screaming meemies 1 extrem, outhärdlig rädsla, skräck el. oro **2** nervös hysteri **3** delirium tremens

screw I *s* **1** fångvaktare **2** nyckel **3** halvtokig person **4** gnidare **5** *vulg.* samlag **6 have a screw loose** vara excentrisk, småtokig, ha en skruv lös, ha en fix idé **II** *v* **1** sticka, fly **2** lura **3** *vulg.* ligga med (en kvinna)

screw around *halvvulg.* slå dank

screwball I *s* **1** mycket excentrisk person **2** sinnesrubbad person, galning **3** betydelselös, menlös person **II** *a* **1** excentrisk; *ibl.* unik **2** tokrolig, skrattretande

screwed lurad, bedragen

screwed-up *halvvulg.* **1** neurotisk, förvirrad, spänd, nära nervsammanbrott **2** förstörd, tillkrånglad, trasslig

screw up krångla till, förstöra

screwy ovanlig, nästan unik, excentrisk, konstig

scribe I *s* **1** författare, *i sht* filmmanusförfattare **2** journalist **II** *v* skriva (ngt)

scrip 1 en dollar **2** pengar **3** checkförfalskare

script 1 manuskript **2** läkarrecept på narkotika

scrooch 1 kura ihop sig (t.ex. i sovsäck) **2** snurra runt, rotera (som i en säng för att finna ett bättre läge)

scrounge I *s* person som viggar små, lätt bortglömda lån **II** *v* utan kostnad skaffa sig (ngt, oftast sådant som ägaren ej värdesätter)

scrub I *s* reserv i idrottslag (men sällan första reserv) **II** *v*
1 avlysa, inställa, stryka, slopa **2** tvätta pengar, göra svarta
pengar till vita **III** *a* **1** reserv- (oftast i sport) **2** användbar men
inte förstklassig

scrub club grupp, företag el. projekt med många misslyckan-
den bakom sig

scrub nurse operationssköterska som har hand om sterila
instrument

scruff, scruff along leva ur hand i mun; tjäna så litet att man
nätt och jämnt klarar sig

scruffy smutsig o. ovårdad

scrumptious underbar, briljant, utmärkt

scrunch kura ihop sig; huka sig

scum sperma

scummy föraktlig, ömklig

scupper 1 gatflicka **2** lättsinnig flicka

scuttlebutt 1 rykte, hörsägen **2** skvaller, struntprat

scuzzy smutsig

sea (hav) **at sea** *a*) oredig, förvirrad, felunderrättad, *b*) berusad,
"i gungan"

seabee medlem av amerikanska flottans ingenjörskår

sea food 1 starksprit **2** sjöman betraktad som sexobjekt (av
homosexuella)

sea-going bellhop amerikansk marinsoldat

sea gull 1 flottists el. sjömans maka el. fästmö (som flyttar
från hamn till hamn för att ständigt vara där maken el fäst-
mannen är) **2** (lösaktig) flicka som följer efter flottan **3** flygplan
stationerat på hangarfartyg

Seals (*av Sea, Air and Land*) *mil.* V amerikanska flottans
speciella commandotrupper

Search me! Har inte den blekaste aning!

seat-of-the-pants (oftast vid flygning utan instrument) **1** in-
stinktiv **2** erfarenhetsmässig

sec 1 sekund **2** sekreterare

second banana person med andraplacering, andraplansfigur,
bifigur

second-drawer andra klassens, obetydlig; *ibl.* betydelselös

second fiddle person av underordnad rang

second-fiddle andrarangs, sekunda

second-guesser 1 efterklok person **2** "expert" som ger prognoser för utvecklingen inom politik e.d. **3** person som vidtar åtgärder på basis av vad konkurrent el. motpart kan tänkas göra; person som motar Olle i grind

seconds 1 skadade el. felaktiga varor som säljs till underpris **2** andra portionen mat, påbackning

second-story man fasadklättrare

second trip around andra äktenskap

section 8 femfemma

security blanket trygghetssymbol (*av barns vana att ha en älsklingsfilt, nalle e.d.*)

see a man about a dog *ung.* jag har tyvärr ett avtalat möte (sägs när man vill gå sin väg men inte vill ange den verkliga orsaken, som vanligen är att man behöver gå på toaletten)

seed fimp av marijuanacigarrett

seep (*av sea och jeep*) amfibiejeep

see s.th. on the air se ngt på TV

see-through mycket genomskinlig klänning

See you!, See you around! Vi ses!, Hej så länge!

seg negerhatare, segregationist

segue mixa, göra en övergång mellan två musikstycken

sell I *s* **1** skumraskaffär, svindel, skoj **2** skojare, svindlare **II** *v* **1** lura, bedra **2** övertyga, övertala

sell oneself short undervärdera, underskatta el. förringa sig själv

sell out 1 bli förrädare **2** kompromissa **3** ta mutor

sell-out 1 förräderi **2** slutsåld föreställning; stor succé

sell s.b. down the river svika, förråda ngn

send 1 entusiasmera, betaga, förtjusa **2** berusa (mest med narkotika)

send-off 1 avskedsfest **2** välgångsönskningar (vid ngns avresa) **3** begravning

send up döma till fängelsestraff

send-up parodi, travesti

senior fjärdeårsstudent; fjärderingare

senioritis det fenomen som innebär att high-schoolstudenter som redan antagits till universitet har svårt att engagera sig i studierna under sin sista termin

seppo frånskild person

serum starksprit (oavsett kvalité)

session 1 tonårsskiva **2** narkotikarus (oftast av LSD)

set 1 en musikers el. ett bands del av en föreställning **2** litet möte, diskussion **3** umgängeskrets

set of threads kostym (i sht ny)

set one back kosta ngn (ett visst belopp)

settle someone's hash 1 trycka ner ngn i skorna, sätta ngn på plats **2** grundligt motbevisa ett påstående

set-to kort men hetsigt gräl el. slagsmål

set up 1 bjuda på **2** stimulera, entusiasmera

set-up I s **1** lätt uppdrag **2** komplett uppsättning **3** inre organisation (av förening, företag e.d.) **4** lätt offer för skumraskaffär **5** arrangerad situation **6** groggvirke **II** a **1** arrangerad men presenterad som äkta **2** förut avtalad el. arrangerad **3** säker, betryggad, "bombis" **4** lätt att klara av

seventy-'leven, seventy-'leben dussintals, massvis, femtielva

seven-year itch 1 mans otrohet i äktenskapet **2** gift persons sexuella dragning till annan än makan resp. maken

sew up s.th. 1 skaffa sig monopol på ngt **2** avsluta ngt på ett tillfredsställande sätt

sex-and-scuttlebutt sheet skandal- o. porrtidning

sexed up 1 erotiskt upphetsad **2** som gjorts mera intresseväckande (i sht medelst grannlåt)

sex job 1 erotiskt tilldragande kvinna **2** nymfoman, kvinna med stark sexualdrift **3** *vulg.* samlag intill utmattning

sexpert sexualrådgivare

sexpot ytterst sexig kvinna

sex shocker vågad bok, pjäs, film e.d.

sex up 1 upphetsa erotiskt **2** öka dragningskraft el. försäljningsmöjligheter genom olika åtgärder

sez me *se says me*

sez who *se says who*
shack fever utmattning; sömnighet
shack job 1 kvinna som lever tillsammans med annan än maken **2** två ogiftas samlevnad under längre tid
shack man 1 gift man **2** man (oftast militär) som lever tillsammans med en kvinna som han inte är gift med
shack up 1 bo (någonstans) för en kortare tid **2** sammanleva med en kvinna man inte är gift med **3** knulla
shades solglasögon
shady skum, ljusskygg; ohederlig, opålitlig; **keep shady** hålla sig dold, ha gått under jorden; **on the shady side** [**of some age**] som har passerat en viss ålder
shaft orättvisa, ojusthet; **get shafted** *a*) bli toppriden el. trakasserad, *b*) orättvist bli gjord till syndabock el. strykpojke
shag I *s* **1** *vulg.* sammankómst av ungdomar i för-puberteten för erotisk lek **2** *vulg.* sammankomst av vuxna för erotisk lek **3** fånig, trist el. kass person el. sak **II** *v* **1** sticka iväg snabbt, avlägsna sig **2** jaga, förfölja
shaggy dog story historia med bisarr poäng
shake I *s* **1** ögonblick (från *shake of a lamb's tail*); **in half a shake** i ett nafs **2** *atom.* en hundramiljondels sekund **3** utpressning **4** pengar erhållna genom utpressning **5 give s.b. the shake** bli kvitt ngn, skaka av sig ngn **II** *v* **1** låna pengar av **2** pressa på pengar **3** kroppsvisitera **4** göra husundersökning hos
shake a leg 1 skynda på, jäkta **2** dansa
shake a mean leg (calf, hoof), shake a wicked hoof (leg, calf) dansa bra
shake down 1 kroppsvisitera; genomsöka ett rum, hus e.d. **2** pressa på pengar
shakedown, *äv.* **shake-down 1** utpressning **2** mutning **3** kroppsvisitation; genomsökning av rum, hus e.d.
shakedown flight premiärflygning
Shake it up! Raska på!
shake of a lamb's tail ögonblick, nafs
shakes 1 *se heebie-jeebies* **2 no great shakes** *a*) inkompetent, *b*) betydelselös

shake the trees hålla utkik efter snuten
shake-up omflyttning av personal
shakey side Kalifornien
shamateurism (*i sport*) kringgående av amatörbestämmelser
shampoo champagne
shamus 1 polis **2** detektiv, firmadetektiv **3** tjallare **4** person
av liten betydelse men med politiska försänkningar
Shangri La 1 utopi **2** favorittillhåll, det ställe där man trivs
bäst
shank 1 kniv **2** prostituerad
shanty blåtira
shanty Irish 1 utfattiga irländare **2** utfattiga immigranter
shanty-town 1 kvarter med bräckliga skjul o. ruckel i utkant
av storstad **2** (*i storstad*) fattig- el. slumkvarter
shape up börja ta form, utveckla sig
shark 1 expert **2** svindlare, skojare **3** arbetsförmedlingsagent
sharp I *s* **1** svindlare, skojare **II** *a* **1** kvicktänkt; listig, knipslug
2 nätt, klädd efter senaste modet, elegant **3** modern
sharpie 1 modelejon, klädsnobb **2** svindlare, bedragare, bond-
fångare **3** knipslug, listig person
shave (*i idrott*) besegra en motståndare med mycket liten mar-
ginal
shaver liten grabb
shave-tail fänrik
sheba 1 förförisk kvinna **2** ouppnåelig kvinna
shebang (sak, affär) **the whole shebang** allihopa, alltihopa,
hela rasket, hela faderullan
shed *atom.* en yta motsvarande $1/1000^{49}$ av en kvadratcentime-
ter
sheeny 1 *neds.* jude **2** skräddare
sheep-dip *halvvulg.* urusel sak, skit
sheepskin akademiskt diplom
sheet 1 tidning, *i sht* dagstidning **2** förbrytardossié
sheik I *s* **1** gigolo **2** skojare i mindre stil **II** *v* **1** bedåra, erövra
el. charma (en kvinna) **2** driva med (ngn)
shekels pengar
shelf (hylla) **on the shelf** *a*) (*i sport o. allm., i sht i societetsli-*

vet) åsidosatt, utanför, *b*) (*om plan, projekt e.d.*) **bordlagd,** *c*) (*om kvinna*) utan utsikter att bli gift, på glasberget

shellack besegra grundligt

shellacked 1 grundligt besegrad, hårt slagen **2** ordentligt berusad, "plakat"

shellacking 1 nederlag, debacle, bakläxa **2** hård aga, stryk

shellback gammal sjöman, sjöbjörn

shell out motvilligt betala, ge ifrån sig pengar

shelty shetlandsponny

shemale 1 homosexuell man **2** illa omtyckt, vasstungad kvinna

shenanigans 1 upptåg, stolligheter, nojs, ofog **2** skoj, svindel

sherlock detektiv

shikse, shiksa *jidd.* icke-judisk flicka el. kvinna

shill I *s* **1** medhjälpare till artist e.d. som uppträder som en av publiken **2** marknadsutropare **3** auktionsförrättare **4** tjänsteman på reklambyrå **5** kraftig rekommendation; uppreklamering **6** polisbatong **II** *v* vara medhjälpare till artist, marknadsutropare e.d. (*se I 1 o. 2*)

shindig 1 hippa med dans, danstillställning **2** fest el. evenemang med stort antal gäster

shine I *s* **1** *neds.* neger **2** starksprit (i sht hembränd) **3** dumt spratt **4 take a shine to s.b. (or s.th.)** fatta tycke för ngn (el. ngt) **II** *v* **1** briljera, utmärka sig **2** strunta i, ignorera **III** *a* neger-

shiner blåtira

shiners lackskor

shine up to s.b. 1 fjäska för ngn **2** ivrigt uppvakta ngn av motsatt kön

shingle (takspån) **hang out one's shingle** (*om läkare, advokat e.d.*) öppna praktik

shinny 1 klättra **2** röra på sig, vara aktiv

shipwreck a pair äggröra (vid beställning på restaurang, jfr *Adam and Eve on a raft*)

shirt (skjorta) **keep one's shirt clean** *vulg.,* **keep one's shirt on** lugna sig, inte bli nervös el. otålig (används nästan uteslutande som uppmaning); **lose one's shirt** förlora allt man äger

shit *vulg.* I *s* **1** hycklande tal, lögn, larv **2** ngt som är värdelöst, dåligt gjort el. oanvändbart **3** betydelselös el. föraktlig person **4** skit; **when the shit hits the fan** när det blir kris **5** heroin **6** narkotika i allmänhet II *v* **1** skita **2** överdriva, ljuga

shit-can I *s* skithus II *v* **1** spola; slänga **2** sätta åt

shit-faced full, berusad

shit head 1 opålitlig person **2** svinaktig person **3** heroinist el. marijuanarökare

shitkicker 1 lantis **2** vildavästernfilm

shitkickers kraftiga läderstövlar

shit list *vulg.* tänkt lista över personer man vill åt

shit on s.b. (or s.th.) *vulg.* ge fan i ngn (el. ngt), skita i ngn (el. ngt)

shit s.b. *vulg.* driva med ngn

shitter skithus

shitty *vulg.* **1** föraktlig, värdelös **2** oduglig

shive I *s* **1** kniv, dolk **2** rakkniv II *v* skära el. sticka med kniv el. dolk

shnoggered berusad o. vinglig

shocker thriller, rysare

shock shop avdelning för behandling med elchocker

shoe 1 civilklädd polis **2** förfalskat pass **3** bildäck **4** välklädd person

shoe-string I *s* oansenligt belopp II *a* (*om affär el. företag*) igångsatt med inget el. mycket litet startkapital

shoo-in 1 given vinnare (i val, idrottstävling etc.) **2** kapplöpningshäst som vinner p.g.a. ohederliga el. olagliga åtgärder före loppet

shook up 1 skakis, rädd, chockerad, orolig **2** entusiastisk, förtjust, lycklig; *ibl.* kär

shoot I *v* **1** ta narkotika intravenöst **2** spränga med sprängämne II *interj* **1** Var så god och börja!, Hugg in! **2** Fy sjutton!, Usch!

shoot at s.th. försöka genomföra ngt, försöka nå ett bestämt mål

shoot bull, *äv.* **shoot the bull** snacka, prata strunt, skvallra; smickra; skryta

shoot crap *halvvulg., se shoot bull*
shoot craps spela tärning
shoot down 1 kritisera **2** förkasta
shoot-em-down *el.* **shoot-em-up** cowboy- el. kriminalfilm, -bok, -pjäs e.d.
shoot for s.th. *se shoot at s.th.*
shoot from the hip 1 handla på eget bevåg **2** handla snabbt o. instinktivt
shoot from the lip komma med kvicka el. avsnoppande repliker
shoot horse ta en heroinspruta
shooting gallery knarkarkvart
shooting iron handvapen, *i sht* revolver
shooting match (skyttetävling) **the whole shooting match** allihop, alltihop, hela rasket, hela faderullan
shoot marbles spela tärning
shoot off about s.th. 1 prata om ngt man inte förstår, larva om ngt **2** gorma om ngt, kritisera ngt
shoot off one's face (mouth) 1 överdriva **2** röja en hemlighet, säga ngt som bort vara osagt
shoot-out eldstrid
shoot s.b. down relegera ngn
shoot the breeze *se shoot bull*
shoot the works satsa allt man har, sätta allt på ett kort
short I *s* **1** bil, i sht icke-amerikansk sportbil **2** stulen el. "lånad" bil **3** fånge med kort strafftid kvar **II** *a* utan tillräckligt med pengar
short-arm inspection *vulg. mil.* medicinsk undersökning av könsorganen
shorthaired 1 folklig, lättfattlig **2** modern
short hairs könshår; **have s.b. by the short hairs** ha hållhake på ngn; vara i överläge
short'n'curlies *se short hairs*
short out ge upp
short s.b. betala ngn för litet; **give s.b. the short end of the stick** förfördela ngn, utnyttja ngn, lura ngn
shot I *s* **1** skott; **big shot** betydelsefull person; **little shot**

betydelselös person **2** försök; **take a shot at s.th.** försöka få, bli el. uträtta ngt; **call the shots** ha kontroll över el. leda arbete, bestämma arbetsordningen, ha kommandot **3** en klunk starksprit **4** intravenös injektion (i sht av narkotika) **5** pengar, *i sht* skulder **6** *vulg.* mans utlösning; **shot in the room** vanligt samlag; **shot downstairs** homosexuellt samlag; **shot upstairs** fellatio **7** vana; hobby; last **II** *a* **1** ordentligt berusad **2** ödelagd, utsliten

shotgun quiz provskrivning utan förvarning

shotgun wedding 1 vigsel till vilken den ena parten har tvingats **2** påtvingat kompanjonskap, påtvingad affärssammanslagning

shot in the arm 1 narkotikainjektion **2** stor klunk starksprit **3** ngt som ger nytt mod, energi, framåtanda, ökade framtidsmöjligheter e.d.

shot in the dark vild gissning, hugskott

shot in the locker dolda reserver, sparade resurser

shove 1 döda **2** avlägsna sig, sticka

shove in one's whole stack anstränga sig till det yttersta, satsa allt man har

shove it, shove it up your ass *vulg., se know what to do with it*

shovel (skovel) **put to bed with a shovel** så dödfull att man inte kan klara sig utan hjälp

show biz 1 ngt som är arrangerat o. förskönat för att göra effekt **2** (*urspr. betydelse*) teatervärlden, teaterlivet, teaterkretsar

showboating 1 applådfiske, publikfrieri **2** utnyttjande av underordnade

showcase 1 underhållning som ges främst för att presentera artister för agenter, producenter m.fl. som kan tänkas engagera dem **2** publik som består mest av fribiljettsinnehavare

showdown I *s* **1** avslöjande **2** kraftmätning, vidräkning **II** *a* avgörande, avslutande

shower (dusch) **send s.b. to the showers** *a)* utvisa en spelare från idrottsplan, *b)* stämpla arbetare som oduglig genom att ge honom enklare arbetsuppgifter

showpiece glansnummer
show-stopper scen, sång, replik e.d. som resulterar i kraftig o. lång applåd
show up dyka upp, visa sig, anlända
show up s.b. 1 förlöjliga ngn **2** avslöja ngn
shrike ragata, argbigga, morrhoppa
shrimp person som är liten till växten, puttifnask
shrink, shrinker 1 psykoanalytiker **2** psykiater
shtik (*pl* **shticklech**) *jidd.* **1** trick **2** bit **3** finess, poäng
shtup *jidd.* knulla
shuck I *s* **1** lögn, överdrifter **2** stöld, bedrägeri **3** oärlig person **4** f.d. fånge **II** *v* **1** hastigt ta av sig jacka, skor el. annat plagg **2** befria sig från **3** överge el. kassera (plan, projekt e.d.) **4** bedra **5** reta
shuffle slåss
shun-pike *v* köra på småvägar hellre än på motorvägar o.d.
shush 1 sluta tala, tiga **2** tysta ned
shut down on s.b. hindra ngn, sakta ned ngn, stoppa ngn
shut-eye sömn
shut one's face (head, trap) (*oftast i imperativ*) tiga
shut out inte ge sina motståndare el. motspelare en enda poäng
shut-out idrottsmatch där ena parten är poänglös
shutter-bug I *s* fotoentusiast **II** *v* fotografera
shutter-bugged ansatt av pressfotografer
shut up (*oftast i imperativ*) tiga
shyster 1 ohederlig advokat, brännvinsadvokat **2** advokat ö.h.t.
sicc, *äv.* **sick** bussa, hetsa
sick 1 makaber, kusligt cynisk, morbid **2** neurotisk, psykopatisk **3** äcklad, revolterad **4** ansatt av abstinensbesvär
sickler skinnknutte
side (sida) **on the side** *a*) som extra förmån, *b*) vid sidan om (t.ex. *job on the side* extraknäck; *dame on the side* älskarinna, "vänsterprassel")
sidebar, sidebar story 1 kort kompletterande notis i samband med större tidningsrapport **2** kåsörs tidningsspalt
side-door Pullman godsvagn

sidekick 1 kamrat, kompis **2** kollega, partner

sideline (gräns för bollplan) **sit (stand) on the sidelines** *a*) vara inaktiv, *b*) avvakta, vänta

sideline s.b. 1 sätta ngn ur stånd att fortsätta att delta i ngt **2** temporärt avsätta el. avskeda ngn, tillfälligt sätta ngn ur spel

sidetrack 1 leda bort ngns uppmärksamhet från **2** leda på villospår

sidewalk (trottoar) **hit the sidewalks** *a*) söka arbete, *b*) (*om gatflicka*) gå ut för att söka kunder; **out on the sidewalk 1** chanslös, utkonkurrerad, färdig, felslagen **2** strejkande

sidewalk superintendent person som står o. tittar på o. kommenterar byggnads- el. konstruktionsarbete, medlem av ledighetskommittén

side-wheeler vänsterhänt person

sidewinder 1 sving (i boxning e.d.) **2** lättretad slagskämpe

sight (synhåll) **not by a long sight** *a*) absolut inte, *b*) troligen inte, knappast

signify 1 skryta, glänsa **2** utöva *dirty dozens* (*s.d.o.*)

sign off 1 sluta arbetet (oftast för dagen) **2** tiga, sluta tala, bli tyst; avbryta

sign on the dotted line skriva under kontrakt

silents stumfilm

Silent Service CIA

silk 1 vit person, viting **2 hit the silk** göra ett fallskärmshopp

silver Jeff 1 tjugofemcentsmynt **2** femcentsmynt

silver wing 1 femtiocentsmynt **2** femtio cent

simmer down (off) lugna ned sig

simoleons *pl* dollar

Simon Legree 1 sträng arbetsgivare el. förman **2** gniden el. hänsynslös person

simon-pure fullkomligt fläckfri, absolut oförvitlig

simp dummerjöns, dumbom, underbegåvad person

simpatico förstående, hänsynsfull; sympatisk

Sin City Las Vegas

sing 1 tjalla, "sjunga" **2** tillstå, erkänna (brott) **3** framlägga försäljningsargument

sing-a-long 1 allsång **2** vokalist knuten till orkester

single 1 endollarsedel **2** enstaka grammofonskiva (i motsats till skiva ur album)

single-o I *s* person som arbetar bäst ensam **II** *a* **1** ogift **2** ensam, utan medhjälpare

sinker 1 endollarmynt **2** munk; klenät; *ibl.* kex

sinkers and suds kaffe med munkar

sipid välsmakande

sissy I *s* **1** frökenaktig pojke el. ung man **2** bög **3** lipsill **4** syster, syrra **II** *a* flickaktig, feg

sissy-britches, sissy-pants *se sissy I 1, 3 o. II*

sister 1 *neger.* svart kvinna **2** medlem av kvinnosaksrörelsen **3** bög

sit 1 sköta om invalid; se till ngn annans barn **2** sitta inne (i fängelse)

sitcom komedi el. fars med situationskomik

sit fat 1 *rymd.* vara i rätt bana **2** vara i en bra position

sit-in sittdemonstration

sit like a pigeon vara i en riskfylld situation

sit on a nest vara gravid

sit on one's hands 1 ogilla, ej uppskatta **2** förbli passiv, inta neutral hållning

sit pretty 1 ha stora chanser **2** vara förmögen (oftast i formen *sitting pretty*)

sitrep *sjömil.* situationsrapport

sitter barnvakt

sit tight "trycka", förhålla sig avvaktande

sitting duck person i prekär situation

six bits (= 3× *two bits*) sjuttiofem cent

six-footer person ca 6 fot (183 cm) lång

six ways to (for) Sunday grundligt, på alla tänkbara sätt

size (storlek) **try this for size** lyssna här får du höra

size up värdera, beräkna

size-up bedömning (värdering) av situation, person, sak, prestation e.d.

sizzle 1 vara mycket het **2** vara mycket arg, vara förbannad **3** dö i elektriska stolen

sizzler 1 ngt som är el. sker snabbt (t.ex. en spark, en kastad

sten) **2** het dag **3** ovanligt populär person el. sak **4** sak el.
person som är vågad, sexig e.d. **5** livlig, erotiskt tilldragande
kvinna **6** stulen el. av polisen efterlyst sak

skag heroin

skate 1 gammal utsliten häst, hästkrake **2** illa omtyckt, gnidig
person

skedaddle I *s* hastigt avlägsnande, brådstörtad flykt, smitning
II *v* **1** fly, smita **2** springa, kuta iväg

skeeter moskit; mygga

skeezicks uppnosig o. opålitlig men omtyckt person

Skiddoo! 1 Stick!, Försvinn! **2** Tjohej!, Hoppla!

skid lid mc-hjälm

skidoo snöskoter

skidooer person som åker snöskoter

skid row, *äv.* **Skid Row 1** kvarter med dåliga hotell, ölsjapp
o. billiga matställen o. som är tillhåll för alkoholister o. lösdriva-
re **2** slumkvarter ö.h.t.

skids (sladdningar) **hit the skids** börja en nedgångsperiod;
on the skids på glid, på fallrepet; **put the skids under s.b.**
a) avskeda ngn, medverka till att ngn blir avskedad, *b*) medver-
ka till att ngn misslyckas

skimmer lågkullig halmhatt

skin I *s* **1** plånbok **2** endollarsedel **3** bildäck **4** hästkrake **5** för-
skingrare; bondfångare **6** hand **7 by the skin of one's nose
(teeth)** nätt o. jämnt, med nöd o. näppe, med liten marginal;
get under s.b.'s skin irritera ngn, gå ngn på nerverna; **give
s.b. some skin** skaka hand med ngn **II** *v* **1** utplundra, skinna
2 avväpna

skin-a-scope sexfilm; *ibl.* pornografisk film

skin book porrbok

skin diver sportdykare; *ibl.* grodman

skin-flick porrfilm

skinful 1 tillräckligt med mat för att man skall bli mätt **2** till-
räckligt med sprit för att man skall bli berusad **3** redig fylla,
bläcka **4** ordentligt kok stryk

skin game svindel, bedrägeri

skinhead 1 *sjömil.* rekryt i flottan **2** skallig man

skinner 1 häst- el. mulåsnekusk **2** förare av stor traktor el. annan stor vägmaskin

skinny, the sanningen

skinny-dip bada naken

skin pop injicera narkotika intramuskulärt (i en muskel) el. subkutant (under huden)

skin-show nakenrevy

skin to skin *läk.* tiden mellan första snittet o. sista stygnet vid operation

skin trade handel med porrvaror (fotografier, tidningar, böcker, film – ibl. äv. flickor)

skip I *s* person som köper på kredit el. konto o. aldrig betalar **II** *v* fly, smita (i sht från skulder el. andra förpliktelser)

skipalong person som deltar i demonstration bara för att ''vara med'' o. ej av ideologiska skäl

skipper 1 sjökapten, skeppare **2** polischef **3** *mil.* kapten

skip town smita till annan ort

skip tracer person som uppspårar *skips* (*se skip I*)

skirt 1 flicka, ung kvinna **2** **keep one's skirts clean** *se keep one's shirt clean;* **keep one's skirts on** *se keep one's shirt on*

skivvy herrundertröja el. kalsonger av bomull

skulduggery fuffens, rackartyg, skurkstreck e.d.

skull 1 huvud **2** intellektuell person; tänkare; vetenskapsman **3** framstående student el. studerande **4** plugghäst

skull session 1 djuplodande föredrag el. intervju **2** diskussion på högre nivå **3** taktikgenomgång

skunk I *s* **1** opålitlig person **2** *sjömil.* rysk spiontrålare med avancerad elektronisk utrustning **3** *sjömil.* oidentifierat fartyg **II** *v* **1** låta bli att betala sina skulder **2** utplundra, skinna **3** lura, bedra

skybuster jägare som jämt missar

skydive hoppa i fallskärm o. vänta med att utlösa skärmen så länge som möjligt

skydiver fallskärmshoppare som väntar med att utlösa skärmen till sista ögonblicket

skyjack *v* kapa ett flygplan

skyman flygare

skypiece hatt, mössa
sky pilot präst
skypoke astronaut
slag kritisera hårt, racka ner på
slam I *s* **1** elakhet, invektiv, glåpord, smädelse, pik **2** fängelse
II *v* kritisera, klandra
slambang 1 grundligt; våldsamt, hårdhänt **2** öppet, utan om-
svep, direkt
slammer 1 dörr, ingång **2** fängelse
slam off 1 avlägsna sig (oftast bullrande) **2** dö
slant 1 persons synpunkt på ett visst problem **2** titt, kort, ytlig
granskning
slant-eyed österländsk; *vanl.* japansk el. kinesisk
slant s.th. at s.b. rikta ngt (skrivet) mot ngn (bestämd grupp)
slap-happy 1 (*om boxare*) hjärnskadad, groggy **2** upprymd o.
lycklig över framgång
slap s.b.'s wrist ge ngn en mindre tillrättavisning el. skrapa
slapstick filmfars med situationskomik
slap-up förnämlig, prima, hundraprocentig
slat 1 lång, tunn, kantig person **2** revben **3** *sport.* skida
slather it on "bre på", överdriva
slathers massor, mycket stort antal, tusentals
slave 1 dåligt betalt jobb **2** kvinna
slave market (shop) arbetsförmedling
slay 1 förtjusa, begeistra, överväldiga **2** roa enormt
sleazy 1 sjabbig, smutsig, ruffig, snuskig **2** dåligt framställd,
billig
sleeper 1 pjäs, bok, film e.d. som blir avsevärt större publik-
succé än man hade väntat sig **2** företag som ger bättre resultat
än väntat **3** sömntablett
sleep-in inneboende
sleep-in maid inneboende hemhjälp (mots. till *day maid*)
sleep with s.b. ligga med ngn, ha samlag med ngn
sleeve (ärm) **put the sleeve on s.b.** *a*) arrestera ngn, *b*)
utpeka ngn för polisen, *c*) försöka pungslå ngn
sleigh ride *v* ta kokain
sleuth, sleuth-hound detektiv

slew stor mängd, stort antal (men ej så många som *slathers*)

slice I *s* del i vinst, avkastning el. företag **II** *v* (skära i skivor) **no matter how you slice it** *se baloney*

slice baloney prata strunt

slice s.b. off at the ankles platta till ngn, sätta ngn på plats

slick I *s* **1** vecko- el. månadstidning, exklusiv till utseendet men vanligtvis ytlig till innehållet **2** *mil*. *V* trupptransporthelikopter **3** blankslitet bildäck **4** omönstrat däck använt på dragsterbilar **II** *a* **1** belevad, charmerande **2** ovederhäftig; rävaktig, "hal" **3** bra, skicklig **4** ytlig, konstlad

slicker lurifax, skojare

slick paper magazine *se slick I 1*

slick s.th. up piffa upp ngt

slickum hårpomada, hårolja, hårvatten

slide sticka sin väg

slinger servitör, servitris

sling hash arbeta som servitör el. servitris

sling it, sling the bull *se shoot bull*

slinky 1 (*om damplagg*) mjuk o. tätt åtsittande **2** (*om kvinna*) sexig o. med kattlika rörelser

slip I *s* **give s.b. the slip** smita från ngn, fly från ngn **II** *v* **slip one over on s.b.** lura el. bedra ngn

sliphorn dragbasun

slipstick 1 räknesticka **2** dragbasun

slipstick artist ingenjör, *i sht* civilingenjör

slip-up 1 misstag, obetänksamhet; *ibl*. klavertramp **2** lapsus, minnesfel, förbiseende

slob 1 tjockis, fet person **2** odugling

slop I *s* **1** dåligt tillagad o. oaptitlig mat **2** dåligt el. sjabbigt ölkafé el. matställe **II** *v* utgjuta sig, tala alltför sentimentalt el. entusiastiskt

slope I *v* **1** rymma från fängelse **2** sticka, lunka iväg **II** *s* *mil*. *V* asiat

slopping-up supkalas

sloppy 1 berusad, "kladdig" **2** slarvig, ovårdat klädd

sloppy Joe 1 för stor stickad tröja **2** väl kryddad köttfärsröra serverad på bröd

sloppy Joe's billig restaurang, oftast självservering

slop up 1 *bildl.* svälja, sluka (ngt orimligt) **2** supa mycket o. länge

slosh mycket utspädd el. alkoholsvag drink

sloshed berusad o. godmodig

slot 1 spelautomat **2** ngns plats på en rangskala **3** placering (i tävling, lag e.d.)

slouch lat el. inkompetent person

slow on the draw som fattar långsamt, trögtänkt

slowpoke senfärdig, sävlig person, trögmåns, slöfock

slug I *s* **1** knytnävsslag; **put the slug on s.b.** *a*) slå ngn hårt, slå till ngn med knytnäven, *b*) kritisera, klandra el. angripa i tal el. skrift, *c*) få övertaget över ngn **2** "glas", "pärla", hutt **3** en dollar **4** munk (bakverk) **II** *v* slå hårt, slåss

slug-fest hårt o. livligt slagsmål

slugger boxare

sluice, sluiceway storsupare

slum I *s* billiga o. dåliga el. eftergjorda varor **II** *a* billig, värdelös men grann

slumgullion 1 smaklös dryck, "diskvatten" **2** kött- o. grönsaksstuvning, kött- o. grönsakssoppa

slumlord hyresvärd i slum- el. fattigkvarter

slurb dåligt planerad o. slarvigt byggd förstad

slurp sörpla el. slafsa i sig mat el. dryck

slush 1 sentimentalt prat, pjoller, smörja **2** ragu

slush fund politisk kampfond avsedd att användas för att förhindra val av viss el. vissa motståndare av annat parti

smack I *s* heroin **II** *adv* **1** precis, på pricken, direkt **2** plötsligt, oväntat

smack-dab *se smack II 1*

smack down 1 slå ned **2** minska el. förstöra ngns anseende **3** ge en tillrättavisning, läxa upp

smacker 1 en dollar **2** kyss

smacky-mouth, *ibl.* **smash-mouth** (pussmun) **play smacky-mouth (smash-mouth)** hångla

small-bore provinsiell; betydelselös; okänd

small change *koll.* betydelselöst folk, personer som inte är kändisar

small fry *koll.* betydelselösa personer

small-fry betydelselös; underordnad; okänd

small one sup, hutt, "droppe", liten jäkel

small potatoes 1 småpotatis, liten summa pengar **2** småpotatis, betydelselös person el. sak

small-time 1 underordnad; obetydlig, oväsentlig **2** okänd, utan berömmelse el. "namn"

smalltimer person som inte är kändis

smarm smickra, fjäska för

smarmy fjäskande

smart aleck, smart ass 1 viktigpetter, inbilsk kille **2** besserwisser

smart money 1 experttips **2** pengar som satsas av sakkunniga

smarty, smartypants *se smart aleck*

smash I *s* **1** jättesuccé **2** rus, fylla, bläcka **II** *a* ytterst lyckad, mycket framgångsrik

smash-and-grab 1 stöld genom krossat skyltfönster **2** snabbt utfört inbrott, rån el. stöld

smashed berusad, "plakat"

smasher toppengrej, fullträff

smasheroo, smash-hit jättesuccé

smashing I *a* underbar, alla tiders **II** *s* hångel

smaze blandning av dimma o. rök

smear I *s* förtal, viskningskampanj, smädelse **II** *v* **1** baktala, förtala **2** muta **3** grundligt besegra (en konkurrent)

smeller näsa

smell smoke ta emot ovett, få en skrapa

smidgen mycket liten mängd

smithereens mycket små bitar

smoke I *s* **1** tobak; rökverk **2** opium **3** hemmagjord drink av denaturerad sprit o. vatten **4** whisky **5** neger **6** *CB* polisen **II** *v* **1** köra el. resa fort **2** vara mycket arg, vara ilsken **3** skjuta (ngn)

smoke-eater 1 kedjerökare **2** brandsoldat

smoke-house gaskammare (där dödsdömda avlivas)

smoke-jumper brandsoldat som är specialutbildad för bekämpning av skogsbrand

smoke s.b. out snoka reda på ngn

smoke s.th. out tilltvinga sig upplysningar

smokey bra, schysst

smoky seat elektriska stolen

Smoky [the Bear] motorvägspolisen

smooch kyssar o. smek; petting

smoocher 1 person som lånar pengar; parasit **2** person som hånglar

smooth 1 (*om person*) belevad, världsvan, habil, smakfull; vältalig, övertygande **2** (*om sak*) förtjusande, bedårande, charmant, förnämlig, elegant

smoothie 1 charmör, pigtjusare **2** skojare av mindre format; förförare; *ibl.* solochvårare

smorgasbord 1 urval, kollektion, utplock **2** sammelsurium, röra

snack 1 litet mellanmål, matbit **2** lätt offer för skojare

snafu (*ursprungligen av Situation Normal, All Fucked Up*) **I** *s* **1** stort, uppenbart misstag el. dumhet **2** onödigt tilltrasslad, invecklad plan, handling el. situation **II** *v* trassla till genom dumhet el. otillräcklig planering **III** *a* tilltrasslad, invecklad, kaotisk

snagged on s.th. strandad på ngn punkt, oense rörande ngt i diskussion

snakebite remedy whisky

snake-eyes 1 tvåa i kast med två tärningar **2** svår motgång, stor otur

snake in the grass 1 förrädisk, opålitlig vän **2** lömsk fiende

snake-oil ovederhäftig, lögnaktig, bedräglig

snake-oil salesman gatuförsäljare med tvivelaktiga, humbugsartade varor

snake pit dårhus, sinnessjukhus

snake poison whisky

snap I *s* **1** arbete el. uppdrag som är lätt att klara av **2** energi, livfullhet **3** fotografi **II** *v* **1** fotografera **2** genomgå personlighetsförändringar **3** tappa kontakten med verkligheten **III** *a* lätt uträttad

snap at s.b. snäsa till ngn

snap into it, snap it up raska på, arbeta med ökad energi

snap out of it 1 återvinna humöret, lugnet e.d.; rycka upp sig **2** tillfriskna

snapper 1 poäng (i vits el. anekdot) **2** *vanl. pl* tand **3** förhud **4** vagina

snappy 1 alert, kvick, ivrig; **make it snappy** raska på **2** chic, raffinerad, snitsig

snarky elegant

snatch I *s* **1** kidnapping; **put the snatch on s.b.** *a*) kidnappa ngn, *b*) arrestera ngn **2** stöld, inbrott; **put the snatch on s.th.** *a*) stjäla ngt, *b*) beslagta ngt, konfiskera ngt, belägga ngt med kvarstad, lägga vantarna på ngt **3** kidnappad person; stöldgods **4** arrestering **5** *vulg.* vagina, fitta **II** *v* **1** kidnappa **2** stjäla **3** arrestera

snatcher kidnappare

snazzy 1 chic, elegant, modern **2** färgrik, tilltalande, spännande **3** överdrivet grann, tydande på dålig smak

sneaker motorbåt

sneakers lätta gummiskor, gymnastikskor

sneaky gemen, förrädisk, svekfull; rättsvidrig

sneaky Pete 1 billigt vin (typ sherry) med vanebildande tillsats, ''luffarvin'' **2** billigt, hemgjort el. köpt, dåligt vin

sneeze 1 kidnapping **2** kidnappare

sneeze at s.th. förakta ngt, fnysa åt ngt

sneezer fängelse, häkte

snide oförskämd, översittaraktig; falsk

sniff sniffa

sniffer 1 näsa **2** sniffare **3** näsduk

snifter liten nubbe, ''pärla'', hutt

snip liten, betydelselös person

snipper butiksråtta, snattare

snippers *koll.* filmcensorer

snippy *se snip*

snit dåligt humör, argsinthet (oftast *in a snit*)

snitch I *s* **1** tjallare, angivare **2** stöld **II** *v* **1** snatta **2** ange (ngn) för hans överordnade, ''skvallra ur skolan'' (oftast *snitch on s.b.*)

snitcher tjallare

s-n-m *se sadie-maisie*

snollygoster 1 slug o. hänsynslös person **2** politiker som pratar mycket men uträttar litet

snoop, snooper privatdetektiv

snoopery spionage

snoose snus

snoot I *s* näsa **II** *v* visa översittarfasoner, negligera, se ned på

snootful berusning, fylla, bläcka

snooty högmodig, överlägsen, nonchalant

snooze I *s* tupplur **II** *v* sova

snore långrandig el. långtråkig lektion, föredrag, pjäs, bok e.d.

snort I *s* nubbe, hutt, klunk **II** *v* sniffa el. röka narkotika

snorter 1 *se snort* **2** näsa **3** person som är stor, larmande, skrävlande e.d.

snorting sniffning

snot snor

snot-rag näsduk, snorfana

snottiness struntförnämhet

snotty högfärdig, nedlåtande, översittaraktig

snow I *s* **1** narkotika, *i sht* heroin, kokain **2** smicker, fjäsk; överdrift; upprepning **II** *v* **1** göra djupt intryck på **2** tjata på **3** avsiktligen förvirra genom onödigt tillkrånglat tal **4** smickra, fjäska för

snowball I *s* **1** militärpolis **2** kokain, heroin **3** neger **II** *v* växa med accelererande fart, vinna i omfång el. spridning (som en rullande snöboll)

snowball chance ytterst minimal chans (*se proverbial snowball*)

snowbird I *s* **1** narkoman **2** luffare med hemtrakt i norr som söker sig söderut om vintern **II** *v* arbeta i norr om sommaren o. i söder om vintern

snow bunny 1 nybörjare på skidor (oavsett kön) **2** flicka el. kvinna som reser till vintersportorter främst för att få kontakt med män

snowdrop militärpolis

snowed 1 narkotikaberusad **2** vilseledd, lurad

snow job I *s* **1** vilseledande, ordrik överdrift (*ibl.* lögn) **2** smicker, fjäsk **II** *v* påverka genom tomma ord, fjäsk el. smicker

snow s.b. under överbelasta ngn med arbete

snuck (felaktig imperfektform av *sneak*) smög sig

snuff I *v* döda **II** *s* (snus) **up to snuff** enligt specifikation, överensstämmande med avtal, förväntningar el. önskningar

snuffle after s.b. hänga efter en kvinna, hänga ngn i kjolarna

snuff out dö

snuggies yllebyxor (för kvinnor)

soak I *s* **1** fullbult, alkoholist **2** supkalas **II** *v* **1** supa omåttligt **2** drämma till **3** straffa hårt **4** pantsätta **5** "skinna", ta högt överpris

so-and-so 1 förmildrande omskrivning för *son of a bitch* **2** kille, kollega, vän (oftast *old so-and-so*)

soap I *s* **1** pengar **2** smicker, fjäsk **3** sentimentalitet, pjoskighet **II** *v* fjäska, smickra

soapbox I *s* **1** käpphäst, vurm, fix idé **2** ordsvall, argumentering **II** *v* (*mest om politiker under valkampanj*) tala på informella möten

soaper, soap opera 1 radio- el. TV-serie med dramatiska händelser ur vardagslivet (oftast av allra enklaste slag) **2** verklig situation el. händelse som påminner om en *soap opera*-situation

soapy sentimental

s.o.b. förmildrande omskrivning av *son of a bitch*

sobersides tråkmåns, person som alltid är allvarlig, torrboll

sob-sister 1 journalist som skriver sentimentala artiklar **2** kvinna som jämt gnäller sig till det hon vill ha

sob story 1 klagolåt, jeremiad som dras för att vinna ngt **2** sentimental tidningsartikel

sock I *s* **1** hårt knytnävsslag **2** kapital, besparing, förmögenhet **3** effektiv seger över konkurrent **4** omedelbar succé **II** *v* **1** drämma till **2** lägga undan, "lägga på is"

sockdolager 1 jättepopulär sak **2** ordentligt svar på tal, replik som helt tystar ned debattmotståndare **3** utomordentligt hårt (fysiskt) slag

socked in utan möjlighet att flyga (p.g.a. dåligt väder)

sockeroo I *s* jättesuccé **II** *a* slagkraftig, verksam, effektiv
sock it göra jättesuccé med replik, sång- el. scennummer;
sock it to s.b. 1 entusiasmera ngn **2** *vulg.* knulla ngn
socko I *s* **1** stor ekonomisk framgång **2** omedelbar el. plötslig succé **II** *a* ekonomiskt mycket lyckad
soda jerk biträde i glassbar el. bar som serverar alkoholfria drycker
sod-buster farmare, lantman, bonde
soft I *s* pengar (oftast *the soft*) **II** *a* lättpåverkad
soft con smicker, fjäsk
soft core mjukporr
soft money 1 papperspengar **2** mjuk valuta
soft on s.b. kär i ngn
soft-pedal 1 (*vanl. polit.*) gå försiktigt fram med; undvika att nämna (ngt ömtåligt) **2** dämpa ned
soft sell lugn o. stillsam försäljning el. försäljningsargumentering
soft-shell liberal, tolerant
soft soap smicker, fjäsk
soft-soap I *v* smickra, fjäska för **II** *a* fjäskande, servil
soft touch 1 person som det är lätt att få låna pengar av **2** lätt offer för skojare
softy godtrogen kille
S.O.L. (*av shit out of luck*) *halvvulg.* alldeles utan tur
soldier maffiamedlem av låg rang
solid 1 prima, förstklassig, förnämlig, underbar **2** på god fot, gynnad i vänskapligt förhållande
solid ivory träskalle, dumhuvud, dumbom
solitaire självmord
some I *s* stor mängd, stort antal **II** *a* ytterst förnämlig; ytterst dålig, oduglig **III** *adv* **1** mycket; i viss mån **2** snabbt, fort
somebody person som står i rampljuset, kändis
somebody (someone) up there Gud
something I *adv* ytterst, kolossalt, oerhört **II** *s* **make something out of s.th.** uppfatta ngt som en förolämpning el. skymf (oftast som svar på förolämpning: *Want to make something out of that?* (*ung.*) Vill du slåss om det?)

something on the ball 1 aktivitet, energi **2** förmåga, skicklighet

song 1 bekännelse, erkännande **2** *se sob story 1*

song and dance *se sob story 1*

song-bird 1 tjallare; brottsling som bekänner **2** sångerska, "sångfågel"

song blaster sångare el. sångerska som uppträder på ett ställe med högt publiksorl

son of a bitch 1 *vulg.* djävul, bastard (äv. till o. om kvinnor) **2** vanlig kille som kanske är en aning besvärlig (anv. i all vänskaplighet) **3** hårt, påfrestande jobb, uppdrag el. arbete

son-of-a-bitchin', son-of-a-bitching besvärlig, påfrestande, irriterande, jäklig

son of a gun, son of a so-and-so förmildrande omskrivningar av *son of a bitch*

Sooner 1 australiensare **2** invånare i staten Oklahoma

sop fyllerist, suput, alkoholist

S.O.P. (*av Standard Operating Procedure*) **1** *mil.* reglementerad metod **2** det gamla vanliga, samma gamla skit

soph, sophomore I *s* andraårsstudent, andraringare **II** *a* omogen, överdrivet ungdomlig, "valpig"

sophomoric *se soph II*

soppy sliskig, sockersöt, sentimental

sore 1 irriterad, arg, förbannad **2** förnärmad, förolämpad, sårad

sorehead 1 lättirriterad person **2** ilsken, arg person

S.O.S. köttfärsröra på rostat bröd (*av Shit On a Shingle*)

so-so medelmåttig, dräglig, skaplig, si o. så

So's your old man! (*som svar på hån, kritik e.d.*) Det kan du vara själv!

soul I *a* samhörigt med de svartas kultur i USA **II** *s* djup o. äkta känsla; äkthet, naturlighet

Soul City Harlem

soul food 1 billig mat av den typ som åts av slavar i Sydstaterna, nu ansedd som en delikatess av radikala svarta (ingredienser: inälvor, ben, kål, majsmjöl m.m.) **2** ngt äkta

soul music typ av modern musik som bygger på blues o.

gospelmusik, soul

soul roll samlag mellan personer med fin känslomässig kontakt

sound off 1 tala fritt ur hjärtat, *i sht* kritisera, klaga **2** tjalla, ange **3** skryta

sound out s.b. 1 fråga ut ngn **2** intervjua ngn

soup I *s* **1** nitroglycerin **2** dynamit **3** motorbränsle, "soppa" **4** ngt flytande el. nästan flytande (t.ex. smält malm, framkall-ningsvätska, våt cement, asfalt) **5 in the soup** i en besvärlig situation, i knipa **II** *v* trimma (motor, mest i raggarbil)

soup-and-fish festkläder; frack, smoking

souped up, souped-up 1 (*om motor*) trimmad **2** uppiffad, föryngrad, moderniserad, upputsad **3** berusad

soup job fortgående flygplan, bil el. racerbåt

Soup's on! Matdags!, Maten är klar!

soup-strainer mustasch

soup up 1 trimma (motor) **2** piffa upp, modernisera, putsa upp, ge mera fart o. kläm

soupy (*om bok, pjäs, film etc.*) överdrivet romantisk, verklig-hetsfrämmande, sentimental, sliskig

sour I *a* **1** tvär, ogemytlig, otrevlig **2** pessimistisk, nere, depri-merad **3** misstänkt, nästan olaglig, tvetydig **II** *s* **in sour** i en tilltrasslad el. besvärlig situation

sour-ball, sour-belly pessimist, person som jämt klagar, sur-skopa

sour-pan, sour-puss person med missbelåtet, argt, buttert utseende

souse 1 fyllhund **2** supkalas **3** berusning (av sprit, narkotika, religiös extas etc.)

soused kraftigt berusad (av sprit)

soused to the gills mycket kraftigt berusad

southpaw I *s* **1** vänsterhänt person **2** vänster hand el. arm **II** *a* vänsterhänt

sow-belly salt fläsk el. bacon

So what? Än sen då?

sozzled berusad, mosig

space bandit pressombudsman, PR-man

spaced *hipp.* **1** onåbar (om en speciell typ av hippies som är introspektiva, mystiker o. kosmiskt inriktade o. som använder narkotika främst för att finna Gud) **2** narkotikaberusad

spaced out *hipp.* vimmelkantig, yr (i sht till följd av psykedeliskt el. narkotiskt rus)

space garbage *se space junk*

space grabber *se space bandit*

space junk i rymden kringflygande raketer el. raketdelar, rymdskrot

space man journalist som får betalt per spaltmillimeter

space opera science fiction-film el. -TV-program

spade 1 *neds.* (mycket mörk) neger **2 in spades** i högsta grad, förstklassigt, *ibl.* "topp tunnor"

spaghetti 1 italienare **2** brandslang

spaghetti bangbang film om maffian

spaghetti bowl gata, väg el. korsning där det jämt är trafikstockning

spaghetti junction trafikkarusell

spaghetti Western cowboyfilm inspelad utanför USA (urspr. endast om film inspelad i Italien)

spang precis på pricken, direkt

spanker snabbt springande person el. djur (i sht häst)

spanking I *a* iögonenfallande **II** *adv* alldeles, splitter- (t.ex. *spanking new* splitter ny)

spare tire 1 överflödig person i sällskap, "femte hjulet" **2** tråkmåns, person man helst vill bli kvitt **3** bilring (på magen)

spark 1 sätta igång, anstifta; aktivera **2** inspirera, ge impuls till **3** grovhångla

sparkler 1 diamant **2** juvel; juvelbesatt smycke **3** öga

spark plug person som inspirerar, leder el. livar upp en grupp kamrater el. kolleger

sparks radiotelegrafist, *i sht* fartygstelegrafist, "gnist"

sparrowgrass sparris

speak, speakeasy lönnkrog

speak one's piece 1 fria, anhålla om ngns hand **2** framföra klagomål, yttra sitt missnöje, anföra besvär

spec 1 spekulation **2** markjobbare **3** biljetthaj **4** inledningsnummer på cirkus

special storslaget, konstnärligt el. påkostat TV-program
specimen litet ovanlig person
specs 1 solglasögon **2** glasögon **3** specifikationer
spectacle film el. TV-program med stora namn
speed 1 metamfetamin (använt som narkotika) **2** *hipp.* metamfetamin, dexamfetamin el. fenopromin (använda som narkotika)
speedball, speed demon 1 skicklig, snabb o. effektiv person **2** blandning av kokain o. morfin
speed freak metamfetamin-knarkare
speedster fortkörare, fartdåre
spell out s.th. 1 förklara ngt i detalj; ge ngt i klartext **2** säga ngt chosefritt, rakt på sak
spelunker amatör-grottforskare (*ibl. äv.* professionell)
spic, spick *neds.* **1** spanjor **2** (*på västkusten*) mexikan **3** (*på östkusten*) puertorican
spider *rymd.* Apollokapslarnas månlandare (besättningarna på de olika rymdfärderna gav månlandarna namn; på Apollo 10 hette den *Snoopy,* på Apollo 11 *Eagle,* på Apollo 12 *Intrepid,* på Apollo 13 *Odyssey; se äv. gumdrop*)
spiel 1 övertygande o. skickligt utformat tal **2** färgstarkt anförande för att locka besökare (på marknad, tivoli e.d.) **3** försäljningsargument, reklamtext som läses upp t.ex. i TV el. radio
spieler 1 vältalare, vältalig försäljare **2** radio- el. TV-speaker (i sht sådan som läser upp reklam) **3** marknadsutropare
spiffed out med finkläderna på, finklädd
spifflicated lättare berusad
spiffy snitsig, stilig, modern, elegant, grann
spike I *v* **1** spetsa (en drink) **2** spetsa (en vätska med ngt) **3** refusera inlämnad tidningsnotis el. -artikel **II** *s* nål (till spruta)
spike s.b.'s guns sätta en käpp i hjulet för ngn
spill I *v* **1** röja, tjalla; erkänna **2** välta, slå omkull **II** *s neds.* neger el. puertorican
spill one's guts 1 beklaga sig, vädra alla sina bekymmer **2** tjalla
spillover book bok som läses mer av andra än dem den är avsedd för (t.ex. barnbok som läses av vuxna)
spill the beans oavsiktligen röja ngt

spinach 1 pengar, *vanl.* sedlar **2** struntprat, överdrift, lögn **3** kändis som saknar verkliga kvalifikationer att vara det (t.ex. skådespelare med stort namn men utan talang)

spin-off 1 biprodukt **2** biresultat av en handling, lagstiftning, uppfinning e.d.

spin one's wheels springa, pinna på

spit and image of s.b., spitting image of s.b. ngn upp i dagen, precis lik ngn

spit cotton (white) vara torr i halsen (t.ex. efter alkoholförtäring el. febersjukdom)

spiv svartabörshaj

splash I *s* **1** detaljerad o. ofta sensationell tidningsartikel på framträdande plats; **make a splash** göra sig mycket bemärkt, vinna berömmelse el. ryktbarhet **2** vattensamling (från ocean till vattenpuss) **II** *v* ge en framträdande plats i tidning, "slå upp"

splashdown *rymd.* rymdfarkosts nedslag i havet

splashdown time cocktaildags

splendiferous underbar, omåttligt fin, betagande

splib *neds.* neger

splice viga ett par

splice up with s.b. gifta sig med ngn

split I *s* **1** andel i vinst **2** halvbutelj **II** *v* **1** rymma, sticka **2** springa mycket fort **3** ta ut skilsmässa, skiljas **4** slå, slå ner (ngn)

splits spagat

splitsville skilsmässa

splitter en som lämnar sitt borgerliga hem för att leva i kollektiv el. som hippie

split-up 1 skilsmässa, hemskillnad **2** tvist som resulterar i fiendskap **3** andel i olagligt byte

splurge *se splash I o. II;* **make a splurge** = *make a splash, se splash I*

spondulicks pengar

sponge I *s* **1** snyltare, parasit, viggare **2** periodsupare, fyllgubbe **II** *v* snylta, vigga

sponger *se sponge I 1*

spoof I *s* fin pik, drift, skämt; *ibl.* karikatyr **II** *v* driva med, driva gäck med, skämta med, spexa om

spook I *s* **1** neger; **spook chick** negerflicka **2** CIA-agent **3** spion **II** *v* **1** hemsöka; förfölja, inte lämna i fred **2** medföra otur

spooked 1 förföljd av otur **2** orolig, nervös, ur gängorna, darrig

sport I *s* **1** trevlig, generös person, reko kille **2** verklig lebeman **3** klädsnobb **4** inbiten hasardspelare **II** *v* ståta med, skylta med **sporting house** bordell

spot I *s* **1** liten portion, *i sht* litet glas starksprit **2** papperspengar (i sht fem- el. tiodollarsedel) **3** nöjeslokal **4** mycket kort inslag i radio el. TV **5 hit the high spots** omfatta el. beröra endast de väsentligaste intresseområdena; **hit the spot** vara precis det som behövs; **in a spot** i knipa, i en besvärlig situation; **on the spot** *a*) i livsfara, under hot om mord, *b*) i situation där viss handling väntas av en **II** *v* **1** upptäcka, varsebli **2** ge en motståndare försprång el. förmån

spotter 1 talangscout **2** hemlig kontrollant som rapporterar om arbetares duglighet o. arbetstempo

spread 1 festmåltid; dignande bord **2** trädgård; gård, gods **3** uppslag (i tidning) **4** omfattande el. ytterst välvilligt tidningsomnämnande

spread-eagle chauvinistisk, överdrivet patriotisk, flaggviftande

spread for s.b. *vulg.* ligga el. vara villig att ligga med en man

spread it on thick 1 smickra grovt **2** överdriva (i tal el. skrift)

spring 1 befria från åtal, fängelse e.d. **2** överraska med

springbutt överentusiastisk person

spring chicken (kyckling) **no spring chicken** *a*) erfaren person, *b*) (*om kvinna*) ingen ungdom

springer 1 brottmålsadvokat **2** person som ställer borgen för åtalad

spring fever vårkänslor

sprout wings 1 göra en god gärning **2** dö

spruce up 1 piffa upp, göra trevligare, vackrare el. renare **2** snygga till sig, göra sig fin, piffa upp sig

spud I *s* **1** potatis **2** spade II *v* gräva med spade
spud in påbörja själva borrningen efter olja (efter allt förarbete såsom bygge, installation o.d.)
spy-swatter kontraspion
squab flicka, ung kvinna
square I *s* **1** gammalmodig (''antik'') person, person som inte hänger med **2** skrovmål **3** vanlig cigarrett (innehållande enbart tobak) II *v* gottgöra, vedergälla (en orättvisa); utjämna (olikhet) III *a* **1** gammalmodig, förlegad, ''möglig'', ''mossbelupen'' **2** hederlig, pålitlig **3** om ngn som inte använder narkotika
square away s.th. klara av ngt, fullfölja el. fullborda ngt, iordningställa ngt
square dancing folkdans
squared circle (ring) boxningsring
square deal rättvis behandling; just överenskommelse el. transaktion
squarehead 1 skandinav **2** tysk; holländare
square peg person som inte passar in i en viss grupp, udda person
square shake *se square deal*
square shooter rättvis person, reko kille
square-toes trångsynt person
squash s.b. trycka ned ngn i skorna, förvirra ngn genom ord el. handling, kväsa ngn
squaw maka, hustru
squawk I *s* **1** missnöjesyttring, knot, klank **2** *rymd.* slarvig kvalitetskontroll vid produktion av rymdfarkostdelar **3** person som knotar II *v* knota, klaga
squawk box högtalare i offentlig högtalaranläggning
squawker kverulant
squeak I *s* **1** chans, tillfälle, möjlighet **2** räddning från nederlag, ruin, fara el. död **3** gangster av mindre format **4** polisanmälan II *v* tjalla; bekänna brott
squeak by (through) klara sig med ett nödrop
squeaker 1 match el. tävling som vunnits med liten marginal **2** tjallare
squeal I *s* **1** protest **2** tjallning; erkännande **3** svinkött II *v*

1 tjalla **2** protestera
squealer 1 tjallare **2** person som anmäler ngt till polisen **3** gris
squeal-of-the-pig *a* framställd av biprodukter
squeal room förhörsrum (på polisstation)
squeeze 1 mutning **2** utpressning; **put the squeeze on
s.b.** = *put the heat on s.b., se heat*
squeezer gnidare
squib 1 kort tidningsnotis **2** kort reklamtext i tidning, på eti-
kett e.d.
squiffed, squiffy lätt berusad, överförfriskad
squiggle krusidull, snirkel
squiggly snirklig, krokig
squinch together pressa ihop, klämma ihop, packa samman,
trycka samman
squint titt, ögonkast; överblick
squirrel I *s* **1** excentriker, underlig kurre **2** psykoanalytiker
3 bildrulle **II** *v* köra bil i sicksack över vägen
squirrel away s.th. gömma undan ngt, spara ihop ngt
squirrelly excentrisk, underlig, tokig
squirt 1 person som är liten till växten **2** omogen yngling **3** *se
soda jerker* **4** jetflygplan **5** tjugofem cent
squishy gyttjig, som lervälling
S.R.O. utsålt (*från Standing Room Only*)
S.R.O. sign röd lykta (utanför teater)
stab försök, bemödande; **make (take) a stab at s.th.** göra
ett försök med ngt, försöka sig på ngt
stack I *s* **1** stort antal, stor mängd **2** (*ibl.* **stack of wheats**)
vanligtvis tre, ibl. fyra plättar (amerikanska *hot cakes*) **3** avgas-
rör på bil; **blow one's stack** bli arg el. ilsken **II** *v* arrangera;
välja orättvist (t.ex. *stack a jury* skapa en orättvis jury)
stacked 1 arrangerad, på förhand iscensatt el. uppgjord **2** (*om
kvinna*) välskapad, med en sexig figur
stack in 1 kraschlanda **2** dö
stack the deck against s.b. begagna ofina metoder mot ngn
stack up 1 (*om arbete, planer*) forma sig, utveckla sig **2** (*om
person*) må, känna sig **3** krocka (med bil el. flygplan) **4** jämföra
stack-up bilkrock; kraschlandning

staffer fast anställd reporter el. journalist vid tidning el. nyhetsbyrå

stag I *s* **1** *bildl.* löshäst (på fest e.d.) **2** ungkarl **3** herrbjudning **II** *v* gå ensam på fest (äv. om kvinna) **III** *a* endast för män

stage-door Johnny man som uppvaktar skådespelerska

stag film porrfilm

stag party 1 svensexa **2** herrbjudning

stake I *s* **1** startkapital **2** alla pengar man har, förmögenhet **3** (påle) **pull up stakes** el. *up stakes* lämna arbete, bostad e.d., smita **II** *v* **1** satsa (i spel) **2** låna el. ge pengar till startkapital

stake horse person som tillhandahåller startkapital för ngn

stake out bevaka en misstänkt persons förehavanden

stake-out 1 polispostering, polisbevakning **1** polis el. detektiv som deltar i polisbevakning el. -postering

stall förevändning, trick e.d. för att förhala ngt

stallion storväxt, sexig kvinna

stamp collector konstköpare för vilken signaturen betyder mera än kvalitén på ett konstverk

stamping ground tillhåll

stand 1 bjuda (ngn) på, betala för (ngt) **2** kosta

standee person på ståplats el. i kö

stand-in 1 ställföreträdare **2** försänkning; gunst

stand in with s.b. 1 vara sammansvuren el. i komplott med ngn **2** ha försänkningar hos ngn

standoff oavgjord tävling el. match i vilken ena parten ansetts helt sakna chanser

stand pat vara orubblig, obeveklig, oeftergivlig

stand-patter person som envist motsätter sig ändringar (i förhållanden, avtal e.d.)

stand s.b. up 1 utebli från möte med ngn **2** göra slut med ngn

stand tall vara rakryggad o. stolt

stand-up I *s* **1** uteblivande från avtalat möte **2** skådespelares monolog medan han är ensam på scenen **II** *a* orubblig, konsekvent, oeftergivlig

stand up for s.b. 1 aktivt ta parti för ngn **2** vara en brudgums best man

standupper *TV.* utrikeskorrespondent som bara läser upp sin rapport framför en uppförstorad bild

stanza del av en match (t.ex. halvlek i fotboll, set i tennis, rond i boxning)

starker bergsäkert vad (i sht vid hästkapplöpning)

starry-eyed blåögd, naiv, verklighetsfrämmande

stash I *s* **1** gömställe för värdesaker el. reservkapital **2** gömställe för narkotika o. tillbehör **3** narkotikaförråd för eget bruk **II** *v* gömma, lägga i säkert förvar

stasticulate bolla med statistik

stasticulation bollande med statistik

stateside amerikansk

static 1 destruktiv kritik **2** obehaglig stämning

stay I *s* förmåga att uthärda ngt; *ibl.* tålamod **II** *v* behålla en erektion

stay put stanna där man är, inte röra på sig

stay with s.b. hänga med vad ngn säger

steady person man kilar stadigt med; fästman, fästmö; **go steady** kila stadigt

steal 1 gott köp, köp till mycket lågt pris **2** stöld, intjack

steal the spotlight tilldra sig allas uppmärksamhet

steal the spotlight from s.b. stjäla uppmärksamheten från ngn

steam I *s* kraft, energi **II** *v* vara arg el. ilsken; **blow (let) off steam** ge öppet uttryck för sina känslor (i sht ilska)

steamed up 1 ivrig, eld o. lågor **2** upphetsad, ond, arg

steamroller hänsynslöst o. med alla medel förinta oppositionen el. motståndaren

Steel City Pittsburgh

'steen rätt så många (egentligen mellan 13 o. 19)

steep 1 orimligt högt prissatt, alldeles för dyr **2** osannolik, otrolig, orimlig

steer 1 råd, vink **2** lockfågel för skojare el. spelhåla

stem (skaft) **the stem** huvudgatan, ströget

stems flickben

steno privatsekreterare

step (steg) **watch one's step** vara försiktig, bete sig förtänksamt, vara ganska diskret

step-ins 1 trosor **2** loafers, utan snörning som det bara är att kliva i

step off the deep end 1 kasta sig in i ngt man inte känner till **2** dö

step on the gas 1 skynda sig **2** öka farten (inte bara i bil)

step out gå bort (på fest e.d.)

step out on s.b. bedra ngn (fästmö, fästman, man el. hustru)

stepper dansör

Stetson herrhatt *ö.h.t.*

stew 1 fyllgubbe **2** supkalas **3** oro, bekymmer, nervositet **4** flygvärdinna **5** lång gruppterapisession

stew bum fyllgubbe

stewed berusad o. vinglig

stewed to the gills redlöst berusad, dödfull

stick 1 skidstav **2** växelspak **3** marijuanacigarrett

stick around 1 slå dank **2** hålla sig i närheten

stick-at-it-ive seg, uthållig

stickhandler hockeyspelare

stick-in-the-mud mossbelupen person

Stick it!, Stick it up your ass! *vulg.* Nej, så fan heller!, Åt helvete med det!

stickman 1 trumslagare (i orkester) **2** croupier (i spelhåla)

stick one's neck out chansa, ta en risk

sticks vischan, bondlandet, landsbygd; by, småstad

stick shift golvväxel (i bil)

stick-to-it-ive seg, uthållig

stickum 1 klister, lim **2** hårpomada **3** frimärke

stick up stjäla, råna

stick-up väpnat överfall el. rån

sticky 1 (*om uppdrag, problem*) besvärlig, tilltrasslad **2** sentimental, romantisk, sliskig **3** envis, orubblig

sticky-fingered 1 gniden **2** tjuvaktig, långfingrad

stiff I *s* **1** lik **2** stupfull person **3** stel o. formell person **4** kille **5** luffare **6** förfalskad check **7** hopplöst fall, hopplös situation **II** *a* **1** berusad, stupfull **2** besvärlig, tilltrasslad **3** stel, formell **III** *v* lura

stiff card formellt inbjudningskort
stiff-neck översittare
stiff-necked översittaraktig
stiff-upper-lip s.th. kallt o. beräknande avvisa el. avslå ngt
sting lura, svindla, *i sht* pungslå
stinger 1 svidande replik, slag e.d. **2** svårlöst problem el. uppdrag **3** whiskygrogg
stingy seat baksits på motorcykel, "bönpall"
stink vara urusel, underhaltig el. hopplöst oduglig
stinkaroo ngt som är misslyckat, av sämsta kvalité el. värdelöst
stinker 1 avskum, stor skit **2** svårt arbete el. uppdrag **3** *se stinkaroo*
stinking 1 ordentligt berusad **2** rik, mycket förmögen **3** avskyvärd, elak
stinko berusad, plakat
stink of (with) s.th. ha massor av ngt
stinkpot motorbåt
stinkpotter motorbåtsägare el. -entusiast
stir fängelse
stir-crazy sjuk av fängelsepsykos
stockateer person som säljer falska aktier, obligationer e.d.
stogey, stogie, stogy 1 cigarrstump **2** stor cigarr
stoked fantastiskt lycklig el. glad, överförtjust
stomp 1 klå upp **2** skälla ut
stone *allmänt förstärkande förled,* sten-
stone blind dödfull, medvetslöst berusad
stone broke alldeles pank, luspank
stone cold 1 död **2** mycket kall (aldrig om vädret)
stoned 1 berusad, överförfriskad **2** narkotikaberusad
stone fox sexig flicka
stonewall 1 förhala el. förhindra lagliga undersökningar, vägra att samarbeta **2** hålla tyst
stoney *se stone broke*
stooge I *s* **1** marionett, hantlangare, underhuggare **2** komikers skottavla **II** *v* agera *stooge* för ngn
stooge around låtsas arbeta, ge sken av att hålla på med ngt

stool I *s* tjallare **II** *v* tjalla
stoolie, stool pigeon tjallare
stoopnagel klåpare
stop-out I *v* göra uppehåll i studierna **II** *s* person som gör uppehåll i studierna
storefront church möteslokal för (oftast sekteristisk) menighet som ej har råd med riktig kyrka
story lögn
stovepipe cylinderhatt, hög hatt
stow it 1 Sluta upp med det! **2** förskönande omskrivning för *know where to stick it (se know ...)*
STP STP, en hallucinogen drog
straddle *(mest om politiker)* inta neutral position
strafe tukta, straffa
straight I *s* **1** oblandad starksprit **2** *hipp.* person som inte är hippie **3** *hipp.* vanlig cigarrett (utan hasch) **II** *a* **1** hederlig, pålitlig **2** heterosexuell **3** *hipp.* som inte är hippie **4** *hipp.* som varken är homosexuell el. narkoman **5** nykter; **get straight** *a)* sluta knarka, *b)* övergå från en homosexuell förbindelse till en heterosexuell, *c)* börja leva ett borgerligt, "hederligt" liv, *d)* tända på
straight arrow populär o. skicklig person, reko kille
straight from the horse's mouth från säker källa
straight from the shoulder utan omsvep, öppet o. ärligt, uppriktigt
straight-laced pryd, sipp, viktoriansk
straight man komikers skottavla
straight-out grundlig, genomgripande, gedigen
straights filterlösa cigarretter
straight shooter pålitlig o. hederlig person
straphanger spårvagns- el. tunnelbanepassagerare
strapped pank, i penningknipa
strapper stor, kraftig kille
strapping enorm, kolossal
straw boss bulvan el. marionett på chefspost el. i ledarställning
straw-hat sommarteater

streak I *s* **1** snabb löpare **2** snabb arbetare **II** *v* springa naken över offentlig plats (särskilt populärt 1974)
streaky ojämn i kvalitén
streamer fallskärm som inte utlöses
street (gata) **the Street** börsvärlden (eg. *Wall Street*); **on the street** *a*) ute, frigiven från fängelse, *b*) arbetslös, *c*) på jakt (t.ex. efter en sexpartner el. narkotika)
street iron *koll.* bilar
street people 1 personer som deltar i demonstrationer el. upplopp vid universitet (el. college) men ej är inskrivna där **2** sluminvånare som lever största delen av sitt liv på gatan **3** hippies som "bor på gatan"
stretch fängelsestraff
stretcher hals
stretch out spela helt ohämmat på instrument; komma loss i ett solo
stride (kliv) **hit one's stride** *a*) komma in i en arbetsrytm, *b*) känna sig frisk o. arbetsvillig
strike (slag med bollträ) **have two strikes against one** befinna sig i en ogynnsam el. kritisk situation
strike oil ha tur
strike-out misstag, misslyckande, felsteg, tabbe
1 string I *s* **1** vit lögn **2** (*oftast i pl*) förbehåll el. inskränkning (i samband med löfte, förslag, avtal e.d.); **have strings on s.b.** kräva hänsyn av ngn, ha makt el. inflytande över ngn; **on a (the) string** avhängig av ngn, underkastad ngns infall el. vilja; **no strings** *el.* **no strings attached** inga dolda villkor; **pull strings** utnyttja försänkningar **II** *v* lura, slå blå dunster i ögonen på
2 string (*efter ordningstal*) **first string I** *s* A-lag **II** *a* bäst, förnämlig, prima, bästa som finns; **second string I** *s* **1** B-lag **2** reserv i A-lag **3** ersättare **II** *a* **1** ersättande, ställföreträdande **2** näst bästa, sekunda, användbar i brist på annat o. bättre; **third string I** *s* C-lag **II** *a* av ringa kvalité, användbar endast i nödfall; **fourth string I** *s* D-lag **II** *a* dålig, oanvändbar, oduglig, jämmerlig; (högre ordningstal kan förekomma o. används då som en sorts superlativ till *fourth string*)

string along with s.b. 1 hålla med ngn, vara enig med ngn **2** lura ngn, bedra ngn

stringbean lång, tunn person

stringer 1 deltidsreporter, lokalredaktör för stor tidning el. nyhetsbyrå

string s.b. along låtsas vara enig med ngn, hålla ngn i ovisshet om sina avsikter

strip I *s* **1** stripteasenummer, avklädningsscen, nakenscen **2** (remsa) **the Strip** nöjeskvarteren el. -gatan **II** *v* **1** uppträda som stripteasedansös **2** klä av sig **3** raka sig

striper *sjömil.* officer med ränder på uniformsärmen

stripper stripteaseartist

strip poker klädpoker

striptease 1 avklädningsscen **2** stripteasedansös, strippa **3** avslöjande, blottande (av förhållande e.d.)

stroke 1 smickra **2** tala uppmuntrande el. lugnande till **3** knulla

strong-arm tvinga, nödga

strung out *hipp.* **1** narkotikaberusad **2** starkt beroende av narkotika **3** nervös

strut one's stuff demonstrera sin skicklighet

stuck uppskörtad, skojad, pungslagen, lurad

stuck on s.b. or s.th. förtjust (*ibl.* förälskad) i ngn el. ngt

stuck-up högfärdig, uppblåst

stuck (fast) be stuck with s.b. or s.th. inte kunna bli kvitt ngn el. ngt

stud sexgalen man el. kvinna

stuff hasch

stuffed (uppstoppad) **Get stuffed!** Stick!, Dra åt helvete!

stuffed shirt struntförnäm, högfärdig, inbilsk person

stuffing innanmäte (av levande varelse)

stuffy 1 sur, vresig **2** inskränkt; fantasilös

stumblebum 1 dålig boxare **2** fumlig, tafatt person **3** fyllerist som är ostadig på benen

stump I *s* **up a stump** förvirrad, förlägen **II** *v* **1** hålla valtal **2** medverka i en valkampanj **3** (*ej nödvändigtvis polit.*) agitera för

stumper, stump speaker 1 valtalare; valagitator **2** förespråkare för (ngt el. ngn) **3** svårt problem
stumps ben
stung lurad; skinnad
stunned berusad, omtöcknad
stunner 1 ovanligt vacker o./el. välskapad kvinna **2** ovanligt bra anekdot el. berättelse
stunt man *film.* stand-in i riskabla scener
stupe dum person, idiot
stymie sätta (ngn) i knipa
sub I *s* **1** ubåt **2** ersättare **3** tunnelbana **4** stor sandwich bestående av ett kluvet franskbröd fyllt med tomater, paprika o. pepparfrukter **II** *v* vara ersättare för (ngt el. ngn)
sub-deb flicka i lägre tonåren
submarine flicka som ofta har samlag
suck *v* vara botten, kass, t.ex. **this place sucks**
suckass rövslickare, lismare
sucker lätt offer för bedragare
sucker for s.b. or s.th. person som är mycket förtjust i ngn el. ngt
sucker list lista över eventuella blivande kunder **2** lista över sådana som nästan är tvingade att ge bidrag till förening, välgörenhet e.d.
suck s.b. in lura, bedra, pungslå ngn
suck s.b. off *mycket vulg.* **1** ha lesbiskt samlag med ngn **2** idka fellatio el. cunnilingus
suck up one's guts ta ut sig till sista droppen, suga i till det yttersta
suck up to s.b. fjäska för ngn
suds 1 öl, pilsner **2** pengar **3** kaffe
sudsy 1 romantisk, verklighetsfrämmande **2** (*om pjäs, film, bok e.d.*) folklig, enkel
sugar I *s* **1** pengar **2** fästmö; fästman **3** morfin, heroin, kokain, LSD **4** mutor **II** *v* muta
sugarcoat 1 linda in en obehaglig sanning el. ett meddelande **2** koppla ihop en extraförmån el. ngt trevligt med ngt besvärligt el. obehagligt

sugar daddy äldre lebeman som underhåller en el. flera kvinnor

sugar hill negerbordellkvarter

suit (kostym) **the suit** *mil.* militäruniformen, "lumpen" (*äv. bildl.*)

suitcase operation upprättande av filial utanför USA

Sunday driver 1 söndagsbilist, ovan bilförare **2** bildrulle

Sunday-go-to-meeting (*oftast om kläder*) bäst, finast

sunset law lag som innebär att regeringsorgan måste visa att de fyller en funktion – annars riskerar de att avskaffas

sunshine orange el. gul LSD-tablett

sunshine law lag om att myndighets sammanträden måste vara offentliga

super 1 självbetjäningsaffär **2** kombinerad vicevärd, gårdskarl o. maskinist (i bostadshus e.d.) **3** arbetsförman

supercalifragilisticexpialidocious "toppen" (ord skapat för filmen *Mary Poppins* o. som små barn – även i förskoleåldern – tycker om att använda för att visa att de kan långa ord)

supercharged berusad o. stökig

super-duper extra märkvärdig, jätte, kolossal

super-fab bländande, "toppen", fabulös

superfly enormt fantastisk el. attraktiv

super-pep *hipp.* (*om narkotika*) snabbverkande

superspade extremt stolt o. rasmedveten afroamerikan

sure-fire säker på succé; bergsäker

sure thing *se O.K.*

surf and turf entrérätt bestående av krabba o. oxkött

swab, swabbie, swabby 1 sjöman (i handelsflottan el. marinen **2** klumpig, tafatt person

swacked redlöst berusad

swag 1 pengar **2** byte från stöld el. inbrott

SWAK, S.W.A.K., swak förseglat med en kyss (används av förälskade tonåringar m.fl. i slutet av brev el. på baksidan av kuvert; *av Sealed With A Kiss*)

swallow sätta tro till, tro på, "svälja"

swallow s.th. hook, line and sinker svälja ngt med hull o. hår

swallow the anchor *naut.* sluta till sjöss, gå i land (för gott)
swank I *s* elegans i klädsel **II** *v* göra sig bemärkt genom elegant klädsel **III** *a* elegant, snitsig, modern
swanky 1 en aning överdrivet elegant **2** *se plush*
swap byta
swat slå med ett lätt slag
SWAT team specialstyrka inom polisen (*av Special Weapons and Tactics*)
swear by lita på (ngn), ha fullt förtroende för (ngn el. ngt)
swear off s.th. sluta med ngt (t.ex. rökning, sprit)
sweat I *s* **1** hårt arbete **2** oro, nervositet, irritation **3 No sweat!** Ingen orsak!, Var så god!, Håll till godo! **II** *v* **1** arbeta hårt, koncentrera sig på ngt **2** vara orolig, nervös, irriterad **3** ta i strängt förhör (*urspr.* tredje gradens förhör)
sweat blood vara utomordentligt nervös, otålig el. irriterad
sweat box cell där tredje gradens förhör hålls
sweater girl 1 flicka med åtsittande blus el. jumper, jumperflicka **2** kvinna med vacker byst; *ibl.* pinuppa
sweat s.th. out 1 uthärda ngt obehagligt till slutet **2** ängsligt vänta på el. avvakta ngt, svettas vid tanken på ngt
Swedish slippers träskor
sweep, sweeps totospel, totolopp
sweetheart contract ojust överenskommelse mellan representanter för fackförening o. arbetsgivare; överenskommelse genom vilken arbetarna inte får förmåner de borde ha fått
sweetie, sweety-pie älskling
swell I *s* modelejon **II** *a* förnämlig, storartad
swellhead inbilsk, egocentrisk person
swift utsvävande, lättfärdig, sedeslös
swig munfull, klunk (oftast av starksprit)
swim (simtur) **in the swim** med i svängen
swindle arbete, uppdrag, affärstransaktion e.d. (oavsett hederligheten)
swindle sheet 1 affärsresandes utgiftsredovisning **2** självdeklaration
swing I *s* **1** kort paus under arbetstid, kaffepaus **2** snabb rundresa **II** *v* **1** vara modernt inriktad, frisinnad o. sofistikerad **2** (*om*

par) komma bra överens **3** tillhöra ett gäng **4** delta i gruppsex o. partnerbyte **5** bli hängd **6** hänga

swing both ways vara bisexuell

swinger 1 sofistikerad, modernt inriktad person **2** person som deltar i gruppsex o. partnerbyte

swinging 1 med på noterna, modern **2** aktiv **3** framgångsrik

swing shift arbetsskift som i tid ej följer de vanliga 2- el. 3-skiften

swipe I *s* **1** hårt, snärtande slag med hand el. käpp **2** hembränd sprit **II** *v* snatta, knycka

swish I *s* homosexuell man med påfallande kvinnligt sätt **II** *v* (*om man*) gå med utpräglat kvinnliga rörelser

swish through s.th. 1 skumma igenom ngt, göra ngt på ett ytligt sätt **2** fara hastigt igenom ett ställe, susa igenom ngt

switch I *s* **1** springstilett, stilett med snabbt utfällbar klinga **2** fickkniv **II** *v* tjalla

switched-on *se turned-on*

switcher cigarrettrökare som går över till cigarr- el. piprökning

switcheroo plötslig el. oväntad omsvängning i inställning, beteende el. vanor

switch hitter bisexuell person

switch of signals *bildl.* kursändring

switch signals *bildl.* ändra kurs

swither (oro, fruktan) **in a swither** nervös, jäktad, orolig

symp sympatisör; *vanl.* kommunistsympatisör

sync I *s* synkronisering **II** *v* synkronisera

syndet kemiskt tvättmedel

syph 1 syfilis, "syffe" **2** syfilitiker

T

T 1 marijuana **2** transvestit

t (bokstaven t) **to a t** precis, på pricken, utmärkt

tab I *s* **1** nota, räkning (i sht obetald); **pick up the tab** betala notan (på restaurang e.d.) **2** skuldbevis **3** sensationstidning; **keep tabs on s.b. or s.th.** *a*) ha kontroll över ngn el. ngt, *b*) hålla ett öga på ngn, hålla sig à jour med vad en person el. grupp företar sig **4** *hipp*. 100 mikrogram LSD **5** tablett **II** *v* stämpla (ngn)

tabby 1 färglös kvinna, kvinna som ingen lägger märke till, anspråkslös kvinna **2** skvallerkärring

table (bord) **go under the table** *a*) ramla under bordet, vara dödfull, *b*) betala mutor

table-hop gå från grupp till grupp el. från bord till bord på restaurang, nattklubb e.d.

tab-lifter nattklubbsgäst

tacky 1 sjabbig, sjaskig, misskött, fallfärdig, ej tilltalande **2** nästan vulgär, icke helt acceptabel; skum **3** enkel, tråkig, intetsägande **4** omodern

taco mexikan

tad (*av tadpole* grodyngel) **1** mycket ung snabb tävlingssimmare **2** litet barn, *i sht* liten pojke

taffy smicker

tag I *s* **1** namn på ngn; namn man använder (t.ex. smeknamn); öknamn **2** (*på fordon*) nummerplåt **3** arresteringsorder **4** *se dog tags* **II** *v* arrestera

tail I *s* **1** rumpa, ända; **hang on the tail of s.b.** följa efter el. försöka hinna ikapp ngn som förflyttar sig mycket snabbt; **have s.b. by the tail** *a*) ha makt över ngn, *b*) behärska situationen **2** detektiv som skuggar, skugga **3** *vulg*. kvinna betraktad uteslutande som samlagsobjekt **II** *v* **1** skugga en person **2** följa mycket nära efter ngn (till fots el. i fordon)

tail-fin I *s* suffix **II** *v* **1** sätta som suffix **2** ge strömlinjeform åt
tailfinned strömlinjeformad

tailgate ligga tätt efter (annan bil el. motorcykel), "ligga på rulle", hänga (ngn)

tailored studies "forskning" med förutbestämt resultat

tailor-made I *s* **1** fabrikssydd kostym **2** fabrikstillverkad cigarrett (i motsats till en man rullar själv) **II** *a* precis rätt, lämplig, "skräddarsydd"

tails 1 frack; **on s.b.'s tails** i kölvattnet på ngn (om politiker, t.ex. statsguvernör, stadsfullmäktigeordförande, som blir vald därför att han tillhör samma parti som en mycket populär presidentkandidat som är med i samma valomgång) **2** smoking **3** (på mynt) klave

take för uttryck som börjar på *take* och som inte återfinns här nedan se under det mest markanta ordet i uttrycket

take I *s* bruttoinkomst; vinst; **on the take** mutbar, ohederlig **II** *v* **1** lura, svindla **2** ha samlag med

take-home I *s* nettolön **II** *a* verklig, netto-

take it, take it on the chin uthärda motgång

take it out of s.b. 1 utmatta ngn, enervera ngn **2** ta betalt genom tvångsåtgärder

take it out on s.b. låta ngn lida för ens egna misstag el. motgångar

take off 1 starta, påbörja **2** utgjuta sin vrede över **3** imitera, karikera, härma **4** råna

take-off 1 flygplans start **2** start, början **3** parodi, efterhärmning, spex, karikatyr

take on reagera starkt; väsnas, härja

take-out I *s* **1** nettovinst; nettoinkomst **2** andel i tjuvgods **3** affär som säljer mat för avhämtning **II** *a* om mat för avhämtning

take s.th. hard vara mycket ledsen el. besviken över ngt, ta ngt hårt

take up with s.b. slå sig ihop med ngn, umgås med ngn

talk and walk snacka på rätt sätt i samtalsterapin på anstalt så

att man har större chans att bli frisläppt
talk big skryta, överdriva
talk down 1 förklena, svärta ned **2** prata omkull
talkie talfilm
talking-to skrapa, utskällning, tillrättavisning
talk off the top of one's head prata tanklöst, prata skit
talk s.b.'s head (ear) off prata i ett, tråka ut ngn med prat
talk through one's hat prata i nattmössan
talk trash *se shoot bull*
talk turkey *se turkey 3*
tall 1 otrolig, osannolik **2** talrik; ovanligt stor **3** bra
tallow-pot lokförare
tam basker
tambourine man knarklangare
tangle ass slåss, tampas, fajtas
tangle-footed fumlig, otymplig, opraktisk
tangle with s.b. börja konkurrera el. kämpa med ngn
tank I *s* **1** arrest, finka **2** *se tank town* **3 go in the tank** mot
betalning avsiktligen förlora en boxningsmatch **II** *v* **1** äta
2 dricka (sprit)
tank act (fight) boxningsmatch med i förväg uppgjort resultat
tanked berusad
tank town 1 stationssamhälle **2** död o. tråkig stad (oavsett
storlek)
tank up supa så mycket man orkar
tan s.b.'s hide ge ngn stryk, slå ngn gul o. blå, prygla ngn
tap I *s* (kran) **on tap** omedelbart åtkomlig, klar till användning
II *v* **1** utpeka el. utvälja (person el. plats) för visst ändamål
2 låna pengar av **3** *se tap [the] wires 1*
tape-worm bandspelarfantast
taps for s.b. ngn är död
taps for s.th. ngt är passé, ngt har gått ur modet
tap the till "låna" i kassan, förskingra
tap [the] wires 1 avlyssna telefonsamtal (genom att koppla in
en avlyssningsapparat) **2** skaffa sig upplysningar direkt från in-
itierad person
tar 1 sjöman **2** opium **3** hasch

taradiddle vit lögn; oväsentlig osanning

tar brush *neds.* negerhärkomst

Target A. Pentagon (i Washington D.C.)

tarp presenning

tart prostituerad kvinna

taste 1 del av vinst **2** drink **3** samlag

tatty vulgär, osmaklig, grov, tarvlig

taxi dancer professionell danspartner

tax s.b. for s.th. ta betalt av ngn för ngt, begära ett pris av ngn för ngt

T.B. tuberkulos

T-bone Fordbil

T.C.B. *v* sköta affärerna (*av Take Care of Business*)

tea 1 marijuana **2** dopingmedel använt på kapplöpningshäst **3** te gjort på marijuana

tear 1 supkalas, "sjöslag" **2** pärla (som smycke)

tear bucket brigade *koll.* författare som skriver *tear-jerkers* (*s.d.o.*)

tear into s.b. impulsivt o. hänsynslöst angripa ngn

tear-jerker hjärteknipande el. sentimental bok, melodi, film e.d.

tear-jerking hjärteknipande, sentimental

tear off s.th. svänga ihop ngt, skapa ngt hastigt, uträtta ngt på kortare tid än vanligt

tea room (*av T för transvestit*) tillhåll för homosexuella

tease situation e.d. i slutet av ett avsnitt i film, bok, följetong etc. avsedd att öka nyfikenheten på fortsättningen

teaser flicka el. kvinna som låtsas att hon är villig till petting el. samlag men som avböjer när det kommer till kritan, "fnissmödis"

teaser tour vokalists vandring bland publiken under sångnummer

teed-off irriterad, retad; *ibl.* äcklad

teen, teenager tonåring

teenybop, teenybopper *neds.* ung tonåring (i sht flicka) som bara tänker på popmusik o. popidoler

tee off starta, påbörja

tee off on s.b. tillrättavisa, kritisera ngn
telecast I *s* TV-program **II** *v* sända i TV
telefilm 1 film framställd för TV **2** TV-pjäs
telephone pole *mil. V* luftvärnsrobot under färd
televiewer TV-tittare
televise sända i TV
televised sänd i TV, visad i TV
televiser person, grupp el. bolag som sänder TV-program
Tell it to Sweeney!, Tell it to the Marines! Det kan du inbilla andra!, Det kan du försöka lura i ngn annan
tell s.b. off 1 läxa upp ngn **2** ge ngn förhandstips, förvarna ngn
tell s.b. where to get off läxa upp ngn
telltale compass *naut.* hängande kompass (som avläses underifrån)
telly 1 television **2** TV-mottagare
ten (tio) **take ten** ta sig en kort vilopaus
tenderfoot nybörjare, gröngöling
tenderloin stadsdel där nattliv o. korruption florerar (stavas ordet med stort T avses den stadsdelen i New York)
tenner, ten-spot 1 tiodollarsedel el. -mynt **2** dom på tio års fängelse
Tennessee blue marijuana som smygodlats i USA
Tennis, anyone? Skall vi inte tala om nåt annat?
tenpercenter impressario
ten-strike replik el. handling som är en absolut succé, jättesuccé, fullträff; **hit a ten-strike** träffa huvudet på spiken, göra det rätta i en viss situation
tent and barn circuit buskteaterturné, teaterturné i landsorten
ten-toes-up samlag
ten-vee I *s* totalt värdelös sak el. person **II** *a* värdelös, totalt värdelös, botten
terrific underbar, prima, märkvärdig, storartad, fullkomlig, i särklass, super-
Texas jättestor, i särklass bäst, finast etc.
T.G.I.F. *skämts.* gudskelov att det är fredag (*av Thank God It's Friday*)

that-away 1 åt det hållet (som man pekar) **2** sådan, på det viset

that way kär, förälskad

THC cannabisolja (tetrahydrocannabinol)

theme song uppfattning som titt o. tätt uttrycks av person el. grupp

There you go! Det är rätt!, Det är bra!

thick 1 otrolig, osannolik, osann **2** dum, träskallig, trögtänkt **3** förtrogen, förtrolig

thigh slapper folklig vits el. anekdot

thimblerigger bedragare, lurifax

thin I *s* tio cent **II** *a* otrolig, osannolik, knappast godtagbar

thin dime tio cent

thing 1 kall, uppgift, gärning; **do one's thing** följa sitt kall, sköta sina uppgifter, göra det man bör även om andra tycker det är fel **2** konstig inställning, fix idé, fobi **3 make a good thing out of s.th.** utnyttja ngt till egen fördel

thingamajig, thingumabob pryl, grej, grunka, manick

think stimulerande el. inspirerande för intellektet

think-box, thinker hjärna

think factory laboratorium för teoretisk teknik

think machine datamaskin

think-piece tankeväckande tidningsartikel, understreckare

think tank 1 *se think factory* **2** samling högt kvalificerade vetenskapsmän med uppgift att lösa problem, ofta tvärvetenskapliga, åt regering el. företag

thin man, thin one tio cent

third, third degree hårdhänt el. långdraget förhör, tredje graden

third ear tjallare

third eye självkännedom uppnådd genom narkotikabruk

Third Force CIA

third guesser *se second guesser*

third sex *koll.* de homosexuella

third wheel överflödig person i sällskap, femte hjulet

thirteen-cent killer, 13c killer *mil. V* skarpskytt

thirty, 30 1 slut på manus (speciellt tidningsrapport el. radio-

el. TV-speakers manus) **2** farväl, adjö
thirty-dash *typ., se thirty 1*
thirty-year man *mil.* legosoldat
thorm hårt åskväder (*av thunder-storm*)
thou tusen
threads kostym; kläder
three-bit tredje-klassens, värdelös, betydelselös
three decker trevåningshus med en lägenhet i varje våning
three-legged *naut.* med tre master
three-ring circus ngt som är storslaget, larmande, underhållande el. förvirrande (el. en kombination av detta)
Three R's 1 (*av reading, 'riting, 'rithmetic*) grundläggande skolkunskaper **2** ngt grundläggande ö.h.t.
three-sheet I *s* affisch i storleken 208× 104 cm **II** *v* uppreklamera, skryta om
three sheets in (to) the wind berusad, "i gungan"
thrill-killer person som mördar för spänningens skull (ej lustmördare)
throw I *s* **1** försök (oftast *take a throw at s.th.*) **2** större fest, stort svep **3 a throw** per enhet, person el. sak **II** *v* **1** imponera på **2** avsiktligt förlora (en tävling)
throw a bop into knulla med
throw a fit bli arg, bli rasande, visa sin vrede
throw a monkey wrench into s.th. (into the works) försvåra, försena, trassla till el. lägga hinder i vägen för ngt, sätta en käpp i hjulet för ngt
throwaway 1 billig reklamtrycksak; löpsedel **2** inträdesbiljett som säljs till sänkt pris för att skaffa större publik
throw bull *se shoot bull*
throw in the sponge (towel) ge upp, medge ett nederlag, erkänna sig besegrad
throw lead skjuta
throw leather boxas
thud *mil.* *V* **1** flygkrasch, särskilt efter beskjutning **2** flygplanet F-105 Thunderchief
thumb, thumb a ride lifta, åka på tummen
thumber person som försöker få lift

thunder mug nattkärl, potta
tick I *s* **1** kredit **2** ögonblick, sekund **II** *v* (ticka) **what makes s.b. tick** det som gör livet värt att leva för en, det som är viktigast för en i livet
ticker 1 klocka **2** hjärta
ticket 1 rätt el. tillrådligt (i en viss situation); **have the tickets** vara kvalificerad, rejäl, präktig, heta duga **2** handlingar rörande utskrivning från militärtjänst **3** handlingar rörande frigivning ur fängelse **4** LSD **5 write one's own ticket** få sina egna villkor godtagna
ticket blitz polisrazzia efter trafiköverträdare
tickety-boo i finfin ordning, toppenfin, OK
tickled pink, tickled to death jätteförtjust, mycket nöjd
tickler 1 mustasch **2** liten portion; smakbit; "droppe" **3** pianist
tickle the ivories spela piano
tick off 1 räkna upp, nämna en i sänder, "dra", rabbla upp **2** irritera
ticky-boom i fin ordning, toppenfin, OK
ticky-tacky banal, slätstruken, trivial, intetsägande
tiddly berusad (i fnitterstadiet)
tie a can to (on) 1 själv vidta åtgärder för att bli kvitt (ngn el. ngt) **2** avskeda, säga upp
tied up upptagen, överlastad med arbete
tie-in förbindelse, samband; *ibl.* försänkning
tie-in deal *se package deal*
tie into s.b. or s.th. våldsamt angripa ngn el. ngt
tie it up avsluta ett arbete el. uppdrag
tie one on supa sig full
tie the knot gifta sig
tiger 1 extrarop efter de vanliga leveropen **2 have a tiger by the tail** *a*) hålla på med ngt som kan medföra katastrof, *b*) försöka bekämpa en last el. svaghet
tiger suit *mil. V* kamouflerad uniform
tiger sweat 1 billig, dålig starksprit (ofta hembränd) **2** öl
tight 1 gnidig **2** berusad **3** svåråtkomlig **4** nära, intim (om vänskap o.d.) **5 up tight** *hipp. a*) ängsligt förvirrad, förbryllad,

pinsamt berörd, *b*) pank
tight as a ... (man kan sätta in nästan vilket ord som helst, fast *drum* kanske är det vanligaste) dödfull, plakat
tight-ass spänd, nervös person
tight-fisted gnidig
tight spot besvärlig el. kritisk situation
tightwad I *s* gnidare **II** *a* gnidig
tile herrhatt (i sht hård hatt)
timber-jack skogsarbetare, flottare
time 1 fängelsestraff; **do time** avtjäna fängelsestraff **2 beat s.b.'s time** besegra en konkurrent (i sht om en kvinna)
time of day absolut minimum av hänsyn
time of one's life jättetrevlig upplevelse
time slot tidpunkt för program i TV el. radio
tin 1 polisbricka **2** pengar; mindre summa pengar
tin badge polisbricka
tin beard *teat.* illa el. fel fastsatt lösskägg av dålig kvalité
tin-bender maskiningenjör (i mots. till elektrotekniker)
tin can 1 gammal bil **2** *sjömil.* krigsfartyg (oftast ubåtsjagare) **3** *rymd.* hölje till rymdraket el. robotraket (utan mekanism el. sprängladdning)
tin-ear 1 omusikalisk person **2** hörselfel; *ibl.* dövhet
tin fish *sjömil.* torped
tin God person som tror sig vara ofelbar, översittare
tin hat *mil.* hjälm
tinhorn I *s* nolla, obetydlig person; nykomling **II** *a* betydelselös, oerfaren
tinkle I *s* telefonpåringning **II** *v* **1** pingla, telefonera till **2** kissa
tin Lizzie 1 bil av gammal modell (i sht Ford) **2** gammal, skraltig bil
Tin Pan Alley 1 musikförlagens kvarter i New York **2** den tänkta värld där populärmusiken blir till
tin pants vattentäta byxor som används av fiskare o. flottare
tinpot obetydlig, ringa, betydelselös. likgiltig
Tío Taco mexikansk Onkel Tom
tip I *s* **1** kortfattat råd el. upplysning **2** stalltips **3** samlag **4** sexig flicka **II** *v* **1** ge en upplysning; tipsa **2** vara otrogen **3** knulla

tip off 1 förvarna, varsko **2** ge värdefulla upplysningar **3** utpeka (den skyldige)

tip-off förvarning

tip one's mitt oavsiktligt röja ngt

tip over (a place) 1 göra inbrott, göra intjack (någonstans) **2** göra razzia

tippee *börs.* person som mottar olagliga förhandstips från en mäklare

tipple I *s* vin el. sprit som dricks i smyg **II** *v* supa måttligt

tippler 1 smygsupare, skåpsupare **2** måttlighetsdrinkare

tip sheet daglig tidning med upplysningar om hästkapplöpningar

tipster 1 professionell börsanalytiker **2** tidningsskribent, TV- el. radiokommentator som ställer prognoser om utvecklingen på olika områden **3** yrkestippare (inom sporten)

tissue genomslagskopia av brev, handling e.d.

tit (kvinnas) bröstvårta el. bröst

tits *a* toppen

tits-and-ass *a* om ngt som har med nakenbilder el. nakenshow att göra

tittivate piffa upp

tizzy nervositet, oro, förvirring, förbryllelse

TKO I *s* teknisk knockout (i boxningsmatch) **II** *v* **1** vinna på teknisk knockout **2** besegra (på vilket sätt som helst)

T-man detektiv vid riksskatteverket (*Dept. of Internal Revenue*)

toadskin (*nästan alltid pl*) sedel

toady up s.b. fjäska för ngn

Tobacco City Winston-Salem, North Carolina

toby billig långsmal cigarr

to-do rabalder, ståhej, oväsen, buller

toenail *typ.* parentes, klammer

together 1 lugn **2** harmonisk **3** flott, smart

togetherness 1 samförstånd; det att ha samma mål, ideal och problem **2** ömsesidig förståelse **3** *s till* together

togged out (up) stiligt el. grant klädd

toggery kläder

togs 1 herrkostym **2** kläder

toke I *s* bloss på marijuanacigarrett **II** *v* dra bloss på marijuana-cigarrett

toke up 1 tända marijuanacigarrett **2** förbereda sig för (ngt)

tokus arsle, ända

tom *v* vara inställsam mot de vita

tomato 1 tjusig flicka el. ung kvinna **2** oduglig boxare

tombstones tänder

tomcat I *s* flickjägare **II** *v* **1** vara ute på flickjakt **2** söka upp en prostituerad

Tom, Dick and (or) Harry 1 nolla, genomsnittsmänniska; kreti o. pleti **2** samling ointressanta killar (oavsett antal), personer som inte angår en

tommy tomat

Tommy, Tommy gun automatgevär

tommyrot struntprat, nonsens, dumt prat

ton 1 hastighet av 160 km i timmen; **hit a ton** uppnå en hastighet av 160 km i timmen **2** (ton) **hit like a ton of bricks** *a*) göra ett starkt intryck på, överväldiga, imponera på, *b*) (*om spritdryck*) vara jättestark, berusa snabbt

tongue advokat (i sht för förbrytare)

tonk 1 sjabbigt nöjesetablissemang **2** bordell

tonsil titan 1 tenor **2** kabarésångare

tony stilig, aristokratisk

tooies narkotikatabletter innehållande barbiturater

took lurad, svindlad

tool I *s* **1** ficktjuv **2** *vulg.* penis, kuk, pitt **II** *v* **1** köra bil fort o. skickligt **2** åka bil (äv. som passagerare)

toolpusher arbetare som sköter transportabelt mekaniskt verktyg (i sht nitare med nitmaskin)

too much överväldigande; toppen

Toonerville spårvagn (i sht gammal o. skranglig)

toot supkalas, rummel

toothpick fickkniv, *i sht* stilett

tootle 1 spela på blåsinstrument **2** tuta med bilhorn

toots, tootsie, tootsie-wootsie 1 vacker, charmerande flicka el. kvinna **2** smeknamn på kvinna man har kär

tootsy 1 tå ℒ fot

top I *s* **1** huvud **2** cirkustält (*jfr big top* huvudtält i cirkus) **II** *v* **1** överträffa, fördunkla, bättra på (ngn annans prestation) **2** döda, mörda **III** *a* bäst, prima, toppen

top banana 1 manlig huvudrollsinnehavare (i teaterpjäs, i sht komedi) **2** *se top dog I*

top brass 1 högsta militärledning **2** *koll.* officerare av hög rang **3** direktion, ledning, styrelse

top dog I *s* ledare, chef, direktör; person som har högsta rang el. betydelse i en grupp **II** *a* viktigast, främst; *ibl.* skickligast

top-drawer 1 exklusiv, utsökt, förnämlig, kultiverad, förfinad **2** hemlig, hemligstämplad

top flat huvudet

topflight (*om pers.*) ledande; skicklig, betydande

topflighter verklig expert

top kick chef, ledare, högsta auktoritet, person som ger order

topless *a* **1** om servitris el. kvinnlig artist som uppträder med bara bröst **2** om restaurang där servitriserna har bara bröst

topless radio radioprogram där lyssnarna diskuterar intima problem med en telefonväktare

top-lofty högfärdig, nedlåtande, översittaraktig

top-notch jättebra, prima

top-of-the-bottle I *s* elit, grädda, bästa i sitt slag **II** *a* utsökt, prima, bäst

topper 1 hög hatt **2** jätterolig vits **3** förkrossande replik, fråga el. yttrande

topping-out taklagsfest

tops I *s* **1** de bästa (om personer el. saker) **2** falska tärningar **II** *a* bäst, prima, utsökt, förnämlig

top-side I *a* högre, överordnad, av högre rang, med större auktoritet **II** *adv* uppför trappan, i övre våningen

topsider 1 sjöofficer **2** sjöman som arbetar över däck **3** toppfunktionär, hög tjänsteman

top story huvudet

top the bill vara huvudattraktion (stjärna)

torch 1 pistol, revolver **2** pyroman **3 carry the torch for s.b.** vara olyckligt kär i ngn

torch song populär sång om obesvarad kärlek

torchy sliskigt sentimental, tårdrypande, patetisk

torn up 1 arg, upphetsad, förbannad **2** förtvivlad, mycket ledsen

torpedo professionell mördare, gangster som mördar mot betalning

toss 1 hålla, anordna (fest o.d.) **2** kroppsvisitera

toss a bouquet ge en komplimang, smickra

toss it in ge upp, erkänna sig besegrad

toss one's cookies kräkas, spy

tosspot fyllerist, suput, drinkare

toss s.th. off 1 genomföra ngt snabbt o. lättvindigt **2** inte bry sig om ngt (förolämpning, komplimang, varning, råd) **3** sluka ngt (i sht alkohol) snabbt

toss up kräkas, spy

tossup tillfälligheternas spel, ödets nyck, ren händelse, slump

total I *v* **1** totalförstöra **2** *sport.* justera (*dvs.* skada) **II** *s* bilvrak

tote I *s* **1** summa, totalt belopp; *ibl.* vinst **2** totalisator **II** *v* **1** bära på sig (ngt som inte syns); **tote a gun** vara beväpnad **2** bära, kånka på

tote board tavla el. affisch med odds-lista

tote up, tot up räkna ihop

touch I *s* **1** försök att låna pengar **2** lånade pengar **3** person man lånar av; **soft touch** person som är lätt att låna av **4** stöld **II** *v* **1** försöka låna pengar av **2** låna pengar av **3** stjäla

touchdown landning med flygplan

touchie-feelie *a* som har med sensitivitetsträning att göra

tough 1 *skol.* sexig **2** *hipster* (*s.d.o.*), toppen, oförliknelig **3** *hipp.* oberörd, trankil, lidelsefri, världsfrämmande **4 be tough on s.b.** *a*) vara synd om ngn, vara otur för ngn, *b*) ligga efter ngn, använda hårda metoder mot ngn

tough buck 1 dåligt avlönat arbete, hårt arbete **2** betalning för hårt arbete

tough-cookie I *s* hård nöt att knäcka **II** *a* aggressiv, påflugen; hutlös

tough fox (head) sexig flicka

toughie 1 slagskämpe, rå sälle, råskinn **2** svårlöst problem, svårt arbete e.d.

Tough shit! *vulg.* Synd om 'en!, Inget att göra åt det!

tour guide *se guide*

tourist 1 lat arbetare **2** lätt offer för skojare

touristas, the diarré

tout hästkapplöpningshabitué med stalltips till salu

town (stad) **go to town** lyckas; **on the town** *a*) på socialbidrag, med socialunderstöd, *b*) på nöjesrond i nattklubbar, barer e.d.

tracks 1 ärr efter narkotikainjektioner **2 make tracks** sticka, smita

trad *a* traditionell

trade-last komplimang som ges som tack för en man själv har fått

tragic magic heroin

trailer 1 reklamfilm som visar avsnitt ur kommande film **2** förfilm, kortfilm

train (tåg) **pull a train** ligga med flera män i rad

tramp lösaktig kvinna (från gatflicka till societetsdam)

trap 1 mun, käft **2** nöjeslokal (i sht nattklubb) med höga priser, guldkrog

trappy besvärlig, knepig

traps påklädning; artistkostym, -dräkt

trash I *s* **1** (urspr. vänsterextremistiskt uttryck) bomb **2** vandalism **II** *v* **1** bomba **2** krossa fönster **3** klå upp **4** ta hand om övergivna möbler för eget bruk el. för försäljning

trasher 1 person som sätter ihop o./el. placerar ut tidsinställd bomb **2** fönsterkrossare **3** vandal **4** person som tar hand om övergivna möbler på gatan

trashing 1 bombexplosion **2** fönsterkrossning **3** vandalism

trashman *se trasher 1*

travel agent knarklangare

traveling salesman vågad anekdot, fräckis

tree I *v* **tree s.b.** försätta ngn i en svår situation **II** *s* **up a tree** i en svår situation

tref hemligt möte mellan kriminella

trendies modeskapare

triage 1 princip som innebär att man koncentrerar vården till dem som har störst chans att överleva **2** princip som innebär att man ger u-hjälp till de länder man anser ha störst chans att utvecklas

tribe *hipp.* hippiegrupp med gemensam inställning till livets problem

trick 1 fängelsetid; militärtjänstgöringstid **2** söt flicka el. ung kvinna **3** horkund, torsk; **turn tricks** vara prostituerad

trif *se tref*

trigger I *s* **1** *se torpedo* **2** (avtryckare) **quick on the trigger** snabb i reaktionen, vaken, *ibl.* häftig **II** *v* förorsaka ngt, sätta igång ngt

trigger-happy 1 skjutgalen **2** kritiklysten, klandersjuk **3** dumdristig, våghalsig i mycket viktiga el. riskfyllda situationer

trigger man *se torpedo*

trim I *v* **1** besegra med liten marginal **2** tillrättavisa, läxa upp **II** *s* samlag

trimming 1 nederlag, besegrande **2** reprimand, hård kritik **3** prygel, stryk

trip 1 fängelsedom **2** *hipp.* narkotikarus, särskilt av LSD **3** spännande upplevelse

tripe strunt, skräp, smörja

triple-threat 1 motståndare som är farlig p.g.a. sin skicklighet el. allsidighet **2** *bildl.* allvarligt hot

trip taker *hipp.* hippie i narkotikarus

troika grupp av tre samarbetande personer

trolley (löpkontakt) **off one's trolley** felinformerad; tokig, förvirrad, galen, sinnessjuk

trot 1 dans, hippa, skoldans **2** lathund, moja

trots 1 travlopp **2** diarré

trouble man, troubleshooter 1 reparatör (mekaniker el. elektriker) **2** person som tar reda på o. avvärjer missnöje o./el. meningsskillnader (i sht politiska), medlare

troubleshooting 1 uppspårande av fel på elektriska el. mekaniska apparater el. installationer **2** biläggande av meningsskiljaktigheter, medling

trouper 1 erfaren skådespelare **2** artist, scenartist, *i sht* cirkusartist **3** god kamrat

truck I *s* **1** skräp, smörja **2** samarbete (mest i uttrycket *no truck with s.b.*) **II** *v* **1** gå, dansa **2 keep on truckin'** *CB* ta det lugnt, kör på

truck drivers amfetamin

trumped-up uppdiktad, lögnaktig, missvisande, falsk

try-out 1 testning, provtid, försökstid **2** landsortspremiär före storstadspremiär på film el. pjäs för att utröna publikreaktionen

tsuris *jidd.* problem, bekymmer

tube 1 TV-mottagare **2** tunnelbana

tube it köra i tentamen

tuck away s.th. äta el. dricka ngt

tucker out s.b. trötta ut el. tråka ut ngn

tuff superb, jättebra

tug at s.th. dricka (oftast halsa) ngt

tullies, the bondvischan, ödemarken

tumble 1 chans, möjlighet **2** igenkänningstecken

tumble to s.th. fatta, förstå, begripa ngt

tummy mage

tuna tjej, kvinna

tune (låt) **to the tune of** till ett pris av

tuned in 1 kunnig **2** medveten, inne

tune in on s.b. or s.th. 1 lyssna till ngn el. ngt **2** bli medveten om el. engagerad i

tune out sluta vara engagerad el. medveten

tunesmith komponist

tune up trimma (motor)

tunnel *v* gå under jorden

turd *vulg.* **1** träck; skitkorv **2** knöl, drulle

turf 1 pojkligas maktområde som försvaras mot intrång av andra ligor **2** trottoar, *ibl.* gata; **on the turf** *a*) luspank, *b*) verksam som prostituerad, på sporten

turk pederast

turkey 1 undermålig pjäs el. film, fiasko; **plain turkey** buskis **2** impopulär el. inkompetent person **3 talk turkey** *a*) tala allvar, *b*) säga sin åsikt, tala rent ut; **cold turkey treatment** tvärstopp med narkotika, rökning el. annan last

turkey shoot lätt arbete el. uppdrag

turn 1 kalldusch, häftig överraskning, chock **2** artistnummer, cirkusnummer **3** avsnitt av en scenroll

turn blue I *v* dö **II** *interj* Stick!, Försvinn!

turned-off 1 "nykter" efter narkotikarus **2** ointresserad **3** utled på

turned on 1 berusad (av narkotika el. sprit), "påtänd" **2** stimulerad, uppiggad **3** öppen, medveten, hipp

turnip klocka, rova

turn off 1 sluta lyssna till **2** koppla av **3** tråka ut **4** avspisa, nobba

turn on 1 få ngn att börja med (ngt) **2** knarka **3** egga (ngn) sexuellt **4** stimulera (ngn) **5** bli intresserad

turn-on 1 narkotika **2** narkotikarus **3** ngt el. ngn stimulerande el. upphetsande **4** upphetsning

turnout 1 publik, åskådare, närvarande personer **2** herrkostym **3** frigivning från fängelse

turnpike motorväg

turn turtle 1 kapsejsa, kantra **2** hamna på rygg **3** bli rädd, bli feg

tush 1 ljushyad negress **2** *se tushie*

tushie, tushy stjärt, ända

tux smoking

tuxedo tvångströja

TV transvestit

TV chatterbox TV-kommentator

twat *vulg., se muff 4*

twenty-five LSD

20-mike-mike, twenty-mike-mike *mil. V* 20 mm kanon

twerp 1 person som är annorlunda, original; *ibl.* särling **2** liten oansenlig kille **3** *sportfiske* "pinne"

twicer förbrytare som straffats två gånger

Twin Cities Minneapolis–St. Paul

twirl flicka, ung kvinna

twirler flicka (vanligtvis i lägre tonåren) som är tamburmajor i marschorkester

twist I *s* **1** flicka, ung kvinna **2** modenyck; *ibl.* modeströmning

twist s.b.'s arm övertala ngn med kraftiga medel
twisted kraftigt påverkad av narkotika el. sprit
two-bit 1 till ett pris av tjugofem cent **2** betydelselös, intetsägande, värdelös, liten, billig
two bits tjugofem cent
two-by-four trång, snävt tilltagen; trångbodd, kyffig
twofer billig cigarr
two-hatter person som vänder kappan efter vinden, opportunist
two-piecer bikinibaddräkt
twosie, two-spot tvådollarsedel (indragen 1965)
two-time lura, bedra (i sht i kärleksaffärer)
two-time loser 1 förbrytare som har fått fängelsestraff två gånger **2** person som har två skilsmässor bakom sig
tycoon pamp, magnat
typewriter automatvapen, *vanl.* kulspruta

U

U I *s* universitet, högskola **II** *a* förnäm, korrekt, elegant, förfinad, överklassbetonad

uke ukulele

ultras (*ej i sg*) ultrakonservativa personer el. partier

umbilical cord *rymd.* **1** elkabel ansluten till olika instrument i rymdkapsel för testning o. borttagen före start **2** lina som förbinder rymdfarare med rymdskeppet då han promenerar utanför detta, "navelsträng"

ump I *s* domare (i baseball, fotboll o.d.) **II** *v* vara domare

umphing förbaskad

umpteen 1 vilket antal som helst mellan 13 och 19 **2** massor av, uppsjö på, femtielva

umpteenth femtielfte

umpteen-to-one bergsäkert, oundvikligt

unavoidable circumstances högtidsdräkt, *i sht* frack

unc onkel

uncle 1 pantbank **2** hälare **3 say uncle** medge att man har förlorat (i slagsmål, konkurrens e.d.)

Uncle 1 lagövervakande instans inom den federala administrationen; *vanl.* skatteverket, narkotikaroteln **2** ämbetsman i sådan instans

Uncle Sam 1 USA **2** *se Uncle*

Uncle Tom neger som lugnt godtar segregation, onkeltommare

Uncle Tommyhawk indiansk Onkel Tom, indian som sviker den radikala indianrörelsen

uncool 1 otrevlig, besvärlig **2** ute

uncover girl fotomodell som poserar i korsetter el. underkläder

undercard (*vid sportevenemang el. underhållning*) samtliga punkter på programmet utom huvudnumret

under cover gömd, dold

under-cover agent spion, hemlig polis, kontraspion

underground *a* **1** oppositionell, okonventionell; om ngn el. ngt som är mot etablissemanget **2** hemlig **II** *s* motkultur

underpinnings 1 underkläder, *i sht* damunderkläder **2** ben, *i sht* kvinnoben

undies 1 trosor **2** damunderkläder ö.h.t.

unflappable obesvärad, orubblig, ledig; *ibl.* nonchalant

unglued 1 panikslagen **2** galen

unhep, unhip, unhipped gammalmodig, dum, efterbliven, inte med sin tid

uniform tango *se Uncle Tom*

unk-unks (*av unknown unknowns*) **1** svårlösta problem **2** obekanta detaljer **3** oro för framtiden **4** en kombination av *unk-unks 1, 2 o. 3*

unlove affair hård, hänsynslös konkurrens

unreal otrolig, fantastisk, underbar

unscrewed *se unglued*

unshoed enkelt, slarvigt el. smaklöst klädd

unstoned ej narkotikaberusad, nykter

untogether 1 som fungerar dåligt känslomässigt **2** ute

unword fackord (som endast förstås av personer i branschen)

unzip 1 övervinna (ngn), få (ngn) att öppna sig **2** knäcka (ett problem)

up för uttryck med *up* som inte återfinns här nedan se under det mest markanta ordet i uttrycket

up I *prep* (upp) **it is up to s.b.** ngn är ansvarig för ngt, ngn har hand om ngt, förvaltar ngt; **be up to s.th.** *a*) vara kompetent till ngt, vara ägnad, lämpad för ngt, *b*) i hemlighet hålla på med ngt **II** *a* hög (på narkotika)

up against it i knipa, i en prekär situation

up-and-doing aktiv, sysselsatt

up-and-down (upp o. ned) **give s.b. (or s.th.) the up-and-down** granska ngn el. ngt utan o. innan (uppifrån o. ned)

up-and-up, on the up-and-up rejäl, renhårig

upbeat optimistisk, munter, gladlynt

upchuck kräkas, spy
update I *v* sätta (ngn) in i en situation, underrätta (ngn) om det
aktuella läget **II** *a* aktuell
up front I *adv* i förskott **II** *a* ärlig, öppen
uplift *se falsie*
upper 1 uppåttjack **2** stimulerande upplevelse
upper-bracket i högre löneklass, av högre rang
upper crust societet, elit, förnämsta grupp
upper-crust förnäm, aristokratisk, överklass-
upper deck byst; **she carries her cargo on the upper deck** hon har stora bröst
uppers (ovanläder på skor) **on one's uppers** utfattig, barskrapad
upper story hjärna, huvud
uppish, uppity 1 högfärdig, mallig **2** streberaktig; inbilsk
ups *hipp.* narkotika
up-scale förnäm, aristokratisk, förfinad, distingerad
upset (*mest inom sport o. politik*) förvånande, oväntat resultat
Up-South *a* nordstats- (*antyder att rasdiskriminering förekommer äv. där*)
upstage, up-stage I *v* **1** stjäla föreställningen från en medspelare i en pjäs **2** uppnå bättre resultat än (konkurrent) **3** negligera, vara högdragen mot **II** *a* högfärdig, mallig; streberaktig
up the ass helt o. hållet
up there himlen
uptick 1 höjning **2** förbättring
up tight, uptight (*urspr. hipp.*) **1** ångestfylld, ångestmättad **2** känslomässigt påverkad **3** *hipp.* pank **4** inne; medveten
uptown 1 finare förort, villastad **2** elegans **3** burgenhet
Up yours!, Up your ass! *vulg.* Fan ta dig!, Skitprat!
urb storstad med intensivt nattliv
use för uttryck med *use* som inte återfinns här nedan se under det mest markanta ordet i uttrycket
use one's head (bean, loaf, noodle) tänka, besinna sig, använda huvudet
utter konstig, ovanlig, kufisk

V

vacate sticka, smita

vag luffare

Valentine extra vänligt utformad tidningsintervju

vamoose smita hastigt, sticka

vamp I *s* manslukerska **II** *v* vampa

vanilla I *s* **1** rykten, överdrift, skvaller **2** vacker flicka, ung kvinna **II** *a* (*om pers.*) färglös, ointressant

vanity press (*sg* **vanity house**) *bokförl., koll.* bokförlag som ger ut böcker för vilka författarna står för hela el. största delen av kostnaden

varnishes *järnv.* passagerarvagn

varoom I *v* köra fort o. med dånande motor **II** *s* motordån från bil el. mc

varsity universitet

Vatican roulette barnbegränsning som bygger på s.k. säkra perioder

VC, V.C. viet cong, *dvs.* FNL

V.D., VD venerisk sjukdom

vee femdollarsedel

veep underdirektör, vice verkställande direktör i bolag

Veep USA:s vicepresident

vee-pee *se veep*

vegetable tråkmåns, "grönsak"

veggies grönsaker

veggy I *a* vegetarisk **II** *s* vegetarian

vehicle 1 pjäs el. film skriven för bestämda stjärnor **2** *rymd.* bärraket för rymdkapsel

velvet 1 nettovinst, överskott (i sht från spel) **2 on velvet** välmående, välbärgad, med sitt på det torra

velvet stiffs rikt folk

vest (väst) **play it close to the vest** undvika onödiga risker, vara beräknande

vet I *s* **1** veterinär **2** veteran **II** *v* (*om veterinär*) undersöka, behandla **III** *a* erfaren, skicklig

V-girl lättfärdig flicka el. kvinna som håller sig till militärer, flottister o.a. uniformerade

vibes 1 vibrafon **2** *se vibrations*

vibrations 1 stämning, vibrationer **2** känslor som överförs utan ord

vibrator massagestav

vic 1 straffånge **2** offer

Victor Charlie *se VC*

Victory girl *se V-girl*

video television

videotic (*om TV-program*) absurd, korkad, prillig, fånig

Vietnik demonstrant mot kriget i Vietnam

Vietvet militär som muckat efter fullgjord tjänstetid i Vietnam; *ibl.* veteran från Vietnamkriget

vigah (*John F. Kennedys uttal av vigour*) framåtanda, energi, arbetsvilja

vigorish 1 spelhålas el. bookmakers vinstmarginal **2** ockrares räntesats **3** ockrares vinst

-ville *allmänt förstärkande suffix*

vines påklädning; kostym

vino rödvin (i sht italienskt)

VIP, vip, V.I.P. (*av very important person*) mycket betydande person, vip

viper 1 narkotikaförsäljare **2** marijuanarökare som hållit på länge

visiting fireman 1 turist som slösar med pengar **2** besökande betydelsefull affärsförbindelse som måste visas hänsyn; *ibl. VIP* **3** person som deltar i kongress e.d. huvudsakligen för att roa sig

V-note femdollarsedel

vocals *koll.* populära sånger

voiceover man person som läser upp texten till reklamfilm men inte syns i bild

Volunteer State Tennessee

voom I *s* **1** käpphäst, vurm, fluga **2** fart, sprutt, fräs **II** *v* skynda sig, jäkta **III** *a* klipsk, pigg, rapp, rushig; **go voom-voom** verka lekande lätt, piggt, gå som smort, gå i ett huj

vow (löfte, ed) **take the vows** gifta sig

voyager person som tagit LSD el. annan tripp

vroom *se varoom*

W

wack excentriker, original, konstig prick
wacky 1 excentrisk, galen, tokig, sinnessjuk **2** ovanlig, fascinerande
wad stor mängd (i sht av pengar)
wade into s.b. angripa ngn plötsligt o. häftigt (inte nödvändigtvis fysiskt)
waffle I *s* **1** fot **2** struntprat **3** tvetydigheter **II** *v* prata strunt
waffle around lunka, lufsa omkring
wag one's chin prata
wagon (vagn) **on the wagon, on the water wagon** *a*) nykterist, *b*) på "torken"; **off the wagon** *a*) ej längre nykterist, *b*) ute från "torken"
wagon soldier *mil.* fältartillerist
wahoo bondlurk, dummer
walk 1 bli släppt från fängelse el. häkte **2** sticka, dra
walkaway 1 lätt el. överlägsen seger **2** egnahemsägare som struntar i att amortera o. sedan rymmer sin väg
walk-down lägenhet i källarplanet
walk heavy 1 vara betydelsefull **2** uppträda överlägset
walking-around money 1 pengar "under bordet" till amatöridrottsman **2** nödvändiga kontanter för löpande utgifter
walking dandruff löss; *ibl.* loppor
walking papers 1 skriftlig el. muntlig uppsägning **2** "korgen" (från fästmö e.d.) **3** skilsmässoansökan
walking ticket uppsägning
walk-on liten roll utan replik, statistroll
walk on the wild side I *s* period av narkomani **II** *v* vara narkoman
walk out gå i strejk

walk-out strejk

walk out on s.b. lämna ngn i sticket

walk soft uppträda tillbakadraget o. ödmjukt

walk the line inspektera el- el. oljeledningar

walkup I *s* **1** flervåningshus utan hiss **2** rum el. lägenhet i hyreshus utan hiss **II** *a* utan hiss

wall (mur) **go over the wall** rymma från fängelset

wallop I *s* **1** hårt slag **2** effektiv påverkan **3** raglande **II** *v* **1** klå upp **2** drämma till **3** ragla iväg snabbt

walloper ngn el. ngt som slår hårt

walloping I *s* stryk, aga **II** *a* jättestor, jättebra

wall-to-wall 1 heltäckande, total **2** *CB* mycket bra (om hörbarhet)

Walter Mittyish drömmande, fabulerande, byggande luftslott

waltz I *s* lätt jobb **II** *v* röra sig ledigt o. obekymrat

waltz s.b. (somewhere) trots alla hinder föra ngn fram till (en plats)

waltz through s.th. smidigt o. med lätthet klara av ngt

wamble stappla iväg, gå ostadigt

wampum pengar

wangle I *s* gnabb, smågräl **II** *v* **1** uppnå el. erhålla ngt genom fiffel el. intriger **2** vinna ngt genom förfalskning el. annan ohederlighet

want-ad rubricerad annons

warbler sångerska, sångfågel

wargasm 1 det totala kriget **2** kris som hotar att leda till totalt krig

warhorse 1 veteran el. pensionär som fortfarande arbetar **2** musikstycke som är en säker publikframgång

war lord ledare för tonårsgäng

warmer-upper ngt som värmer (oftast dryck men äv. rörelse el. klädesplagg)

war paint 1 make-up, krigsmålning **2** frack e.d.

wart 1 osympatisk person (oftast liten till växten) **2** brist, fel

wash I *s* ngt att skölja ner en sup med, t.ex. öl **II** *v* hålla, vara trovärdig (i uttrycket *it doesn't wash*)

washed-out 1 trött, utmattad, urlakad **2** pank, bankrutt **3** ut-

slagen (oftast i idrottssammanhang)
washed-up 1 oduglig, värdelös **2** ruinerad; ej längre användbar, satt ur spel
wash-out 1 fiasko, misslyckande **2** misslyckad figur (speciellt inom idrott o. i sällskapslivet); tråkmåns; panelhöna
wash out s.b. döda ngn
wash selling (trading) *börs.* köp o. försäljning av värdepapper mellan ohederliga mäklare för att få kursen att stiga
wash up s.th. *se tie it up*
WASP, Wasp (*av White Anglo-Saxon Protestant*) vit protestant av anglosaxisk härkomst
waste 1 klå upp **2** döda
wasted 1 beroende av narkotika **2** pank **3** känslomässigt o. fysiskt slutkörd
watchdog s.b. or s.th. företa kontroll för att förhindra olagligheter hos person el. grupp
waterbug vattenskidåkare
water dog person som tycker om att simma, blötdjur
water rat luffare el. tjuv som håller till i hamnkvarter
water the stock (*mest om börspapper*) öka vinsten genom att försämra värdet av det saluförda
water works 1 tårar, gråt **2** njurar
wave 1 marinlotta **2 make waves** vara topp tunnor rasande, riva upp himmel o. jord, skumma, ladda ur sig
wax I *s* grammofonskiva **II** *v* **1** överföra ljud (musik) till blank skiva under en grammofoninspelning **2** klå upp **3** misshandla **4** döda **5** besegra överlägset, krossa
way (väg) **that way** kär, förälskad
way-out 1 märkvärdig, enastående, beundransvärd **2** berusad genom sniffning el. av narkotika
weak sister feg el. opålitlig person (oftast man)
wear one's brow at half mast visa sig mindre intellektuell än man i själva verket är
wear two hats 1 spela dubbelroll **2** ha två jobb
weasel I *s* **1** tjallare **2** person som fjäskar **II** *v* tjalla
weasel word avsiktligt dubbelbottnat ord; mildrat uttryck
weasel-word 1 använda *weasel words* (*se ovan*) **2** tala strunt

på så sätt att det låter vettigt

weather (väder) **under the weather** *a*) krasslig, sjuklig, *b*) lidande av baksmälla, *c*) lätt berusad

Weatherman, *ibl.* **Weatherwoman** medlem av den mest vänsterextremistiska gruppen av USA:s ungdomar

web radio- el. TV-sammanslutning (t.ex. Eurovision)

wedgies skor med kilklack

wee I *s* **1** epidemisk hjärnfeber, sömnsjuka **2** urin, kiss **II** *v* kissa

weed 1 marijuanacigarrett **2** cigarrett; **the weed** tobak **3** dålig o. billig cigarr **4** marijuana

weeding snatteri

weeds kläder, *i sht* färgstark herrkostym

weekend warrior 1 reservist **2** hemvärnssoldat **3** medlem i frivillig militärkår

weenchy mycket mycket liten, obetydlig, hur liten som helst

weenie 1 wienerkorv, *i sht* varm korv **2** ngt som kan medföra otur

weenie-bopper samma som teenybopper (*s.d.o.*), men yngre (*ca* 8–12 år)

weenie-grind plugghäst

weeper patetisk, gråtmild pjäs, sång, bok e.d.

weight 1 inflytande **2** ett ounce marijuana el. heroin

weird 1 annorlunda, konstig **2** underbar, härlig

weirdie, weirdo ngn el. ngt som är annorlunda

welch *se welsh*

welcher *se welsher*

well-fixed förmögen, rik

well-heeled 1 förmögen, rik **2** beväpnad

well-hung utrustad med stor penis

well-keeled rik, förmögen (endast om redare, ägare av större båtar o.d.)

well-oiled berusad

well-stacked (*mest om kvinnor*) välskapad

welsh bryta (löfte, i sht löfte om betalning)

welsher person som inte betalar sina skulder (i sht förlorade vad) fast han kan

Wesson party *se Mazola party*
west (väster) **go west** *a*) dö, *b*) förtvina, tyna bort
Western Vilda Västern-roman, -pjäs el. -film
wet I *s* anti-nykterist, förbudsmotståndare **II** *a* **1** lätt berusad
2 som misstar sig fullkomligt, utan insikt i ämnet; **be all wet** *a*)
missta sig, *b*) högljutt förfäkta en felaktig idé el. tro
wetback 1 mexikanare **2** immigrant som illegalt har tagit sig
in i USA
wet behind the ears naiv, oerfaren, barnslig, inte torr bakom
öronen
wet blanket döddansare, tråkmåns
wet hen argbigga
wet-nose yngling, ung oerfaren o. naiv person
whack I *s* **1** chans, möjlighet, tillfälle (oftast *have* el. *take a*
whack at s.th) **2** försök **3** snärtande slag, svidande slag **4** kon-
dition; **out of whack** sjuklig, onormal, i oordning; **go out of**
whack krossas, stjälpas, "torpederas" **II** *v* **1** slå ett snärtande
slag **2** späda ut narkotika (för att lura köparen)
whack up 1 slå i småbitar, hugga i smådelar (t.ex. kaffeved)
2 dela bytet (av stöld el. spel)
whacky 1 konstig, irrationell **2** full i sjutton, tokrolig
whale of a time 1 kolossalt roligt **2** förfärligt länge
wham slå, drämma till
wham-bam 1 lössläppt, animerad **2** snabb o. ytlig
whammo burdus, hux-flux, plötslig
whammy 1 onda ögat; **put the whammy on .s.b.** *a*) fördö-
ma, skarpt klandra ngn, önska ngn illa, *b*) sabotera för ngn,
försvåra för ngn, hindra ngn, bringa ngn otur
whang I *s* **1** råsop, smocka, smäll **2** skräll; smatter; skall
3 *vulg.* penis, kuk, pitt **II** *v* slå, ge en smocka; **whang away** *a*)
slå en serie slag, *b*) skjuta en serie skott i snabb följd
wharf rat hamnbuse
whatchamacallem 1 person som ej är "kändis" **2** ord an-
vänt i stället för namn man inte för ögonblicket kommer på
whatchamacallit *se thingamajig*
what for avbasning (muntlig el. kroppslig)
what it takes det som fordras (för framgång, popularitet el.

succé, i sht pengar, försänkningar el. sex-appeal)
What's cooking? 1 Vad nytt?, Annars? **2** Vad försiggår här?
What's eating you? Vad går det åt dig?, Varför är du så sur (el. nere)?
What's the scam? *se What's cooking?*
whatzis *se thingamajig*
wheel 1 betydelsefull person, pamp **2** (hjul) **have wheels in one's head** ha en skruv lös
wheel and deal 1 dominera inom sitt yrkesområde **2** handla självständigt o. hänsynslöst
wheeler-dealer 1 myglare **2** affärsman som snabbt o. effektivt utnyttjar varje situation o./el. kontakt **3** hänsynslös o. självständig person
wheelie 1 trick där mc körs på ett hjul **2** trick där bil körs på två hjul
wheelman chaufför åt liga som gör bankrån el. andra brott
wheels bil (i sht flott, pampig)
whee up hetsa upp, entusiasmera
wheeze gammal välkänd vits el. anekdot
where it's at 1 där allt spännande o. intressant finns **2** där den slutgiltiga sanningen finns
where one lives så det känns; med effekt; medförande häftig reaktion; **hit (got) him (her** *etc.***) where he (she** *etc.***) lives** det väckte en häftig reaktion hos honom (henne *etc.*)
wherewithall pengar
whiff 1 missa, bomma **2** döda
whiff session sammankomst för gemensam sniffning, sniffarparty
whim-whams anfall av nervositet
whingding I *s* **1** krampanfall el. epileptiskt anfall (låtsat el. förorsakat av narkotika) **2** raserianfall, vredesutbrott **3** bullersam fest **4** grej, grunka, manick **II** *a* bullrig, ohämmad, larmande
whip it to s.b. *se sock it to s.b.*
whipped utmattad
whippersnapper liten obetydlig person med stora pretentioner
whipsaw 1 besegra (ngn) lätt **2** klara av (ngt) lätt **3** misshandla

whip s.b.'s ears back besegra ngn grundligt
whirlybird helikopter
whirlypig 1 polishelikopter **2** helikopterburen polis
whisker (skäggstrå) **within a whisker** med mycket liten marginal, på ett hår
whiskers 1 psykiater **2** äldre man (med el. utan skägg) **3** haka
whispering campaign viskningskampanj o./el. avsiktlig spridning av lögn om ngn
whistle (visselpipa) **blow the whistle on s.b.** *a*) tjalla på ngn, *b*) tvinga ngn att upphöra med det han håller på med; **wet one's whistle** ta sig en sup, fukta strupen
whistle-blower 1 tjallare **2** ngn som sätter stopp för ngt
whistler 1 *astron.* oförklarliga lågfrekventa radiovågor från rymden utanför jordens atmosfär **2** tjallare
whistle stop landsortshåla
white I *s* **1** alkohol, "apotekssprit" **2** heroin **3** amfetamin **II** *a* **1** hederlig, pålitlig **2** kass **3** känslokall
white collar worker kontorist
white dwarf *astron.* pulsar
white flight den del av gröna vågen som innebär att den vita medelklassen flyttar till villaförorter o. kranskommuner
white hope 1 vit boxare som kanske kan vinna världsmästerskapet **2** person som förväntas utmärka sig o. bli till nytta för sin omgivning
white-knuckle (med vita knogar) **be a member of the white-knuckle club** vara rädd när man flyger
white-knuckle airline (carrier) flygbolag som använder små, dåligt underhållna plan på korta rutter
white lady, the heroin
white lightning 1 hembränd whisky **2** LSD
white mice (*endast i pl*) *mil. V* sydvietnamesisk polis
white money pengar som varit svarta men tvättats
white mule billig, undermålig starksprit
white rabbit *CB* polis
white spot vit som umgås enbart med svarta
white-tie frack-, gala-
white tie and tails frack

white trash fattig vit jordbrukare el. arbetare i Sydstaterna
whitewash I *s* **1** överskylande av missförhållanden, falsk
rentvagning av ngns namn o. rykte **2** idrottsseger där det förlo-
rande laget inte får en enda poäng **II** *v* **1** dölja ohederlig handling
2 (*i idrott*) besegra en motståndare så att denna inte får en enda
poäng
white-wing person i vit uniform, *i sht* gatsopare
whitey 1 vit person, viting **2** "dom vita" **3** det vita etablisse-
manget
whiz I *s* **1** toppexpert, toppspecialist **2** ngt som är av speciellt
hög kvalité **3** ficktjuv **II** *v* **1** köra bil fort, djärvt el. dumdristigt
2 operera som ficktjuv
whiz-bang förnämlig, jättebra, första klassens
whiz kid ung, extremt framgångsrik person, underbarn
whodunnit kriminalroman, -film el. -pjäs
whole hog alltihopa, hela kakan, alltsammans; **go the whole
hog** driva en sak så långt det över huvud taget går, få alla sina
villkor godtagna
whole-hog I *v* ta alltihop **II** *a* hel, fullkomlig, komplett
whole shebang *se shebang*
whole shooting match *se shooting match*
whomp besegra grundligt; klå upp
whomp up skaffa fram, åstadkomma, leverera; *ibl.* bereda
whoopdedoo 1 uppsluppen fest, högljudd tillställning **2** skri-
kande reklam; prålighet
whoopee 1 *se whoopdedoo* **2 make whoopee** roa sig
enormt, festa, slå runt
whoopee cup papperskopp el. påse för flygpassagerare att
kräkas i
whooper-dooper supkalas, sjöslag
whoosh flyga el. köra (en kort sträcka) mycket fort, svischa
iväg
whopper 1 grov lögn **2** rejält klavertramp, dundertabbe **3** he-
jare
whopping kolossal, enorm, jätte-
who-shot-John stuff 1 struntprat, nonsens, lögn **2** omsvep,
krumbukt

whozis, *ibl.* **whoosis** el. **whosis 1** person vars namn man
inte vet el. har glömt bort **2** Medelsvensson
whumping (*om ljud*) dov, mullrande
wicked skicklig, kompetent, rutinerad, styv
wickiup 1 bostad, lägenhet; hem **2** ruckel, kråkslott
widdershins okonventionell, oberäknelig
wide-open 1 värnlös, utan inre styrka, försvarslös; *ibl.*
"ställd" **2** (*om stad, stadsdel etc.*) med öppen illegal verksam-
het, med ohämmat tarvligt nöjesliv; laglös
widget liten grej el. manick
Wiener, wienie varm korv
wife 1 hora, ofta hallickens egen favorit **2** den passiva parten i
ett homosexuellt förhållande mellan två män el. två kvinnor
wig I *s* **1** hjärna **2** intellektuell **3** musiker som spelar modern
jazz **4** vit person **5** ngt spännande el. skönt **6** galning **II** *v* **1** reta
2 spela modern jazz **3** uppleva extas el. upphetsning
wigged out upphetsad, uppskakad, uppriven
wiggle (slingring) **Get a wiggle on!** Skynda på!, Raska på!
wild underbar, toppen
wild about s.b. or s.th. kär i ngn, förtjust i ngn el. ngt
wild blue yonder 1 den overkliga värld i vilken en sinnessjuk
el. nervsjuk person lever **2** rymden bortom vår värld
wildcat I *s* **1** vild strejk **2** lättretad person **3** lok utan vagnar
(t.ex. rangerlok) **II** *v* **1** borra på måfå efter olja, chansa på en
borrning **2** (*om lok*) köra utan vagnar; (*om tåg*) köra utanför den
reguljära tidtabellen **III** *a* **1** riskabel, chansartad **2** ej godkänd av
auktoriteter el. lag
wildcat bank "Ebberöds bank"
wildcatter 1 person el. bolag som borrar efter olja på nytt
område **2** person el. bolag som driver riskabla el. osäkra företag
willies 1 nervös oro, rastlöshet, ångest **2** kopparslagare
williwaw rabalder, uppståndelse, kalabalik
windbag pratkvarn, person som använder många ord utan att
säga ngt
windjammer pratkvarn
window 1 *rymd.* den tid under vilken en rymdfarkost måste
avfyras om den skall nå sitt mål **2 out the window** *a*) (*om*

arbete e.d.) fåfäng, bortkastad, gagnlös, *b*) (*om förhoppningar, karriär e.d.*) grusad, krossad

window dressing förvrängning av sanningen, "utsmyck-ning" av fakta

windows glasögon

windup sista avslutande åtgärder, avslutning

wind up (somewhere) hamna (någonstans), anlända (någon-stans)

wind up s.th. avsluta ngt, avveckla ngt, lägga sista handen vid ngt

windy pratsjuk

Windy City Chicago

wing arm

wing-ding *se whingding*

wing it 1 vara med på noterna, hänga med **2** sticka sin väg **3** starta **4** *TV. a*) blanda in filmade avsnitt i direktsändning, *b*) byta från en kamera till en annan under direktsändning **5** impro-visera

wingy snabb, snabbgående, rask

winker öga

winkle out pilla ut; *ibl.* peta ut

wino utarmad drinkare som håller sig till *Sneaky Pete* (*s.d.o.*) o. annat billigt o. dåligt vin

winterize göra i ordning för vintern (t.ex. hälla glykol i bilens kylare, byta till dubbdäck)

wiped-out 1 ute **2** full **3** hög **4** utmattad

wipe off, wipe off the map mörda el. döda

wipe-off näsduk

wipe out I *v* **1** *se wipe off* **2** råka ut för en (bil-)olycka **II** *s* (bil-)olycka

wire 1 ficktjuv **2** telegram **3** (telefontråd) **hold the wire** inte avbryta telefonförbindelsen, inte lägga på luren (även om samta-let avstannar ett tag) **4 pull wires** *a*) intrigera, utöva påtryck-ningar el. inflytande, *b*) dirigera, bestämma; **under the wire** med nöd o. näppe, i sista sekunden, i elfte timmen

wired, wired up 1 hög **2** full **3** upphetsad; lycklig **4** nervös

wire-puller person som använder sitt inflytande på otillbörligt sätt

wire-pulling intriger (i sht politiska)

wise (klok) **get wise** *a*) bli underrättad el. upplyst om, *b*) vara fräck, uppnosig, oförskämd, *c*) komma underfund med sina egna svagheter; **get wise to s.th.** få reda på ngt, lära sig ngt, inse ngt; **put s.b. wise** avslöja en hemlighet för ngn, sätta in ngn i ngt han inte känner till

wise-ass *se wise guy*

wisecrack I *s* vits, kvickhet, snärtande replik **II** *v* vara fyndig, vitsig, lustig

wisecracker person som är vitsig, snabb i repliken o.d.

wise guy, wisenheimer inbilsk el. näsvis person

wish-wash blaskig, urvattnad el. svag dryck, "diskvatten"

wishy-washy 1 vankelmodig, osäker, oviss **2** (*om dryck*) blaskig, urvattnad, fadd, smaklös, svag

withdrawal abstinenssymptom

with it inne (om person)

wizard I *s* person som är utomordentligt skicklig på sitt område (mest om intellektuellt arbete) **II** *a* förnämlig, underbar, prima

wolf I *s* **1** flickjägare **2** homosexuell som spelar den aggressiva rollen **II** *v* **1** jaga andras flickor, fästmör el. hustrur **2** kritisera

wolf down s.th. glufsa i sig ngt, skyffla in ngt

wolfess sexuellt aggressiv kvinna, nymfoman

wolf pack polistrupp som gör razzia

womb baby *hipp.* rumlare, vivör; goddagspilt

womp reflex i TV-kamera som visar sig på mottagarapparaten som ett vitt fält

wonk *hipp., neds.* hårt arbetande person, tråkmåns

wood (*i nattklubb, bar, restaurang e.d.*) bar, bardisk

wooden kimono (overcoat) likkista, träfrack

woodpile xylofon

woodshed, wood-shed I *s* **1** repetitionslokal för musiker **2** repetition före skivinspelning **3** (vedbod) **take s.b. to the woodshed** straffa ngn, ge ngn aga **II** *v* ensam hålla på med

woods tuxedo korderojkostym

woody I *s* stationsvagn med träpaneler **II** *a* slö el. sinnesrubbad p.g.a. omåttlig konsumtion av träsprit

woof 1 *ibl.* **woof** [one's] **food** skyffla in, glufsa i sig **2** prata nonsens, vara långrandig el. omständlig

woofer person i radio- el. TV-program vars andetag hörs tydligt i högtalaren

wool (ylle) **all wool and a yard wide** äkta, pålitlig, gedigen, prima

woollies, woolies 1 långkalsonger o./el. långärmade undertröjor **2** *se willies 1*

woolly I *s* neger **II** *a* oklar i hjärnan, omtöcknad, svimfärdig

woomph off hastigt skicka iväg, avfyra (ngt mycket tungt, i sht rymdraket)

woozy 1 omtöcknad, oklar **2** ängslig, fylld av kuslig ångest, av själslig fasa o. oro **3** svimfärdig, yr, vimmelkantig

wop 1 italienare; ättling till italienare **2** italienska språket **3** sydeuropé

word merchant tidningskåsör

word show musical där handling o. repliker väger tyngre än musiken

wordsmith ordkonstnär, person som kan konsten att välja rätt ord för rätt tillfälle

work (syssla) **get the works** *a)* bli lurad, bli skojad, *b)* misshandlas, torteras; **give s.b. the works** *a)* misshandla, tortera ngn, *b)* döda el. mörda ngn; **gum up the works** förstöra egna el. andras utsikter att lyckas med ngt; **shoot the works** *a)* anstränga sig hårt, göra sitt bästa, *b)* satsa allt man har (i sht pengar); **the works** *a)* hela faderullan, rubb o. stubb, *b)* ett kok stryk, mörbultning, *c)* döden, avlivning, mord, *d)* utrustning för injicering av narkotika

workaholic arbetsnarkoman

worked-up 1 upphetsad, uppeggad **2** nervös, orolig

workfare system för arbetslöshetsunderstöd som innebär att den arbetslöse måste acceptera anvisat arbete för att få pengar

working girl prostituerad

working title arbetsnamn (på film, pjäs, bok e.d.)

workout 1 kok stryk, avbasning, mörbultning **2** mycket krävande arbete, sportprestation e.d.

work s.b. over behandla ngn hårdhänt för att pressa fram upplysningar e.d.

workshoe *a* tålig, robust

work the stem tigga på gatan, gå på tiggarstråt

work tribe *hipp.* hippiegrupp som arbetar (t.ex. med lantbruk el. handel)

world (värld) **out of this world** himmelsk, obeskrivligt underbar, hänförande, inte av denna världen

world-beater person el. sak som är unik el. bäst i sitt slag

worm I *s* kräk, fähund, odugling **II** *v* studera

worm out of s.th. slingra sig ur penibel situation el. obehaglig affär

worrywart pessimist, "dysterkvist", tungsint person

worst (sämst) **in the worst way** i högsta grad; *ibl.* främst

wound up arg, förbannad (*se äv. wind up*)

wow I *s* **1** (*inom nöjesvärlden*) jättesuccé **2** person som gör jättesuccé **3** utomordentligt rolig scen, replik, person e.d. **II** *v* hänrycka, begeistra, "elda" **III** *interj* Oj!, Fantastiskt!, Wow!

wrap (inpackning) **under wraps** hemlig

wrap s.th. up 1 avsluta el. fullfölja ngt, bli färdig med ngt **2** prestera det avgörande, bli tungan på vågen **3** fullkomligt slå sönder el. förstöra ngt

wrap-up 1 specialnummer som medföljer som tidningsbilaga **2** sammanfattning, resumé **3** avslutning

wrecked 1 dödfull **2** extremt påverkad av narkotika

wren 1 flicka, ung kvinna **2** sångerska

wrestle danstillställning

wrinkle listigt påfund, knep, trick

wrinkle s.b.'s skirt 1 grovhångla **2** förföra en kvinna

wrist-slapper frökenaktig yngling el. man

wrist-slapping I *s* lätt kritik, lätt förebråelse; *ibl. wrist-spankling* (*s.d.o.*) **II** *a* svagt kritisk, lätt förebråande

wrist-spanking straff el. avbasning som i relation till brottet el. förseelsen är alldeles för lätt

wrong (fel) **in wrong** i onåd

wrongo film- el. teaterbov

wrong side of the tracks 1 låg härkomst **2** fattigkvarter

X

X tiodollarsedel
x-legged kobent
x marks the spot här är det
x out 1 stryka, gå fram med blåkritan, censurera **2** döda, mörda
x-rated 1 barnförbjuden **2** kass, värdelös
x-ray machine *CB* polisradar
x s.b. 1 utpeka ngn som offer (*ibl.* som skyldig) **2** ta reda på var ngn befinner sig; söka efter ngn

Y

Y 1 (*av YMCA*) KFUM **2** gymnastiklokal **3** (*av YWCA*) KFUK **4** symbol för *yippies* (*s.d.o.*)

ya (*av you, your*) du, din, dig

yackety-yack I *s* tomt, innehållslöst prat, ordsvall, svammel **II** *v* prata oupphörligt o. utan givande innehåll **III** *a* pratsjuk, snacksalig, pladdersjuk

Yack-in-the-pulpit långtråkig predikant

yack-yack I *s* struntprat, skvaller **II** *v* **1** prata strunt, skvallra **2** titta (bedömande) på flickor

yahoo 1 lantis **2** grobian

yakety-yak *se yackety-yack*

yak-happy pratsjuk, talträngd

yammer I *s* jämmer, klagovisa, jeremiad **II** *v* gnälla, knota, kverulera

yanigan 1 *mil. V* ung soldat **2** ung oerfaren person

yank, Yank I *s* **1** infödd amerikan, yankee **2** amerikan från nordstaterna **3** amerikansk soldat **II** *v* arrestera, ta fast

Yankee Heaven Paris

yap I *s* **1** mun, käft **2** dummer, naiv person **3** knot, missnöje, knorrande **II** *v* **1** knorra, grumsa, protestera **2** snacka, babbla, pladdra

yard I *s* tusen dollar (*ibl.*, i sht på tjugotalet, hundra dollar) **II** *v* vara otrogen

yardbird 1 fånge (i fängelse) **2** menig i armén

yard bull 1 fångvaktare **2** järnvägsdetektiv

yard goose järnvägsarbetare, *i sht* spårväxlare

yatata, yatata yatata enformigt el. monotont prat, prat som verkar tröttande el. irriterande på åhörarna

yawp I *s* struntprat, nonsens **II** *v* prata högljutt o. aggressivt

yeah betyder allt från "ja" till "nej", beroende på tonfall, o. innebär att man betraktar det sagda som allt från bergsäker sanning till svartaste lögn

yeah-yeah *se yé-yé*

year 1 sedel **2** en dollar

yegg, yegg-man 1 dynamitard **2** tjuv (i sht om han är på luffen)

yellow I *s* **1** feghet **2** ljushyad neger el. negress **3** nedåttripp **4** LSD **II** *a* **1** feg **2** (*om neger*) ljushyad (*se äv. high yellow*)

yellowback sedel

yellow-bellied feg

yellow-belly fegis

yellow dog skolbuss

yellow jack 1 gulsot **2** *naut.* karantänflagga

yellow jacket fenedrintablett

yellow journalist sensationsjournalist

yellow press skandalpress

yellow streak feghet, feghetstendenser

yellow submarine *se bennies 1*

yellow sunshine LSD

yen 1 längtan, begär **2** *se yen-shee*

yen-shee opium (bearbetat o. klart till användning)

yenta *jidd.* irriterande skvallerkäring

yentz *jidd.* **1** knulla **2** lura

yep ja

yes-man servil, krypande, inställsam man; ja-sägare

yé-yé 1 ungdomligt blaserad, ung men världsvan **2** tonårig, tonårs-

yid *neds.* jude

yipe jämra sig, beklaga sig

yippie medlem el. anhängare av den hippiebetonade radikala rörelsen *Youth International Party* (i slutet av sextiotalet)

yips ängsliga farhågor, oro, byxångest; *ibl.* rampfeber

yock I *s* **1** dumhuvud, naiv, godtrogen person **2** gapskratt, skrattsalva **II** *v* skratta våldsamt o./el. länge

yold *jidd.* fårskalle

You bet!, You betcha!, You betcher!, You bet you! Det

kan du slå dig i backen på!, Det är absolut riktigt (rätt, sant etc.)!, Det kan du lita på!

You lost me there Det fattar jag inte, Du var för djupsinnig för mig, Nu hänger jag inte med längre

you name it vem el. vad som helst, utan undantag, alltihopa

young liten

yours truly "en annan", jag

You said it! Just det!, Du har alldeles rätt!

yo-yo I *s* **1** opportunist **2** klantskalle **3** lättlurad person **II** *v* vända kappan efter vinden; byta åsikt ofta

yuck, yuk 1 vits; *ibl.* kort anekdot; **for yucks (yuks)** *a*) för ro skull, *b*) för den komiska effektens skull **2** dumhuvud, trögtänkt person, idiot

yukky äcklig, slibbig, guckig

yummy tjusig, tilltalande, god, bra

Z

Z ett ounce narkotika

zaniness genial galenskap; vansinnigheter, tokerier, rena pippin; uppspelthet

zany I *s* **1** tokstolle, spexmakare **2** clown **II** *a* **1** tokrolig, befängd, prillig **2** genialt vanvettig, genialt tokrolig

zap I *v* **1** drämma till **2** skjuta **3** besegra grundligt, krossa **4** attackera muntligt **5** imponera på **6** ha samlag, knulla **II** *s* **1** vitalitet **2** konfrontation

zap about (around) ströva omkring

zapped 1 dödad **2** berusad, dödfull **3** som har haft samlag

zero cool ace ännu bättre än stort A i betyg

zero hour 1 ödestimme **2** tidpunkt för påbörjande av handling el. åtgärd

zero in on 1 ta sikte på **2** koncentrera sig på **3** gå direkt på kärnpunkten (i problem e.d.)

zhlub, zhlob *jidd.* tölp, lantis

Z.I. (*av zone of the interior*) *mil. V* USA

zig-zag (sicksack) **go zig-zag over s.b.** göra mycket väsen av ngn

zilch I nolla, betydelselös person **II** *a* inga, inte en enda

zillion gränslöst många, miljarder

zillionaire mång-mång-miljonär, multimiljonär

zing I *s* **1** spänst, vitalitet, fart, slagkraft, sting **2** rytm, schvung, kläm, fläkt **II** *v* **1** pika, snärta, driva gäck med **2** gå undan, förlöpa snabbt

zinger 1 snärtande vits, pik **2** kvick, slagfärdig person

zingy livfull, pigg, klatschig, pikant

zip I *s* **1** *se* zing **2** hög fart, stor hastighet, raskt tempo **3** noll, noll poäng **4** vietnames **II** *v* rusa el. störta fram, ligga som en

rem efter marken
zip along rusa i väg, störta framåt
zip gun hemmagjort skjutvapen av enkel konstruktion använt
av ligister
zip off 1 rusa i väg plötsligt, starta oväntat **2** resa med snabbt
flygplan
zipper into s.th. klä sig hastigt, slänga på sig kläderna (inte
nödvändigtvis försedda med blixtlås)
zippy I *s* ung ligist **II** *a se zingy*
zit finne, utslag
zizz sova
zoftig *jidd* (*om kvinna*) mullig, mjuk o. knubbig, rundlagd
zombie 1 impopulär person **2** dum, trögtänkt kille **3** original (i
fråga om utseende, sätt el. synpunkter)
zonk 1 *se rig II* **2** döda
zonked medvetslös, *i sht* alkohol- el. narkotikaberusad
zonked out 1 sovande **2** *se zonked*
zoo 1 *mil.* djungel **2** polisstation
zoom 1 flyga mycket snabbt **2** röra sig framåt el. uppåt mycket
snabbt **3** skaffa (ngt) utan att betala **4** planka in
zoo scene 1 situation där många män var för sig samtidigt
försöker få tag i samma flicka **2** tumultartat slagsmål, kalabalik
zoot suit herrkostym av överdrivet snitt o. i skrikande färger
zoot suiter 1 smaklös klädsnobb **2** hämningslös, oblyg o.
uppkäftig ung man
zooty I *s* klädsnobb **II** *a* **1** modern, i takt med tiden **2** färgrik,
mångfärgad
z's sömn; **cut some z's, hit some z's, grab some z's** ta sig
en lur, sova lite

Litteraturförteckning

American Heritage Dictionary of the English Language. New York 1969.

Barnhart, C. L. *et al.: The Barnhart Dictionary of New English 1963–1972.* London 1973.

Bernstein, T. M.: *The Careful Writer.* New York 1965.

Berry, L. V.: *American Thesaurus of Slang.* New York 1953.

Britannica Funk and Wagnall's Standard Dictionary of the English Language. Chicago 1966.

Clearbaut, D.: *Black Jargon in White America.* Grand Rapids, Mich. 1972.

Encyclopaedia Britannica (11th Ed.). Cambridge 1911/12.

Encyclopaedia Britannica (1st Am. Ed.). Chicago 1966.

Encyclopedia Americana. New York 1965/66.

Fowler, H. W.: *Dictionary of Modern English Usage.* London 1957.

Goldin, H.: *Dictionary of Underworld Lingo.*

Good Buddy's CB Dictionary. Consumer Guide Vol. 126. Skokie, Ill. 1976.

Landy, E. E.: *The Underground Dictionary.* London 1972.

Major, C.: *Black Slang.* London 1971.

Mencken, H. L.: *The American Language.* Ed. by McDavid. London 1963.

Merriam Webster's Third New International Dictionary. New York 1961.

Moss, N.: *What's the Difference. An American-British/British-American Dictionary.* Revised edition. London 1978.

Nicholson, M.: *Dictionary of American-English usage.* New York 1957.

Partridge, E.: *Dictionary of Slang and Unconventional English.* London 1961.

Random House Dictionary of the English Language. New York 1967.

Reader's Digest Great Encyclopaedic Dictionary, Vol. III. Oxford 1969.

Rosten, L.: *The Joys of Yiddish.* Harmondsworth, Middx. 1971.

Skaarup, V. & Winther, K.: *USA-Slang.* Köpenhamn/Stockholm 1945.

Trench, R. C.: *On the Study of Words.* London 1851.

Wentworth, H. & Flexner, S. B.: *Dictionary of American Slang.* Second Supplemented Edition. New York 1975.

–: *Pocket Dictionary of American Slang.* New York 1968.